復刻版

現代知識　教化講習録

第1巻

不二出版

〈復刻にあたって〉

一、復刻にあたっては、高野山大学図書館にご協力いただきました。記して深く感謝申し上げます。

一、本復刻版は、より鮮明な印刷となるよう努めましたが、原本自体の不良によって、印字が不鮮明あるいは判読不可能な箇所があります。

一、資料の中には、人権の視点から見て不適切な語句・表現・論もありますが、歴史的資料の復刻という性質上、そのまま収録しました。ただし、「地方資料」は編者との協議の上、収録しておりません。

（不二出版）

〈第1巻　収録内容〉

『現代知識 教化講習録』執筆者索引

凡例

一、本索引は配列を五十音順とした。
一、旧漢字、異体字はそれぞれ新漢字、正字に改めた。
一、表記は、復刻版巻数―復刻版頁数の順とした。

（編集部）

序
―大正期における社会教化と社会事業―

長谷川匡俊

このたび、同学の宮城洋一郎・山口幸照のお二人のご尽力によって、大正一〇年から同一二年にかけて発刊された『現代知識 教化講習録』全一〇巻（加藤咄堂編）の復刻刊行が間近と聞き、私にまで声をかけてくださった厚意に甘えて、巻頭に拙い筆を執ることをお許しいただきたい。

本書刊行の経緯、その史料的な性格や価値、多彩な執筆陣等については、両氏の行き届いた解説にゆずるが、大正期の社会事業は、社会教化と密接な関係を有しており、しかも仏教社会事業の盛況を踏まえるならば、当代の貴重な教化資料たる本書が広く関係者の目にとまり、各方面で研究が促進されるよう願ってやまない。編者の一人宮城氏は歴史学をベースとして、古代・中世の仏教救済事業史研究に指導的な役割を果たされ、最近は近現代の社会事業史にまで研究の幅を広げている日本仏教社会福祉学会の重鎮である。一方、山口氏は社会福祉学をベースに、密教福祉や近代真言教団社会事業史を中心として、豊富な現場経験をも生かした仏教社会福祉研究の有力な担い手である。そこで私は、勝手ながら自分の限られた関心に即して、大正期における社会教化と社会事業の関係をめぐり少しく言及してみたいと思う。

近世・近代の仏教史や社会事業史の研究に従事していると、教化と慈善（社会事業）の関係をどのように整理するか問われる場合がある。私の見立てでは、近世ではこの両者は未分離で、教化の延長線上に慈善があり、慈善の延長線上に教化があるという切り離せない関係として捉えられる。それが近代になると、資本主義の進展にともない、新たに生起する社会問題、社会事業問題への対応を迫られ、両者はしだいに分化の傾向を強めていき社会事業の成立に至るのである。我が国社会事業の勃興期は大正中葉、一九二〇年代とみられているが、実はこの時期こそ「社会教化」が成立し、社会事業と不可分の関係が期待されたのである。

その契機をなしたのは、第一次世界大戦後の時局に際して発せられた「民力涵養に関する訓令」(一九一九年三月)と関東大震災直後に発せられた「国民精神作興に関する詔書」(一九二三年一一月)である(もっとも、これらの先蹤となるのが一九〇八年一〇月の「戊申詔書」に始まる地方改良運動であろう)。二四年には教化団体聯合会が結成され、同会は内務大臣の諮問に対して、「国体観念の明徴を敬神崇祖精神の涵養」以下を答申している。こうしてみると、社会教化には、国家による国民統合(思想善導、国家への批判抑止)の役割が期待されているが、そうした面ばかりでないことにも注意を払う必要があろう。

大正から昭和初期にかけての社会教化運動の潮流は各地方にも浸透して、多くの社会教化団体を設立せしめ、地域の社会改善に貢献している。たとえば通俗図書館の設立をはじめ、地域改良、矯風事業、免囚保護事業、講演会活動等を展開して、社会事業の重要な一翼を担っていたのである。なかでも大正期(後半)に盛況をみるセツルメントには社会教化機能が重視された。この時期に沸騰する労働問題解決への期待があったからである。

ここでは一例として、大正期における仏教系セツルメントを代表するマハヤナ学園(東京西巣鴨)の場合を紹介してみよう。当園は一九一九(大正八)年一月、浄土宗僧侶の長谷川良信によって創設され、「設立趣意書」に見える事業方針には、(一)講壇的社会事業の普及、(二)綜合的済貧計画の実行、(三)労働問題の宗教的解決、の三本柱が掲げられている(『社会福祉法人マハヤナ学園六十五年史』二巻、一九八四年)。それらはいずれも社会教化事業と関わりが深く、とくに(一)は新しい社会事業の普及・啓発のための教育・教化事業であるから、社会教化事業そのものと言ってもよいほどである。また(三)について長谷川は、「経済問題の正面攻撃より脱落して、教化開発による労働者の自主的向上を第一義とする」(『社会事業とは何ぞや』一九一九年)と述べており、「浄土宗労働共済会」を設立した恩師の渡辺海旭の思想と実践を受け継いでいる(拙稿「大正期における渡辺海旭の労働者保護思想」圭室文雄編『日本人の宗教と庶民信仰』吉川弘文館、二〇〇六年)。

さて、前掲のマハヤナ学園の主な事業項目には、細民生活の改善、児童の積極的保護、労働者の地位の向上、地方自治の振興に加えて、五番目に社会教化があげられており、長谷川社会事業の特長ともいえる「総合性」をうかがわせるが、以下に紹介するのは長谷川が一九一六年に発表した「日本社会事業大綱」表(前掲『社会事業とは何ぞや』)からの抜粋である。まず長谷川は、社会事業に「慈善救済義(宗教的方針)・社会政策義(政治的方針)・教育義(自助的方針)」の三義があるとし、そのうえで社会事業を、救貧・防貧・教化に三分類している。救貧には細民救助事業(個人的)として窮民救助・罹災救助等七事業。防貧には児童保護事業(個人的)として育児・感化教育等九事業、労働擁護事業(階級的)として授産・人事相談等一三事業、自治振興事業(団体的)として都市改良三事業・農村改良六事業・細民部落改良一事業。教化は社会教化事業として民育(直接)六事業・風化(間接)四事業とし、全三類・五系・四九事業を提示している。

ちなみに、このうち社会教化事業としては、庶民教育(図書館通俗講演等)・特殊訓育(工場監獄病院等における)・移民教育(海外殖民地における)・未成年教化(青年会少年会等)・矯風奨善(貯蓄趣味娯楽改良)・新聞雑誌其他出版物改良(以上民育)、教育宗教文芸・時代思想及社会時事新聞・行政施設経済組織・社会事業の統一及助成(以上風化)があげられている。一九一六年段階において、社会教化を含むこのような社会事業の体系化が構想されていることに注目したい。いま一つ、長谷川良信編『社会政策大系』全一〇巻(大東出版社、一九二六－七年)の第一〇巻には、加藤咄堂著「社会教化と宗教」が他の四編と共に収められており、その緒言冒頭に「宗教運動は常に社会教化と関連し、社会教化は常に宗教を中心とする」と、両者の関係にふれている。信教の自由・政教分離の現代にそのままあてはまるものではないが、当時の宗教者(仏教者)の社会事業を捉えるうえで欠かせない視点であろう。

結びに、改めて宮城・山口両氏の熱意に敬意と感謝を捧げ、あわせて本書所蔵先の高野山大学図書館並びに刊行を引き受けてくださった不二出版に謝意を表したい。

（大乗淑徳学園理事長　博士（文学））

『現代知識 教化講習録』に寄せて

山口幸照

はじめに

今般『現代知識 教化講習録』全一〇巻を復刻出版することになった。仏教学の専門研究者ではない我々が、この貴重な雑誌を出版物として復刻することについて躊躇がなかったわけではない。しかし、近代仏教史特に近代仏教社会事業史に関心を持って研究しているものとしては好奇心と興味のある分野ではあった。また、幸いにもこの本を復刻するにあたって特に大正期の様々な歴史を再学習できたことは望外の喜びであった。改めて大正期の政治経済、社会問題、文化など全般にわたって知ることができた。一言で大正教養主義や大正デモクラシーというが、その多様性と複雑な思考性は現代では考えられないほどの記述があることも確かである。

この雑誌を出版するにあたっては、あくまで原文を忠実に後世に残すということが僕らに与えられた使命と思い余計なことはできるだけ省略した。しかし、一部割愛せざるを得ない部分があったことは大変残念である。さらに執筆者が多岐にわたっていることや紙幅の関係から一つ一つの論文については解題をしなかったしできなかった。古文書と違い普通に読むことができるので余計な解説は無用とも考えた。できるだけ早くそのまま出版することこそが我々の重要な任務と考えた。この雑誌を基本にして大正時代に仏教者が社会問題についてどのように対応したかについて多種多様な研究が進めば望外の喜びである。

一、『教化講習録』が復刻出版に至った経緯

長く社会福祉学とりわけ近代仏教社会事業史の研究をしていた筆者が、近代の仏教者特に真言宗僧侶の社会的実践に関心を持ったのは真言宗智山派の研究機関智山伝法院の研究員として所属していた頃のことだったので二〇年以上前のことになる。

先ず智山伝法院研究員として取り組んだのは、高野山真言宗、真言宗智山派、真言宗豊山派の各派の機関紙を読んでみようということだった。高野山真言宗の『高野山時報』、真言宗智山派の『智嶺新報』、真言宗豊山派『密厳教報』を結果としてはすべて読んだわけであるが、その膨大な量と質には当初は驚きとともにできるのかなと不安だった。

筆者が近代の仏教者の実践に強い関心を持ったのは、淑徳大学大学院博士後期課程社会学研究科に通学している時だった。長谷川匡俊淑徳大学学長に指導していただいたのが、渡辺海旭が大正期に発行していた『労働共済』という雑誌を読むことからだった。

実に丁寧な授業のなかで古文書を読むような手法で一枚一枚解説をしてくださった。毎回宿題を出され解題の方法も教授してくださった。次第に毎週長谷川先生にお会いするのが楽しみになっていった。大正期の仏教者の豊かな社会問題に対応する姿勢や態度は大いに参考になった。

また、浄土宗だけでもこれだけの社会的実践があるのだから他宗派でもあるのではないかと思い、徐々に関心を持つようになったのもこのころだった。淑徳大学大学院在学中に智山伝法院研究員に採用されて毎週真言宗智山派の東京出張所に通うようになった。現代宗教研究室に配属となり主に専門であるソーシャルワーク研究の領域を担当する

ようになった。

智山伝法院の図書室に通うようになって偶然に真言宗智山派の機関紙である『智嶺新報』を手に取ることができた。一九〇〇（明治三三）年に智山派を公称するようになってから現代にいたるまでの分量であるから一〇〇〇冊は超えていた。保存状態もよくなく中にはボロボロのものもあった。読み進めると予想通り真言宗の僧侶も豊かに社会問題に対して対応する姿が随所に記されてあった。

そのような時に、急きょ高野山大学文学部社会福祉学科に奉職することになり、東京の智山伝法院も兼務しながら和歌山県の高野山大学と自坊がある栃木県と往復する生活が続いた。高野山大学の図書館には高野山真言宗の『高野山時報』がすべてそろっていて、それも閲覧することができた。真言宗智山派の『智嶺新報』を読んだ時と変わらぬ様々な社会に対する実践が生き生きと記されてあった。

高野山大学に奉職後、すぐに高野山同学会に入会することになった。同学会に入会すると自動的に日本密教学会の会員になるということだった。基本的には高野山大学、種智院大学、大正大学智山研究室、大正大学豊山研究室の四機関で構成されている学会である。学会に参加する中で真言宗豊山派の研究者の方々とも知り合いになり、護国寺内の豊山派総合研究所を訪問した。訪問の際に付属の図書室を拝見したところ真言宗豊山派『密厳教報』が製本も終わってすべてそろっていた。そこで一年かけて毎週通って全てを読むことにした。高野山真言宗、真言宗智山派と同様に様々な社会に対する実践が生き生きと記されてあった。高野山真言宗、真言宗智山派、真言宗豊山派に所属していた当時の僧侶の活動は多岐にわたり教化活動を展開していることが分かった。特に高野山真言宗では他宗派にさきがけて一九一八（大正七）年に宗務庁内に社会課を設置していることも明らかになった。真言宗はややもすると他宗派と比較して社会教化や社会事業に熱心でなかったということも言われていたが、事実は豊かに社会に対して活動を展開していたことも判明した。

『高野山時報』からは近代高野山真言宗の仏教社会事業として、『智嶺新報』からは近代真言宗智山派の仏教社会事業として、『密厳教報』からは近代真言宗豊山派の仏教社会事業としてそれぞれ日本仏教社会福祉学会に発表し、論文としても掲載されている。

『高野山時報』『智嶺新報』『密厳教報』を読んでいくと数多くの著書の案内と広告が随所に掲載されていた。著書の著者は現在でも我々がよく知っている方々であった。その中の一つが『教化講習録』だった。編集者の加藤咄堂をはじめとして、その当時の著者が多岐にわたり著名な方々だったので関心を持った。そこで高野山大学の図書館をはじめ最終的には国立国会図書館にまで足を運んだが存在が確認できなかった。どこかにあるに違いないと考えいろいろな方々にも問い合わせをしたが不明のまま数年が経過していた。ところが高野山大学図書館の担当者から連絡があり、九州の古書市に出むいたところ出展されていて販売しているということであった。さっそく購入してもらうことにして現在高野山大学所蔵となっている。現在確認されているところ高野山大学所蔵の本書しかないために多くの方々に読んでもらう機会がない。内容も貴重なことから復刻出版することにした次第である。高野山大学図書館の担当者から連絡があって本書が復刻されるまで一〇数年の時間が経過したことになる。本書は近代仏教をはじめ社会事業や教育、政治、文化、各宗安心など多岐にわたっての論文が掲載されているので大正期の各種研究が垣間見える。参考文献の一助として座右においていただきたいと考える。

二、教化とは何か

仏教教団や宗団が教化をするというのは、その仏教教団や宗団の存続にかかわる重要なことであるので仏教各宗派は多くの労力と時間を使って力を入れている。教化なくしては仏教が成立しないといっても過言ではないだろう。

教化とは、もとは教導化益から転じた言葉である。もとは仏教讃歌であり声明の一つであった。導師が大衆を教化する際に仏前にて唱和したことによる。漢文調のお経と違い日本語による仏教讃歌であった。代表的なものに和讃と教化があった。和讃は浄土教的であり、教化は天台宗的真言宗的であり儀式的であった。

布教や伝道などとともにブッダや祖師の教えをわかりやすく信者に伝えることが重要なことであるから仏教各宗派は教化に力を入れてきた。

僧侶の養成と信者に対する教化・布教・伝道は広い意味で教育ということができるので仏教の活動は教育活動そのものということができる。ディシプリンが仏教活動の重要なファクターであることは疑いの余地がない。

人がこの世を生きていく上では、多くの人が困難と苦痛が伴うことは共通のことである。普通は多くのことは自分の努力と周囲の協力によって解決していくことである。しかし生きていく上でどうしても解決できない問題や課題があることも事実である。その場合に歴史的には宗教に救いを求めていくことが普通のことであった。仏教の場合はブッダはじめ多くの祖師たちがその教えを残している。ブッダも祖師たちもその教えを誰かに伝えなければその素晴らしさがわからない。ブッダや祖師たちの教えを正しく学び、そしてその学んだことを実践して素晴らしさを体感し感得する。その体感し感得したことを誰かに伝えることが布教、伝道、教化と呼ばれるものである。

教化は、ブッダも祖師たちの素晴らしい教えを誰かに伝えることで伝わることで輝きを増していくということができる。ブッダは、この世は一切皆苦と認識しその最たることが生老病死であるとした。その苦しみから逃れるのはどうしたらいいかを思索し悟りをひらいた。ブッダ以降の仏教の各宗派を開いた多くの祖師たちも方法論は違うといえども同じように思索し悟りをひらいた。

各宗派で教化に対する考え方や方法は異なるが、大筋では宗派の教義を宣布して信徒に安心を体感し感得させることである。その際には法要儀式や行法、詠歌、法話、文書、映像などの方法で行うのが一般的である。いうまでもなく祖師の教義を広く信徒にわかりやすく伝えることが重要である。

仏教各宗派では組織的に教化運動を展開するためにスローガンを掲げて展開している。高野山真言宗「生かせいのち運動」、天台宗「一隅を照らす運動」、浄土宗「おてつぎ運動」、真言宗智山派「つくしあい運動」、真言宗豊山派「開けこころの曼荼羅運動」などが代表的なスローガンである。さらに年次ごとにテーマをきめて年度ごとに実践を展開している。

近年は青少年教化にも力をいれており、寺子屋開設や宿泊での温習会なども開催している。このようにしてブッダや祖師たちの教えを後世まで残すことは社会的有用性からみても重要なことであるが、ブッダや祖師たちの教えを正しく理解し正しく伝えることは至難のことである。その時代時代で研究を重ねてその成果をあげて、教化を担当する僧侶に伝えることが先ず求められる。大正一〇年前後に発行された『教化講習録』は研究者と実践者がその時代のことについて意欲的に書いたものである。かつて仏教界は明治以来の廃仏毀釈と神仏分離を経験し、大正期においてもその流れは色濃く残っていた。そのような仏教界の存亡にかかわる時代に新たな教化活動を展開していく中での社会教化であり社会事業活動であったともいえる。仏教の存亡は社会教化と社会事業活動にかかっていたといっても過言ではなかった。そしてその時代を反映するテキストともいうべきものがこの『教化講習録』であった。激動する時代背景をバックにしながら仏教者の教化活動のテキストとして本書が位置づけられる。

三、『教化講習録』の内容と分類

今回発見された『教化講習録』は一九二二（大正一〇）年六月一日号から一九二三（大正一二）年三月一日まで発行された一〇冊で、雑誌の形式である。当初は毎月一巻発行する予定であった。毎月の会費を徴収し毎月発行するとしてある。しかし現実には一〇巻を発行するまでに二年三カ月の日時を要している。

発行者は加藤熊一郎、編集者は加藤咄堂である。同一人物だと考えられる。加藤咄堂の人物については別稿に詳しいのでここでは省略する。

発行の趣旨は第一巻の「発刊の辞」に次のような記述がある。要約すると次のようなことである。「古代の文化は歩むがごとく近代の文化は走るがごとく現代の文化は飛ぶがごとくである。社会教化にあたる人々は日進月歩の新知識をとりいれなければならない。時代を理解しないで時代を教化することはできないはずだ。日々教化をしている人々は多方面の専門的な知識をすべて知っていることでしょうが、民衆を教化するにはその専門的な知識を通俗化し民衆化しなければ伝わらない。また通俗化民衆化するには現代知識がなければならない。この『教化講習録』はその現代知識の専門家に執筆していただきました。現代の新知識と新資料をいつも考慮する必要があると考えたからに他ならない。現代は民衆の力が認められる時代になったので、この民衆を教化することが必要となったのです。民衆を指導して健全な方向に誘導することは社会教化をする人の最大の任務である。民衆を理解するには現代知識を知る必要がある」。つまり教化を日々している人は現代のことについて広く深く知っておくべきである。そのために当代一流のそれぞれの分野で活躍している専門家の方々にわかりやすいように執筆してもらったということである。

この時期は大正デモクラシーが盛んになって最高潮に達した時期である。社会主義、民本主義、国粋主義など多くの思想が交錯し、社会も米騒動や第一次大戦など激動の時期であった。この時期に本書が発行されている。まさに百家争鳴という時代背景であった。時勢の要望にそうような内容を網羅しているとしている。

この時期は多くの社会問題を抱えている時期である。本書は社会教化が正しく行われるならば、多くの社会問題は解決をみるはずだとしている。社会教化の内容は、知識を普及して社会の文化を向上させ、宗教の力をもって社会を善導することだとしている。現代知識と宗教を合一して行う社会教化こそ最も有意義であるとしている。さらに本書の五大特色として①専門知識を通俗化し平易にわかりやすく民衆に提供できるようにしてある。②布教伝道に従事する宗教家に新しい教材を提供している。③社会教化をする人に思潮（思想の傾向）の推移を知らせること。④多方面にわたる専門大家による執筆であること。⑤質疑応答の機会を設けて難解なことを質問出るようにしたこと。今までにない画期的な出版となったとしている。

この雑誌の編集責任者である加藤咄堂は、当時渡辺海旭らによってさかんになっていた仏教社会事業に注目している。仏教がブッダ以来してきた伝統的な教化ではなく教化に「社会」という新しい日本語を冠して「社会教化」が必要だと思った背景は、大正デモクラシーに直面したこともあるが従来の伝統的「教化」では大衆の支持を得られないことに気が付いたことが大きく作用している。現在実際に存在する多くの社会問題に仏教者が対応するには「社会教化」であると考えた。そしてその中身は仏教社会事業を展開することが有効だと考えた。そのためには現在のアップツーデートな諸問題に対するオーソリティに執筆をさせている。大正時代という現代の多くの社会的諸問題に仏教者が対応するには現代の最新の知識が必要だと考えた。ある意味ではそれまでの体系的な教化の手法とは違う新しい教化の方法を提案したともいえる。現在の現代社会においては、今おきている様々な社会的問題を意識しない仏教者はいない。その出発点となったのがこの『教化講習録』ではなかったかと考える。

今回発見された『教化講習録』全一〇巻のすべてに社会事業や社会教育、社会問題等が執筆されている。また仏教者とは普段は縁遠いと思われている分野すなわち経済学、世界情勢、政治と自治等も多くの紙面を割いている。できるだけ仏教者に社会的問題を知ってもらって、社会教化をして仏教界の危機的状況を打開したいとの意図もあったのではないかと思われる。いずれにしてもこの雑誌は他の教化資料と一線を画していることは間違いのないところである。社会問題に対してブッダや祖師たちはどう対応したのかということの問題意識を持ってもらいたいという意図は充分に感ずる次第である。大正時代のこの時期を生きた仏教者は激動する時代にあってそれなりに努力を重ねていたことがうかがい知れる。現代社会にある我々も大いに参考にすべきことかもしれない。

この度発見されたのは全一〇巻であるが、最後の第一〇巻の巻末をみてもこの巻で終了するような記述は全くみられない。次の会員を募集しているようなコーナーもあることから次の発行があるような記述である。第一一巻は発行されたのかされていないのか現状では知るすべもない。

読者の方々から第一一巻以降を持っている又は知っているという情報を寄せられることを期待したい。従って本書の全貌はまだすべてが明らかではないことを明記しておきたい。やがてその全体が明らかにされるまで中途ではあるが本書を復刻することに意義があると思う次第である。

四、『教化講習録』が出版された時代背景

古代インドやチベット、中国などでも仏教教育が盛んであった。日本においても最澄が「山家学生式」を制定し一二年間の課程を履修する天台法華院を設けている。空海は「三業度人制」を制定し、金剛頂業、胎蔵業、声明業を学習するとした。さらに庶民のための教育施設である綜芸種智院を設けた。

ブッダや祖師たちにとっての教化活動はいわば仏教活動の生命体ともいうべきことであった。しかしながら近世の寺請制度により本来持っていた仏教活動が阻害されてしまった。明治維新によっても寺請制度が維持されたために廃仏毀釈や神仏分離などはあったにしても寺請制度自体は温存された。廃仏毀釈や神仏分離は寺院が存続するための外圧によるリストラの側面もあり多くの寺院が廃寺になったがほぼ温存した。寺請制度は宗門人別帳により、幕藩体制を維持するために寺院が幕府の末端組織となり民衆支配の一助となった。寺院は幕府の庇護のもとに財政的支援を受けているために積極的に教化活動を展開する必要がなかった。そのことは近代になってからもほぼ同じであった。しかし明治になるとキリスト教禁止は廃止になり他宗教が日本において活動するようになったことは近世とは違うことである。

キリスト教者は慈善事業、医療活動などを積極的に展開するようになり、仏教者ものんびりしてはいられないような状況になっていったことは否めない事実であった。キリスト教の倫理観は社会的な問題への関心が強く、社会主義の思想家たちをも生み出した。明治後期の社会主義者の多くはキリスト教者だったことからも、先進的な社会活動にも熱心に取り組んでいる。キリスト教に比べ仏教は社会活動に熱心ではなかった。しかし一八九九（明治三二）年には高島米峰らが仏教清徒同志会（一九〇三年に新仏教徒同志会と改称）を結成して社会的関心を広げたが、キリスト教

社会主義のような仏教社会主義に発展することはなかった。

明治が終わり、大正に入ると大正デモクラシーの運動が進められて自由な雰囲気が生まれた。大正教養主義といわれるような個人の自覚と教養を高め近代的な自我を目指すということが重要になってきた。従来の封建的な抑圧から解放されるべきとの意味合いから自己実現を図る必要がある。その実現には宗教的な価値観や体験が必要であるとされた。こうしたことから宗教的修練や実践に対する関心が強まり宗教者の内側からも運動が起こった。

渡辺海旭は一九〇〇（明治三三）年にドイツに渡り一〇年間の留学生活を送り帰国し、宗教大学、東洋大学で教授を務める傍ら巣鴨のスラムに住みついて生活を送った。『大正新脩大蔵経』を高楠順次郎と編纂するという文献学を中心とする仏教学者であるが、浄土宗労働共済会を設立して社会事業の研究と実践に着手している。さらに仏教徒社会事業協会を結成し、一九一四（大正三）年には全国仏教徒社会事業大会を開催した。大隈重信内務大臣や久保田政周東京府知事の祝辞が紹介され、本書『教化講習録』に執筆している大内青巒や村上専精、本多日生等が講演している。さらに一九二〇（大正九）年には『仏教徒社会事業大観』を発行し当時の仏教徒社会事業の概要をまとめている。「仏教社会事業」という言葉は、渡辺海旭が最初に用いており大乗仏教思想に根差した仏教社会事業の必要性を説いている。

さらにこの時期には盛んに社会教化という言葉が言われている。かつて寺檀制度に守られてきた寺院には外に向けての教化活動は必要がなかった。しかし大正期には第一次世界大戦や労働争議、小作争議が頻発し、特に米騒動などの社会問題が頻発している。それ以降も普選運動、社会主義運動、労働運動、農民運動、部落解放運動、女性解放運動等多様な社会活動が繰り広げられた。そういった状況を仏教界も黙って指をくわえてみていられる状況ではなかったこともあり、仏教各宗派での社会教化活動が活発化している。キリスト教が社会教化活動の一環として社会事業活動を積極的に展開する中で、仏教界もキリスト教への対抗手段として社会教化活動の一環として社会事業を積極的に展開している。遅速はあるが仏教各宗派の宗務所に社会課等の部署を開設している。大正期は渡辺海旭が始めた仏教社会事業が仏教各宗派に広がりを見せ、多くの救済事業を展開している。

こうして「近代仏教」は個人の内面的信仰と外面的社会活動が一体化して行われていった。これは従来の「伝統仏教」の改革運動という側面を持っていたが、主に外圧による仏教の生き残りをかけた活動が、社会教化であり社会事業活動であった。この活動は当初は伝統教団の外の活動であったり、または教団内での活動としても主流ではなかったが、次第に教団を代表する立場へと変化していった。仏教各宗派も、高野山真言宗が大正七（一九一八）年教団内に社会課を設置したのをはじめとして、本格的に社会教化であり社会事業活動に取り組んでいる時期であった。一九一四（大正三）年ごろをさかいに、急速に仏教者による社会教化や社会事業活動が高まり、そして一九二三（大正一二）年の関東大震災頃を契機に急速に減退していった。

この『教化講習録』はその時期の大正一〇年から大正一二年にかけて出版されたものである。さらに『教化講習録』は「近代仏教」の理念と実践に役に立つという、いわばノウハウの雑誌としての側面を持っている。内容も当代一流の学者や官僚、実践家による多岐にわたるものである。時代的な限界を現在では感じるものもあるがこの時代におけるオピニオンリーダー的な役割を果たしているものと思われる。

おわりに

思いがけずに発見された『教化講習録』を復刻するにあたって、種智院大学宮城洋一郎が執筆者紹介を担当し、高野山大学山口幸照が経過と背景について担当した。この雑誌を復刻し多くの皆さんにご覧いただく価値があると考え、今般復刻出版の運びとなった。

まだ多くのことが明確になっていない大正期における、社会教化活動と仏教社会事業活動がこの雑誌の中から読み解くことができればと考える。またこの雑誌に書かれていることは少なからず現代にも相通じるところが多々見受けられる。

また、付録にあたる部分で「課外講義」、「教化資料」、「地方資料」、「質疑」、「雑録」がある。筆者はできる限り原文のまま採録したいと考えていたが、特に「地方資料」は割愛せざるを得ないと判断した。

大正時代の当時の時代背景と現代社会における背景とは全然違うことによるものである。当時の時代背景ならば普通に受け入れられていたかも知れない「差別」の問題は、現代社会においては到底受け入れられない記述が多数存在したからに他ならない。特に被差別地域が特定されてしまう記述をそのまま掲載するということは人権保護の観点からも避けなければならない。

しかし一方では、大正教養主義といわれる時代の有識者の「差別」に対する問題意識を知る上では学問的には有効な資料であることも見逃せない。今回は掲載を見送ったがこの資料は近代の「差別」の歴史を知る上では貴重な資料となると考える。専門の研究者によって研究が進められることを期待したい。我々も今後の課題としたいと考える。

この雑誌の元となった原本は高野山大学図書館所蔵のものである。高野山大学はじめ高野山大学図書館には格別の配慮をいただいたことを記しておきたい。底本とした『現代知識 教化講習録』に関心のある方はご覧いただきたい。

最後になるが、この復刻出版によって近代の仏教者の活動がさらに明らかになることを期待したい。

『現代知識　教化講習録』執筆者紹介

宮城洋一郎

本書は二三名の執筆陣により構成されている。この執筆陣についてより理解を深めていくために、履歴や著作等をあげて五十音順に紹介していく。また、本書各巻末尾に掲載されている「教化資料」「雑録」についても特色となる点もあげてみた。なお、本書が大正期の刊行であることから、執筆者の業績等については管見の範囲内での記述となっていることをご了解いただければと思う。本欄作成にあたっては、可能な限り漢字表記は新字体に改めた。

赤神良譲（あかがみ　りょうじょう）（一八九二〜一九五三）

大正〜昭和期の社会学者。旧名・外蔵、別名・赤神崇弘。明治二五年新潟県に生まれる。一九一九（大正八）年東京帝国大学文学部社会学科卒業。同大学助手を経て、東洋大学、明治大学の教授（一九四〇（昭和一五）〜一九四六年まで、同大学政治経済学部長も歴任）となる。また、一九二六年から二年間フランス、ソ連にて在外研究。「ソ聯における戦時共産主義時代の実証的研究」で政治学博士。戦後の著書である『反省の哲学』（竹井書房、一九四七年）には、自由の時代が来たが、アメリカからの注射によって招来するとは思いもよらなかったとし、「他国の自由の独断的模倣を以て、自由だと考えてはならない」と警鐘を鳴らしている。また、『民主主義的政治家のための雄弁学』（伊藤新文化出版社、一九四七年）では「敗戦した日本において最も欠乏しているのは、民主主義的政治家である。

日本再建のためには、又その即席育成が最大の急務」との認識を示した。

【参考文献】

『二〇世紀日本人名事典』(日外アソシエーツ、二〇〇四年)。

井口乗海(いぐち　じょうかい)(一八八三~一九四一)

明治~昭和初期の防疫官、看護教育者。明治一六年滋賀県の真宗大谷派寺院に生まれる。高等小学校卒業後、代用教員、訓導等を経て、日露開戦により召集され大阪第四師団司令部軍医部に配属され、医学を志すことになる。一九一三(大正二)年日本医学校を卒業し、医師開業試験に合格。その後警視庁検診医員、同初代防疫課長、同細菌検査所長等を歴任し、防疫官として活躍。その間に、一九一七年東京看護婦学校講師嘱託となり、看護婦養成教育と関わり『看護学教科書』上下二巻を出版。同書は版を重ね、井口の名声を高めていったという。一九三〇年に医学博士(東京帝国大学)。また、真宗大谷派の僧・和田祐意が創設した仏眼協会にも関わりその経営に尽力。一九三四(昭和九)年には同協会盲学校長にも就任している。

【参考文献】

川上昌三『苦学力志秘伝　井口乗海』(文光堂書店、一九四二年)。
穎田島一二郎『井口防疫官　井口乗海博士伝』(四方木書房、一九四二年)。
井口信海『父母を偲びて　乗海・政能の想い出』(私家版、一九八三年)。
礫川全次「井口乗海論」(『歴史民俗学』第二号、一九九五年)。
上坂良子「井口乗海と大日本看護婦協会―東京看護婦学校における看護婦養成について―」(『医学史研究』第九二号、二〇〇九年)。

今井兼寛（いまい　かねひろ）（一八六八～一九四一）

明治～昭和初期の地方行政官、『教化講習録』には「内務省嘱託」と記す。慶応四年近江国（現・滋賀県）に生まれる。滋賀師範学校（現・滋賀大学教育学部）を卒業。教員を経て、一九〇八（明治四一）年滋賀県愛知郡《えち》（現・愛荘町全域、彦根市・東近江市・豊郷町の一部）長となる。一九一〇年に愛知郡立愛知実業学校創立に際し校長事務取扱を兼務した。同校は刺繍技術の発展を願って一九〇五年に設立された私立彦根工芸学校愛知川分校に源を発し、現在の滋賀県立愛知高等学校の前身である。今井は一九一一年六月竣工の授産場に、一九一三（大正二）年麻布織機を据えて被差別部落の女性の就労事業に着手している（一九二〇（大正九）年四月に閉鎖）。その後今井は中央社会事業協会地方改善部において備作平民会を結成した融和事業家・三好伊平次（一八七三～一九六九）とともに活動し、一九二五年創立の中央融和事業協会主事にもなっている。

編著に『現行　教育法規類纂』（小野作市と共編、島林南強堂、一九〇一年）、著書に『同胞敬愛』（静岡県社会課社会教化資料第三輯、一九二六年）がある。

【参考文献】

『二〇世紀日本人名事典』（前掲）。

愛荘町立歴史文化博物館編・発行『平成二十四年度夏季特別展　美の造形―描かれた刺繍―』（二〇一二年）。

金子マーティン「戦前文献資料にみる被差別部落の繊維女性労働者（その一）」（『部落解放研究』第七二号、一九九〇年）。

橋本唯子「愛知郡長　今井兼寛について」（愛荘町立愛知川びんてまりの館編『愛知郡と刺繍文化　女性の学びとともに』所収、二〇一三年）。

渡邊かおり「一九二〇年代の社会事業における部落問題」（『愛知県立大学教育福祉学部論集』第六四号、二〇一六年）。

大内青巒（おおうち　せいらん）（一八四五～一九一八）

明治期の仏教学者。弘化二年に陸奥国仙台に生まれる。一八七五（明治八）年に仏教界唯一の新聞である『明教新誌』を創刊。そこでは、維新政府の神道国教政策が政教一致へと向かうながれのなかで、信教の自由の立場を唱え、政教分離を説き仏教者の覚醒を促した。また、通仏教の立場から仏教徒による教会結社を結成し、仏教界のあるべきところを議論していく場を設けようとした。

帝国憲法発布に先立ち、同憲法で「信教の自由」が明記されたことから、「日本臣民の負ふべき義務」を果たすために「尊皇奉仏大同団」を一八八九年に結成している（『尊皇奉仏論第二編』一八九〇年）。そして、一九一四（大正三）年から四年間東洋大学第三代学長にも就任している。

一方、大内は「曹洞扶宗会」幹事として会員による慈恵金の寄付をもとに罹災貧民、貧困病者等への救済、貧困子弟に就学勧奨のため「扶宗小学校設置」を企図するなどの実践活動、さらには「築地訓育院」の初代校長にもなっている。

著書には『日本仏教史略』（一八八四年）、『青巒禅話』（一九一五年）等多数ある。

【参考文献】

池田英俊「大内青巒の教化思想と教会結社をめぐる問題」（『宗教研究』第二六八号、一九八六年）。
原典仏教福祉編集委員会編『原典仏教福祉』（渓水社、一九九五年）。

加藤咄堂（かとう　とつどう）（一八七〇～一九四九）

明治～昭和戦前期の仏教学者、教化運動家。本名は熊一郎。明治三年京都府に生まれる。二〇歳で上京し、英吉利法律学校（現・中央大学）で聴講生となり、文筆活動に入る。一八九五～一八九七年に大内青巒が創刊した仏教新聞『明教新誌』の主筆を務めている。さらに、一九一三（大正二）年に『新修養』を主宰している。同誌は一九〇七年に創刊された『修養』から改題され、多大な影響力を発揮したという。こうして、仏教思想を背景に時代を代表する言論人のひとりとなった。

一九二三年一一月の「国民精神作興に関する詔書」を徹底普及していくために設立された各地の教化団体が、一九二八（昭和三）年四月に「中央教化団体聯合会」として組織され、その理事として中心的な役割も担った。曹洞宗大学（現・駒澤大学）、東洋大学、日本大学等で教鞭を執った。しかし、一九四〇年代以降、戦時色が濃くなるにつれ、加藤の言説は体制擁護の方向をたどることになっていく。

こうした言論人としての活躍から、その著書は膨大な量に及ぶ。『教化講習録』では「自治民政と仏教」（一九二三年に単著として出版）を連載したが、そこでは、仏教徒が社会問題と向き合うべきことを説いている。ここには、加藤が一貫して唱えた社会教化のための仏教の役割を重視する立場がある。特に貧困問題などにおいては、社会全体のために富の偏重を防ぎ財力の普遍性を発揮して各個人の生活安定をはかるべきと説き、仏教にも地方教化の中心たるべきとした。また、教化を体系的に記述しようとした『実地応用仏教演説軌範』（通俗仏教館、一九〇〇年）、『最新応用説教学講義』（森江書店、一九〇三年）等の著作もある。

【参考文献】

王成「近代日本における〈修養〉概念の成立」（『日本研究』第二九号、二〇〇四年）。
佐藤拓司『「雄弁学」を学ぶ』（ＤＴＰ出版、二〇一三年）。
菊池正治「解題」（『戦前期仏教社会事業資料集成』第一三巻所収、不二出版、二〇一三年）。

金子馬治（かねこ　うまじ）（一八七〇～一九三七）

明治～昭和初期の哲学者、文芸評論家。号は筑水《ちくすい》。明治三年長野県に生まれる。一八八三年東京専門学校（現・早稲田大学）を卒業し、坪内逍遙の推薦により同校講師となり、一九〇〇年にドイツに留学しベルリン大学等で心理学、哲学を学ぶ。帰国後の一九〇七年に早稲田大学教授となり文学部長、常務理事等を歴任、一九二〇（大正九）年文学博士。

その業績はベルグソン『創造的進化』の翻訳（早稲田大学出版部、一九一三年）をはじめとした欧米思潮の紹介、文芸批評など多岐に及ぶ。主な著書に『欧洲思想大観』（東京堂書店、一九二〇年）、『哲学概論』（早稲田大学出版部、一九二七年）、『芸術の本質』（東京堂書店、一九二五年）など他数がある。

【参考文献】

赤羽篤『長野県歴史人物大事典』（郷土出版社、一九八九年）。
『二〇世紀日本人名事典』（前掲）。

斎藤　樹（さいとう　いつき）（一八八八～一九五一）

大正～昭和戦前期の内務官僚。明治二一年千葉県に生まれる。一九一二年第一高等学校を卒業し、千葉県立大多喜中学校教諭を経て東京帝国大学法科大学に入学。一九一六（大正五）年文官高等試験に合格し、翌年同大学を卒業。東京府理事官等を経て、一九二四年宮崎県警察部長、翌年群馬県警察部長を歴任し、一九二七（昭和二）年内務省警保局警務課長となり、一九二九年一月から一二月まで欧米各国に出張。一九三一年から一九三七年まで奈良県、富山県、静岡県の知事を勤め、同年六月警視総監となる。一二月に同職を辞職し、海軍嘱託などを勤めた後、一九四五年二～四月貴族院議員となった。

【参考文献】

秦郁彦編『日本近現代人物履歴事典』（東京大学出版会、二〇〇二年）。

境野黄洋（さかいの　こうよう）（一八七一～一九三三）

明治～昭和初期の仏教史学者。本名は境野哲《さとし》。明治四年宮城県に生まれる。一八九二年哲学館（現・東洋大学）卒業。一八九四年村上専精の指導の下で『仏教史林』を創刊。一八九九年高島米峰（一八七五～一九四九）らと「仏教清徒同志会」（一九〇三年に「新仏教徒同志会」と改称）を結成、翌年機関誌『新仏教』を発行。一九一二年東洋大学教授となり、一九一八（大正七）年同大学第四代学長に就任。一九二三年、同大学の幹事の解職をめぐる騒動により、学長を辞任（「境野事件」または「東洋大学事件」と称される）。その後、一九二六（昭和元）年に駒澤大学教授となり、一九三〇年同大学から文学博士の学位を授与された。

このような経歴から、境野の業績には第一に日本、中国の仏教史研究者としての足跡があり、第二に新仏教運動の担い手として明治の仏教界に多大な影響を与えたことがある。前者では、「仏教史は一方にありては社会の政治風俗諸般の歴史と密接に関係を有し、他方にありては、総て形而上学思想の開展発達と不可離の親族たり」とすることで、「哲学史」と「社会歴史」の二つを合したものが仏教史と捉え返したことがある（「歴史的仏教」『仏教史林』第一編第八号、一八九四年）。ここに仏教史研究が近代的な歴史研究としての地位を獲得せしめた論点が見出せる。後者では、境野が『新仏教』をとおして足尾鉱毒事件に取り組み、乃木大将夫妻の殉死に疑義を提起するなど批判的視座を有しながら仏教界の革新を唱えた。

著書は『八宗綱要講話』（一九一六年）、『仏教史要　日本之部』（一九〇一年、後に『日本仏教史要』と改名）、『支那仏教史綱』（一九〇七年）など多数に及ぶ。なお、『境野黄洋選集』全八巻（うしお書店、二〇〇三～二〇〇九年）も刊行されている。

【参考文献】

伊吹敦「境野黄洋と仏教史学の形成」上・下（『境野黄洋選集』第一～二巻所収、うしお書店、二〇〇三年）。

島地大等（しまじ　たいとう）（一八七五～一九二七）

明治～大正期の仏教学者、浄土真宗の僧。明治八年新潟県の浄土真宗寺院に生まれる。父は天台学者・姫宮大圓。一八八九年築地積徳教校に入り、一八九一年神田錦城中学に入学。二年後、父が大学林（現・龍谷大学）教員になったため、文学寮本科二年に転入、一八九七年文学寮高等科の業を終え、一八九九年に大学林を卒業。さらに大学林高等科に進み、一九〇一年三月卒業。この間に西本願寺の近代化に功績があった島地黙雷（一八三八～一九一一）の養継嗣となっている。

大学林高等科を終えた後に東京・高輪仏教大学、同中学校教授となるが、一〇月西本願寺法主・大谷光瑞（一八七六～一九四八）から仏教史跡調査のためインド渡航を命じられ、翌年七月帰国。一九〇四年に天台宗西部大学黌講師となり、天台、真言両宗の教籍を探索、高野山に登り東密の事相、教相を修めた。さらに、一九〇七年一〇月比叡山にて第二四三世天台座主・山岡観澄に就いて入檀灌頂し「三部都法伝法灌頂鎮国大阿闍梨位」を受けた。なお後に長谷寺第五八世能化となる権田雷斧より野沢一多の秘印口訣、秘記、密具等を受け、日本密教の根本となる台密、東密を修得することとなった。

一九一九（大正八）年九月より東京帝国大学文学部講師となり、日本大学、東京高等師範学校、國學院大学等にも出講。東京帝国大学では文学部印度哲学第二講座さらに第三講座新設にさいして同講座担任となり、後進の指導にあたった。また、西本願寺では一九二〇年に教学の最高位である勧学職に任じられている。

このような経歴から博学にして高い見識と評価されるが、業績は生前にあってはわずかに一部を刊行したに過ぎない。多事、多病であったことが一因とされる。そのため、その講筵に侍した門弟たちにより、講述を筆録した『天台教学史』(一九二九年、復刻版・隆文館、一九八六年)、『真宗大綱』(一九三〇年、復刻版・中山書房、一九七八年)、『仏教大綱』(一九三二年、復刻版・中山書房、一九七八年)、『日本仏教教学史』(一九三三年、復刻版・中山書房、一九七六年)等が昭和初期に刊行された。

【参考文献】

深浦正文「島地大等」(『仏教学報』第三号、一九四〇年)。

清水静文(しみず せいぶん)(生没年代不詳)

明治後期~昭和初期の経済学者。『教化講習録』には「慶應義塾大学教授」と記す。著書『雨だれの音』(厚明舎、一九一五年)には、明治二七年(一八九四)に腫物の手術をしたという記述があり、青年時代であったという。『満洲の経済』(六盟館、一九一七年)では「慶應義塾大学講師　理財学士」の肩書きを記す。『人口問題の研究』(文啓社書房、一九二九年)では、河上肇への批判論を展開している。

末広照啓(すえひろ しょうけい)(一八七四~一九二五)

明治~大正期の天台宗の僧。明治七年東京に生まれる。一八八二年東京深川の覚樹王院末広光照師を戒師として得度出家、同年谷中の金嶺寺住職荒井照源師の養子となる。一八九二年比叡山に登り、大学林に入学し、一八九五年に卒業。同時に同学林専門副講師に任じられたが、翌年四月東京に帰る。その後、徴兵され一九〇三年に帰院。一九〇七年天台宗大学教頭となり、一九一五（大正四）年天台宗総務に就任し、翌年には天台宗大学および中学学長に任じられた。一九二三年仏教聯合大学（現・大正大学）設立の議が起こり、率先してこれに加わったという。しかし、宗立中学の存立の危機を認識して駒込中学校設立に尽力することになった。この年関東大震災に遭遇し被災した自坊の復興、聯合大学、駒込中学校設立等困難な事業に向き合い、これらの事業が伸展を見せる中、一九二五年病により死去。

著書には、法華経の大旨を提示した『法華綸貫講義』および『摩訶止観提要』（一九〇三年、復刻版『天台学講義』上巻に所収、うしお書店、二〇〇五年）などがある。また関東大震災後の自坊復興に際しては、洋服着用者が多いことから堂内に椅子を入れるなどの試みをしたという。

【参考文献】

『二〇世紀日本人名事典』（前掲）。

「末広照啓先生略年譜」（『山家学報』新第一巻第四号、大正大学天台学会発行、一九三一年）。

高島平三郎（たかしま　へいざぶろう）（一八六五〜一九四六）

明治〜昭和戦前期の教育家、児童心理学者。慶応元年江戸本郷駒込（現・東京都文京区）の福山藩江戸屋敷に生まれる。一八七二（明治五）年に広島県福山に帰り、藩校誠之館に入り、福山西町上小学校に転校、一八七七年に卒業。同年同小学校の授業生となり、数年間県内の小学校で教職につき、一八八七年上京して東京高等師範学校教授掛補助となり、以後学習院、日本女子大学、長野県師範学校、日本体育会体操学校、東洋大学等で教鞭をとった。

その間に東京右文館の編集長として教科書編集にも関わり、内務省の感化救済事業講習会、日本児童学会講演会などに講師として招かれていた。第一三代東洋大学学長（一九四四（昭和一九）年一一月〜一九四五（昭和二〇）年七月）にも就任した。

高島はその専門分野に関してはほとんど独学で開拓してきた。特に児童研究に根ざした家庭教育を提唱し、児童心理学、児童学の草分け的存在として高く評価されている。また、その影響を受けた人々から障害児教育の草創期を担った人材が輩出している。

【参考文献】

『二〇世紀日本人名事典』（前掲）。

小林輝「高島平三郎―児童研究に立脚した過程教育論を提唱―」（唐澤富太郎編著『図説教育人物事典』下巻所収、ぎょうせい、一九八四年）。

津曲裕次「解説」（伝記叢書三三一『高島平三郎先生教育報国六十年』所収、大空社、一九八八年）。

津田敬武（つだ　のりたけ）（一八八三〜没年不詳）

明治末期〜昭和期の美術史家、民族学者。明治一六年生まれ。『教化講習録』には「帝室博物館祭祀神祇部主任」とある。「帝室博物館」は当時宮内省管轄の博物館で、現在の東京、京都、奈良の各国立博物館の前身となる。また、ニューヨーク大学の講師およびメトロポリタン博物館にも関わりを持ったとされる。津田の英文の著書 *Handbook of Japanese Art*（一九三五年）の再版である *A History of Japanese Art : From Prehistory to the Taisho Period*（Tuttle Publishing 2009）には日本芸術文化の研究者Patricia Graham によるForewordが掲載されていて、そこに津田の業績目録があり、一九六一年まで『宗教研究』（日本宗教学会）に著作を発表している。

この他の著書には、仏教美術に関して『釈迦像の研究』（一九一一年）、『仏教美術と上代文化』（一九二三年）、美術分野では『生活文化と美術』（一九四一年）、民族学関係では『日本民族思想の研究』（一九二二年）などがあり、論文等は多数にのぼる。

【参考文献】

谷和明「生活文化概念の史的検討―大政翼賛会の生活文化運動をめぐって―」（『東京外国語大学　留学生日本語教育センター論集』二三号、一九九七年）。
中田祝夫「『極楽願往生歌』小引」（三宅米吉解説『極楽願往生歌』所収、勉誠社文庫九、一九七六年。原本は三宅米吉・津田敬武「院政時代の供養目録」帝室博物館報第四冊、一九二四年）

富田斅純（とみた　こうじゅん）（一八七五～一九五五）

明治～昭和期の新義真言宗の学僧、教育者。明治八年長野県に生まれる。一八九七年哲学館（現・東洋大学）を卒業、一九〇二年に長野県長勝寺住職となる。一九一一年新義真言宗豊山派宗務長に任じられ、一九一四（大正三）年東京府宝仙寺住職となり、一九二〇年豊山大学長に任じられ、一九二六年大正大学設立により同大学教授となる。一九二七（昭和二）年に宝仙寺に感応幼稚園を設立、翌年同寺隣接地に中野高等女学校、さらに一九三五年に仏教保育協会中野保姆養成所（後の宝仙学園短期大学）を創設。一九三二年には新義真言宗豊山派管長に就任した。戦後は一九五一年に宝仙学園短期大学長となり、一九五三年多年教育に尽力した功績により藍綬褒章を受けた。

この教育への貢献には宝仙寺住職として、寺院は社会の中枢に位置すべきであるとの「模範的寺院経営」を志向したことがあげられる。特に宗教的情操と家庭教育の意義を重んじて女子教育に力点を置き、「保姆養成」にも着手したことが後世に多大な影響を与えていくことになった。

主な著書に『真言宗史綱』（森江書店、一八九六年）、『新義真言宗史』（加持世界社、一九〇一年）、『秘密辞林』（加持世界支社、一九一一年。復刻版・ノンブル社、二〇一一年）、『密教百話』（世相軒、一九二五年）、『隻脚を切断して』（世相軒、一九二七年）等がある。

【参考文献】

宝仙学園五〇年史編集委員会編『宝仙学園五十年史』（宝仙学園発行、一九七八年）。

長瀬鳳輔（ながせ　ほうすけ）（一八六五〜一九二六）

明治〜大正期の教育家、外交問題研究家。慶応元年備前国（現・岡山県）に生まれる。一八八〇（明治一三）年東京外国語学校に入学し中国語を修学、次いで一八八三年に東京帝国大学予備門に入る。一八八五年に米国ジョンズ・ホプキンス大学に留学して歴史および経済学を学び、一八八八年ドイツへ留学してハレル大学でドクトル・オブ・フィロソフィー（哲学博士）を取得。同年帰国し山口高等学校教授、一八九六年陸軍大学教授、一八九九年陸軍参謀本部嘱託、一九〇九年には参謀本部陸軍編修に任じられた。

一九一七（大正六）年国士舘開設時に講師となり、一九一九年には理事となり、国士舘高等部学長となる。一九二三年に中等部校長に就任した。

欧米への留学により西欧近世史およびフランス革命後の外交史を専門としていたが、陸軍参謀本部では中央アジア、バルカン半島の研究を深めて国際事情に詳しい人材として活躍。国士舘では、国家社会のために自己の利益を犠牲にしても意としない、真に愛国的精神に満ちた「国士」を育成することを力説していた。

【参考文献】

浪江健雄「国士舘を支えた人々　長瀬鳳輔」（『国士舘史研究年報二〇〇九　楓原』創刊号、二〇一〇年）。

『二〇世紀日本人名事典』（前掲）。

乗杉嘉寿（のりすぎ　かじゅ）（一八七八〜一九四七）

大正〜昭和戦前期の社会教育行政官。明治一一年富山県の浄土真宗寺院に生まれる。一九〇四年（明治三七）東京帝国大学哲学科卒。一九〇九年第五高等学校教授、一九一三年（大正二）文部省に督学官として入り、一九一七年からイギリス、アメリカに留学し、一九一九年帰国。文部省普通学務局第四課設置に際し主任官となり、一九二四年二月に社会教育課と改称されるとその初代課長となる。その後の六月に松江高等学校長となり、一九二八年（昭和三）に東京音楽学校長に転任し一九四五年まで勤め、音楽教育の分野でも活躍する。

乗杉の業績の第一は、社会教育の分野を確立したことである。主著『社会教育の研究』（一九二三年、同文館）では、「学校教育のみが教育の全部ではない」とする欧米での留学で学んだ信念により、社会教育を体系的に著述。まず社会教育を「個人をして社会の成員たるに適応する資質能力を得せしむる教化作業」と規定し、その「教化作業」に「精神的方面」（思想道徳）と「物質的方面」（職業及能力）の二大方面が互いに働きあって社会教育を完成するとした。また、学校教育、家庭教育も社会教育の概念に取り入れられるべきであるとした点も、社会教育を広範な視点から捉え返し、社会生活の対する理念を形成させた功績とされる。乗杉は、この社会教育の立脚点を、十数年に及ぶ東京音楽学校長としての実践の中で裏付けをはかったという。

【参考文献】

唐澤富太郎編著『図説教育人物事典―日本教育史のなかの教育者群像―』下巻（ぎょうせい、一九八四年）。

乗杉恂編『乗杉嘉寿遺文集』（私家版、一九九五年）。

橋本久美子「乗杉嘉寿校長時代の東京音楽学校　昭和３年〜20年　その建学の精神の具現化と社会教育論の実践」

（1）～（4）（『東京芸術大学音楽学部紀要』第三二、三四、三六、三八集、二〇〇六、二〇〇八、二〇一〇、二〇一二年）。
小川利夫「乗杉嘉寿『社会教育の研究』の今日的再評価」（『月刊社会教育』第四五巻第一号、二〇〇一年）。
石川洋「初代文部省社会教育課長乗杉嘉寿と二代目帝国図書館長松本喜一」（『日本古書通信』第八九一号、二〇〇三年）。

畑英太郎（はた　えいたろう）（一八七二～一九三〇）

明治後期～昭和初期の陸軍軍人。明治五年福島県に生まれる。父は会津藩士・畑能賢、弟に畑俊六（元陸軍大臣）がいる。一八九六年陸軍士官学校卒、一九〇三年陸軍大学卒。日露戦争に兵站監部副官として出征、のち大本営参謀に転任。戦後はイギリス、インドに派遣され、一九一二（大正元）年一二月陸軍省軍務局課員、一九一八年七月軍務局軍事課長、一九二〇年八月少将に進級し航空局次長、一九二二年二月軍務局長、一九二六年七月陸軍次官等を歴任し、一九二九（昭和四）年七月関東軍司令官となるが、翌年五月に病死（大将に進級）。

陸軍の近代化、航空発展の基盤形成に尽力し、「満洲某重大事件（張作霖爆殺事件）」後の関東軍の指揮を期待されていた。

【参考文献】

福川秀樹編『日本陸海軍人名辞典』（芙蓉書房、一九九九年）。
森松俊夫「畑英太郎」（『国史大辞典』第一一巻、吉川弘文館、一九九〇年）。
『二〇世紀日本人名事典』（前掲）。

藤岡勝二（ふじおか　かつじ）（一八七二～一九三五）

明治～昭和期の言語学者。明治五年京都市に生まれる。第三高等学校予科、本科を経て、一八九七年東京帝国大学文科大学博言学科卒業。一九〇一年ドイツ留学、一九〇五年帰国し東京帝国大学助教授、一九一〇年教授、一九一二年文学博士、一九三三（昭和八）年退官し名誉教授。藤岡の業績は、東京帝国大学言語学科主任教授として、言語学史、日本語学史研究をリードし、日本語とウラル・アルタイ語族との共通性を明らかにするなど日本語系統論に重要な足跡をのこしたことである。ここから国語国字問題、辞書学などの分野でも後世に多大な影響を与えていくことになったという。著書の『羅馬字手引』（新公論社、一九〇六年）は「ローマ字広め会」の「維持会員」である藤岡が、ローマ字を日本語にうつす方法を具体的事例から説き起こした書で、その効用を提示している。この他の著書に『国語研究法』（三省堂、一九〇七年）、『大英和辞典』（全二巻、大倉書店、一九二一年）などがある。

【参考文献】

『二〇世紀日本人名事典』（前掲）。

柿木重宜『近代「国語」の成立における藤岡勝二の果した役割について』（ナカニシヤ出版、二〇一三年）。

三浦貫道（みうら　かんどう）（一八六八～一九二九）

明治～昭和初期の西山浄土宗の学僧。明治元年愛知県に生まれる。一八八三年、熱田檀林正覚寺隆見大和尚より浄土宗西山派の法脈を相承。一八九八年光明寺教務局執事となり、専門寮学監に就任。一九〇六年浄土宗西山派専門寮々司兼教授となり、一九一〇年西山学会が組織され会長となる。一九二〇（大正九）年西山専門学校長兼教授となり、一九二八（昭和三）年「学階勧学」の称号を受けた。

著書に『西山教義綱要』（一九二四年）、『観経講話』（一九四四年、三浦一道編）等がある。この『観経講話』は、「振はざること久しき西山正統宗学の復興」を任とした著者への評価が記されている。なお、同書は「遺弟　三浦一道師」が編纂された「講録」で、森英純師による著者の略歴も掲載され、二〇〇九（平成二一）年に法然上人七九八回御忌満座を迎えて、総本山永観堂禅林寺執事長（当時）・鬼頭誠英師の監修により、同寺から再刊されている。

村上専精（むらかみ　せんしょう）（一八五一～一九二九）

明治～大正期の仏教学者。嘉永四年丹波国氷上郡（現・兵庫県丹波市）の真宗大谷派の寺院に生まれる。八歳から寺を出て各地の寺院住職について学ぶ。その中でも一七歳で姫路・善教寺の結城義導（天外）師から漢籍、二一歳で新潟県無為信寺武田行忠師に唯識を習ったことが特筆されている。この後、京都の高倉学寮（現・大谷大学）、愛知県入覚寺、東本願寺の教師教校などに籍をおき、一八八七（明治二〇）年曹洞宗大学（現・駒澤大学）に教師として招かれ、哲学館（現・東洋大学）にも出講し、同時に聴講もした。翌年自宅に仏教講話所を開き、一八九〇年東京・大谷教校の校長に就任し、同時に東京帝国大学より印度哲学講師の嘱託を受けている。一八九四年に『仏教史林』を創刊、近代的仏教史研究への道筋をつけた。さらに一九〇一～一九〇五年『仏教統一論』を刊行。同書「第一編大綱論」において大乗非仏説論を展開した。これにより、一時真宗大谷派の僧籍を離れることになった（一九一一年復籍）。一九一七（大正六）年東京帝国大学印度哲学学科初代教授となり、翌年には帝国学士院会員に選ばれている。一九二六～一九二八（昭和三）年まで大谷大学学長に就任。自伝に『六十一年―一名赤裸裸―』（丙午出版社、一九一四年。復刻版・伝記叢書一二三、大空社、一九九三年）がある。

【参考文献】

渡邊楳雄「学仙・村上専精博士」（『世界仏教』通巻二三九号、一九五三年）。
田村晃祐「井上円了と村上専精―統一的仏教理解への努力―」（『印度学仏教学研究』第四九巻第二号、二〇〇一年）。

塩崎幸雄「解説」（村上専精『六十一年――一名赤裸裸――』伝記叢書一二三所収、大空社、一九九三年）。

望月信亨（もちづき　しんこう）（一八六九～一九四六）

明治～昭和戦前期の仏教学者、浄土宗の僧。明治二年福井県に生まれる。一八九五年浄土宗学本校を卒業。一九〇八年宗教大学（現・大正大学）講師となる。一九一一年に「宗祖法然上人七百御遠忌」にあたり浄土宗執綱に推挙された（一九一三年まで）。一九一四（大正三）年同大学学長に就任。一九二四年浄土宗学階・勧学を授与され、東京帝国大学から文学博士の学位を授与される。一九二六年大正大学設立認可により教授、学部長、図書館長、浄土学研究室主任に就任。一九三〇（昭和五）年大正大学学長（一九三二年まで）となり、一九四二年同大学退職し名誉教授となる。一九四五年浄土宗管長・知恩院門跡。一九四七年学士院会員に選出される。

望月の最大の業績は『仏教大辞典』（『望月仏教大辞典』）の編纂にある。その構想は一九〇六年頃にはじまる。そこでは、二千数百年の仏法伝播の史実、高僧の事蹟、寺院堂塔風俗習慣等に関する諸事項を網羅し、正確な解説を施そうとしたという。一九〇九年第一巻が刊行され、一九一六年第三巻まで刊行したが第一次世界大戦の余波を受け続刊不能となった。

そこで一九二六年、財団法人啓明会理事笹森伝繁および仏教大辞典編纂後援会からの経済的援助を得て『仏教大辞典』編纂を再開。未刊原稿を整理、修補し、解説にあたっては出典を明記し、近代的研究による諸成果を参考に、梵語巴梨語西蔵語をも参照して、術語の意義を明らかにするという作業を重ねた。望月はその原稿を精査して、適宜全体的な統制をはかったという。こうして一九三一～三六年まで第一～五巻および別巻が刊行され、一九三七年には『仏教大年表』が『仏教大辞典』の付巻として刊行、全七巻六五〇〇頁の辞典が完成した。

このように、『仏教大辞典』は近代的仏教学研究の成果に立脚した編纂事業であり、そこから得られるところは現在もなお受け継がれている。

【参考文献】

望月信亨「自叙伝」(『古代学』第五巻第一号、一九五六年)。

「望月信亨略年譜」、「著作目録」(『望月仏教大辞典』第一〇巻補遺Ⅱ所収、世界聖典刊行協会、一九六三年)。

山田孝道(やまだ　こうどう)(一八六三~一九二八)

明治~昭和初期の曹洞宗の僧。号は湖南。文久三年出雲国(現・島根県)に生まれる。一八七一(明治四)年に島根県能義郡(現・安来市)地福寺で得度。一八八五年曹洞宗大学林(現・駒澤大学)を卒業し、地福寺一三世住職となる。一八九一年に慶應義塾も卒業している。一九〇四年曹洞宗大学林教頭に任じられ、大龍寺(東京都新宿区)二七世住職となる。一九一六(大正五)年教頭を辞し、一九二七(昭和二)年大慈寺(熊本県)住職となり、翌年大龍寺にて死去。

著書に『禅宗辞典』(一九一五年。復刻版・国書刊行会、一九七四年)がある。同書は著者が望月信亨師の『仏教大辞典』編纂に際し禅宗の一部を担当し、また『哲学大辞書』(同文館)編纂に関わったことなどを機縁に、刊行を志したという。また、『禅の力』(一九一九年。復刻版・国書刊行会、一九七七年)は、一般人に向けた布教集で、日常生活全般にわたってその考え方などを平易に説いている。さらに『菜根譚講義』(光融館、一九〇八年。湯浅邦弘監修『菜根譚』叢書第三巻に所収、大空社、二〇一一年)、『曹洞宗講義』(一九二八年、復刻版・国書刊行会、一九七五年)などの講義録も多数ある。

【参考文献】

禅学大辞典編纂所編『禅学大辞典』下巻(大修館書店、一九七八年)。

井上泰岳編『現代仏教家人名辞典』（現代仏教家人名辞典刊行会、一九一七年）。
金沢篤「エドウィン・アーノルドと近代日本（1）―和訳と八巻本詩作品集他についての補足―」（『駒澤大学仏教学部論集』第四四号、二〇一三年）。

横山健堂（よこやま　けんどう）（一八七二～一九四三）

明治～昭和戦前期のジャーナリスト、人物評論家。本名達三、別号「黒頭巾」。明治五年山口県に生まれる。一八九八年東京帝国大学文科大学国史科卒業、大学院に進んだが國學院国史科の講師、佐賀県、大阪府の中学校（旧制）の教員などを歴任し、文筆活動に入り、人物評論等を新聞、雑誌等に連載、「黒頭巾」の別号でも知られていく。その著書は膨大な数に及ぶが、主著は一九一一年『新人国記』で、同書は一九〇九年から『読売新聞』に連載され、一度中断したが『日本及日本人』で継続して連載、敬文館から出版された。同書は江戸時代・一六世紀頃に出版された『人国記』に影響を受けて刊行されたという。ここでは各地に住む人々がその地の風土と関わった気質を評したが、横山はその後の二百年の変遷を踏まえて「地方粋」を描こうとしたとする。

また、教育史の分野では『日本近世教育史』（同文館、一九〇四年。復刻版・臨川書店、一九七三年）、『教育史余材』（開発社、一九〇八年。復刻版・久木幸男、寺崎昌男監修『日本教育史基本文献・史料叢書』一〇所収、大空社、一九九二年）等がある。『日本近世教育史』は九〇〇余頁の大著で、近世の教育の全体像を実態的に描き出そうとし、庶民の教育、子ども文化への視点もあり、現代の教育史研究への先駆けというべきであるという。

【参考文献】

羽賀祥二「二十世紀初頭の名古屋論―横山健堂の『新人国記』をめぐって―」（『名古屋大学大学文書資料室紀要』第一六号、二〇〇八年）。

石附実「『教育史余材』解説」(『日本教育史基本文献・史料叢書』一〇所収、大空社、一九九二年)。

「教化資料」

教化活動にあたって、必要となる題材を提供する意図で構成されている。その題材は多岐に及ぶが、生活場面に応じた統計資料などが多く提示されており、その意図が明確に示されている。ただ、その典拠をあげる例は少なく、話題提供の範囲となっている。

「雑録」

本書の編集後記に当たるもので、読者との連携を深める役割を担っている。また、正誤表も提示している。

解説執筆者紹介

山口幸照　やまぐち・こうしょう

一九五二年生まれ

現　在　高野山大学教授

編　著　『密教福祉　1〜3』御法インターナショナル、二〇〇一〜二〇〇三年

『新義真言宗の歴史と思想』ノンブル社、二〇〇七年

共　著　『今僧侶はなにをすべきか』高野山本山布教師会、二〇〇四年

『仏教と差別』明石書店、二〇一〇年

宮城洋一郎　みやぎ・よういちろう

一九四七年生まれ

現　在　種智院大学特任教授、皇學館大学名誉教授

博士（社会学）

著　書　『宗教と福祉の歴史研究』法藏館、二〇一三年

『日本仏教救済事業史研究』永田文昌堂、一九九三年

共　編　『仏教社会福祉辞典』（日本仏教社会福祉学会編）法藏館、二〇〇六年

現代知識

敎化講習録

第一卷

現代智識 教化講習録（第一巻目次）

發刊の辭……………………
歐洲近代文藝思潮……（一―一六）……文學博士 金子馬治先生
大戰後の世界現勢……（一―三二）……ドクトル・オブ・フイロソフイー 長瀬鳳輔先生
社會問題と思想問題……（一―一六）……帝國大學助手 文學士 赤神良讓先生
社會事業概說……（一―一六）……內務省事務官 齋藤樹先生
社會教育……（一―一六）……文部省社會教育課長 文學士 乘杉嘉壽先生
我國の政治と佛教……（一―一六）……文學博士 村上專精先生
自治民政と佛教……………… 加藤咄堂先生
日本の文化と神道……（一―一六）……帝室博物館 祭祀神祇部主任 津田敬武先生
思想の表現と聽衆の心理……（一―一六）……加藤咄堂先生
佛教各宗の安心……（一―一六）……故大內青巒居士
課外講義 航空機の平和的價值……（一―一〇）……陸軍少將 畑英太郎閣下
教化資料……（一―一六）……地方資料……（一―一六）……雜錄……（一―一二）……

發刊の辭

「古代の文化は歩むが如く、近代の文化は走るが如く、現代の文化は飛ぶが如し」と申しまして時々刻々に變化して行くのが時代の大勢であります。此の時代に處して行くのには何人も日進月歩の新智識の敎養を怠つてはならぬのでありますが特に社會敎化の任に當る人々にとりましては、これほど必要なことはありません。

時代を解せずして時代を敎化して行くといふことは出來ないのでありますが敎化に從事する人々は皆な各專門がありまして其の專門の方面には、それ〴〵に修養を積んで居らるゝのでありませうが、民衆を敎化して行きますには、專門を專門のまゝでは耳に入らしむることの出來るものでありませんから、之れを通俗化し民衆化して行かねばなりません。之れを通俗化し民衆化するには、どうしても現代智識に應用して行くといふことが必要になります。此必要に應じて現れましたのが此「敎化講習錄」であります。

本講習錄は現代智識の各方面に關する大家に執筆を請ひまして、之れを諸君の前に提供いたすと共に、實際敎化に必要なる諸種の講義を加へまして其の應用に便ならしめんといたすのであります。勿論現代に必要なる科目は之れに止らぬのでありますが、今回は目下最も必要なる思想方面を主といたしまして、其の他の方面に關する科目は、之れを科外講演として掲載し、且つ卷末に「敎化資料」と「雜錄」との二欄を置きまして、斷えず新智識や新資料を紹介することを怠らない所存であります。

現代は民衆の力が次第に認められる時代となつたのであります。民衆の時代は最も敎化の必要なる時代で、敎化一たび其の方針を誤りますれば、民衆は如何なる方面に赴くかも計られないのであります。此民衆を指導して健全なる發達を遂げしむるといふことは社會敎化に從事する人々の最大任務であるのであります。しかも民衆を指導するには民衆を理解せねばなりません。民衆を理解するのには充分に現代の智識を修養するといふことが必要であります。

本講習錄の目的とする所は右申し述べた通りであります。幸に各專門大家の御同情を得まして、玆に第一卷を刊行するに至たのであります。私共は此機會に於て御多忙中特に本講習錄のために御執筆下された講師各位の御厚情を感謝し併せて讀者諸君の御精讀を希ふ次第であります。

歐洲近代文藝思潮

文學博士　金子馬治

序說

歐洲近代文藝といへば、普通には十九世紀の文藝――最近代の歐洲文藝が指される。然しながら精確に最近代の文藝を理解するためには、吾々は是非とも十九世紀以前――十七八世紀に溯り、更に十五六世紀近代歐洲文明發生の初期にまで溯つて、そこから全體の文藝思潮が徐々に發達して今日に至つたさまを全的に概觀しなければならぬ。蓋し最近代文藝乃至現代文藝は、當然最も廣い意味の近代文藝の一部分であつて、此の一部分だけが切り離されてそれだけで獨立し孤立すべき謂はれのものでない。現代文藝は第十四五世紀以來の近代文藝の必然的發達であつて、其の間には分離しがたい最も密接な關係が有り連續が有る第十四五世紀以來今日に至るまでの歐洲文藝は最も嚴格な意味に於て、連續的な又は統一的な全一であつて、全體としてまことに上代や中代やの歐洲文藝と對立さるべきものである。故にこゝでは單に最近代文藝だけ引離して叙說せず、第十四五世紀歐洲文明發生期以來の文藝――廣義に於ける近代文藝の發達を概觀することゝする。

然しながら廣義に於ける近代文藝の全體を歷史的に解說せんとするが如きは到底本講義に於て爲さるべき簡單な事柄でない。口に近代文藝といつても、其の中にはフランス、イギリス、ドイツ、イタリー、ロシヤ、スカンヂナヸヤ等各國各種の各時代の文藝が含まれてゐる。イギリスにはイギリス文學の特徵が有り、フランスにはフランス文學の特徵が有つて、其の全體を概括的に叙說することは決して容易な業でない。歐洲各民族の文藝は民族を異にし且時代を異にするに從つて、それ〴〵特殊の文藝を吾人に示してゐる。民族や時代によつて異なるどころか、文藝ほど個人的特徵又は個人的差別が甚しいものはないから、同一民族又は同一時代の中に於てさへ、個人的色彩は最も著しい。そして此の個人的色彩を沒却しては文藝の生命は傷つけられてしまふ。斯くして歐洲全體の近代文藝を概括的に敍說することは、極めて至難な事業と成つてくる。最密にそは殆ど全く不可能な事とも考へられる。

然かもまた他の方面から觀察すれば、歐洲各民族の間にはおのづから親密な關係が有り、從つて其の文藝の上には、おのづから共通普遍の脈絡が有つて、此の方面から全體の近代文藝を概觀することは、必しも全く不可能な事柄でない。殊に各時代の上には、おのづから歐洲文藝全體に共通な傾向が有つて、斯かる方面からそれ〳〵特殊な文藝を觀察することは、必しも不可能な事柄でない。即ちそれぞれ特殊な文藝の中に、おのづから全體に共通な傾向が見出されるのである。斯くの如き共通的傾向にはさま〴〵のものが含まれるが、全體に共通な文藝思潮は其の中の最も主要なものである。こゝで吾々は最も簡單に「文藝思潮」の意義を解釋することが出來る。文藝の中に含まれてゐる內容を假に文藝思想と名づけることが出來れば、各個人のそれ〴〵特殊な文藝に共通な內容——殊に各時代に共通な內容をば、便宜上之れを各時代の文藝思潮と名づけることが出來る。思想は文藝の内容であり、思潮は全體に共通な思想の潮流に外ならない。斯やうにして例へば十八世紀の文藝の共通的傾向をば、これを十八世紀文藝思潮、又現代に共通な文藝の傾向をば、これを特に現代文藝思潮と名づけることが出來る。各時代の各個人のそれ〴〵異なる文藝思想の中におのづから一貫する共通普遍の傾向が卽ち其の時代の文藝思潮に外ならない。

斯くの如き文藝思潮は、偶然多數の文藝家によつて造出されるものでなく、深く其の因つて來たるところを尋ねれば、必ず其の時代にての實際生活に根ざしてゐることが見出だされる。文藝の地盤は實生活――人間の實際生活である。例へば一時代が甚しく自然科學的に産業的に傾けば、其の時代の文藝は、必ずまた自然科學的に産業的に傾かざるを得ない。一時代が非常に快活に樂天的であれば、其の時代の文藝はまた必ず樂天的に快活に傾かざるを得ない。故に文藝は實生活の地盤の上に咲き出る花であつて、其の花の特徴は必然地盤の特徴によつて決せられる。文藝が時代と共に變化するはこれがためである。否、時代の變遷推移を最も明瞭に最もいき〳〵と示すものは文藝である。隨つて文藝の歷史は、當然文明史の中心であり根本である。されば文藝思潮の變遷を學ばんとする者は、先づそれが最も密接に時代と聯關してゐることに注意しなければならぬ。昔の文藝史家(例へば十九世紀フランスの文藝史家テーヌ等)の如く文藝を全然機械的に數學的に土地、氣候、食物、境遇等から割出さうとするは無理であるとしても、少なくとも吾々は文藝思潮の特質が時代の特徴に胚胎してゐる所以を忘れてはならない。文藝は此の意味に於ては時代を反映する澄んだ鏡に外ならない。

されど更に一歩を進めて言へば、文藝は單に時代又は實生活の反映であるのみならず、同時にまた時代を改造し刺戟し變遷させる最も深刻な力である。蓋し文藝はまだ明確な形を取らない時代精神に明確なそして徹底的な形を與へ、時代がまさに動かんとしてゐる漠然たる方向に的確な進路を指し示すもので、實生活よりも常に一歩を進めた時代傾向を示すが文藝の特徴である。故に深く時代精神に立脚しながらも、更に此の時代精神を明確に具體化するが文藝で、然かも此の具體化された文藝は、更に人心に直接又は間接な影響を與へ、斯くして文藝はいよいよ深く時代精神を或は刺戟し或は刷新し或は改造しなければ已まない。時代精神の刷新と文藝思潮の進歩とは極めて密接不離な關係を有つてゐる。文藝思潮の研究者は深く此の點に注意しなければならぬ。

第一章　文藝復興

第一節　中世紀の經過

一般の近代文明と同じく、近代歐洲文藝も所謂文藝復興精しくはギリシャ及ラテンの古文學復興 Renaissance《ルネサンス》を以て初まる。古文學復興は、單に言葉どほり古文學の復活であるのみならず、實に近代歐洲民族の生活若くは文明の第一期である。歐洲近代文明の發現が所謂文藝復興に外ならない。隨つて文藝復興期の文藝といへば、單に古文學の復活のみでなく、廣く歐洲近代文藝の發現を意味するものであるは言ふまでもない。斯やうな文藝復興期がそも〳〵何時頃に始まつて又何時頃に終つたかは、年代的には精確に限定しがたい。極めておほまかに言へば、文藝復興期の精神が最も盛に發現したは、恰も十五世紀の頃であつたが、一層精確にはそは既に十三四世紀に始まつて十六世紀頃までも續いたと言はれる。此の文藝復興の大勢を明らかにするため、吾々は先づ直接此の時期に先だつた中世紀の末紀殊に十世紀頃から十三四世紀頃までの大勢を明らかに記憶しなければならぬ。文藝復興は實は中世紀文明に對する近代文明の發現に外ならなかつた。

中世紀文明の大勢を略說することは困難であるが、文藝復興期に先だつた三四世紀間——大凡第十世紀頃から十三四世紀頃までは、ローマ教會の全盛期であり、同時に歐洲封建制度の最も發達した時代であつた。ローマ帝國の沒落についだ四五世紀——約十世紀頃までは、所謂中世の暗黑時代で、此の時代に於ては、勿論特殊の文明も無ければ文藝も無かつた。文藝どころか此の時代は、恰もアジア民族の歐洲侵入に基づいて、ゼルマン族を中心として、廣く北方歐洲民族が所謂南西方面へ向つての大移動大移民大動搖大混亂の時代であつた。文字や文學やの時代ではなく、歐洲民族が生死の分かれめに立つた大混亂時代であつた。當時は即ちドイツ民族、フランス民族、イタリー民族、イギリス民族、スペイン民族等所謂近代歐洲民族自立又は誕生の苦悶の時代であつた。すべてが文字どほり盲昧野蠻の風習につゝまれて、そこにまだ嚴格な意味に於ける文化や文藝やが無かつたこと——

全く皆無であつたことは想像するに難くない。斯かる野蠻な暗黑時代は約第十世紀頃まで續き、斯くて第十一世紀頃から第十四世紀頃までのローマ敎會全盛時代が現はれた。此の時代こそは中世の末期であつて、直接近代文明を産出した地盤であつた。吾々は先づ此の時代の大勢を明らかに記憶し置かなければならぬ。

就中第十一世紀及第十二世紀は、ローマ敎會の權威が最も美々しく發達した時代であつた。ローマ敎會の發達は何を意味したか。一面から觀れば、當時は歐洲民族の祖先が初めてキリスト敎によつて文化的に統一され敎育され指導された幼少時代であつた。彼等はまだ何等特定した文化や文藝やを備へず、全然無學文盲のまゝでキリスト敎に指導された。古代ギリシャ及ラテンの文藝――人類自然の欲望や生活やを其のまゝに發達させようとした古代文學の如きは、當時まだ全く顧みられなかつたもの、否寧ろ敎會からは異端の文學として全く排斥され禁止された時代であつた。多數の歐洲民族はまだ文字どほり全く無學文盲であつた。其の代りローマ敎會の敎育精神は單純幼稚な彼等に取つて唯一又絕對の文化であつた。全體がまだ極めて單純幼稚であつたゞけ、それだけローマ敎會の權威は彼等に取つて絶對であつた。隨つて一面から觀れば此の時代の民心はローマ敎會によつて最も完全に統一され、其の間に分離とか不調和とか異論とか有らゆるたぐひの思想感情の混亂が無く、全精神界は最も完全に統一されてゐた。所謂スコラ哲學は、此の種類の思想の最も完全な發達であつた。故に此の方面から觀れば、當時は一般社會情調や精神界やが最も平和に最も調和してゐた時代で、キリスト敎の敎義の外他に何等の異分子的文化は無かつたのである。然かも斯やうに統一された精神界をば他の方面から觀察すれば、すべての思想感情は全くキリスト敎に束縛されて、其の間に何等の自由も進歩も發達も無かつたのであつた。思想感情の個人的自由といふが如きは、まだ全く夢想されない時代であつた。否一歩進んで個人といふ思想は、まだ全く發達しない時代であつた。すべてはたゞ權威──敎會といふ權威によつて指導された。權威がすべてゞあつた。權威の前には思想も自由も進歩も何ものも無かつた。而してローマ敎會の根本敎義は人間の自然な欲望や生活やを否定して、寧ろ出世間的な未來世的な純宗敎的な方面に人心を束縛することであつた。人間らしい自然の生活は、最初から異敎徒の生活反宗敎的生活として排斥された。此の點に於ても、ローマ敎會の權威は絕對であつて、絕對的權威を振ふといふことが、ローマ敎會と異名同體であつた。ローマ敎會と併せて吾人に記憶さるべきは封建制度の支配といふことであつた。當時の民心は、宗敎的にはローマ敎會に束縛され、政治的には封建制度の下に諸侯によつて束縛されてゐた。所謂武士は全生命を其の事へてゐる諸侯君主のために捧げ、其の代り君主から終生の保護を保證された。況やまた封建治下の一般民衆には何等の獨立も自由も無かつたに於てをや。若い武士が己が選んだ貴婦人のために力ある華々しい活動を行つたことは、僅に人間自然の潑溂な氣象の發現であつた、斯かるローマンスをさへ缺いだならば、中世紀の生活は餘りに無味乾燥であつたと想像される。互に獨立して覇を爭つた諸侯と諸侯との戰爭──諸侯の壓迫と所謂內亂とが當時の歐洲民族を苦めた普通の現象であつた。

第二節　文藝復興の經過

歐洲民族はいつまでも斯やうな中世紀的狀態に停止することが出來なかつた。第十三四世紀頃に至つては、一般歐洲民族の思想感情は次第に進步してきた。斯かる民心の進步を促したものには、夙に中世紀時代にさへも既に種々の原因が有つた。例へば前後久しきにわたつた十字軍の遠征の如きは、歐洲文化の外に他に別種の文化又は生活が存することを深く民心に印象し、殊にイタリー及び東洋に於ける華美にして豊富な生活は、最も深い印銘を十字軍に與へたと言はれる。又一般歐洲民族がまだ全く無智野蠻の狀態に眠つてゐた時、歐洲の天地の一角――スペインには最も絢爛の域に發達したアラビヤ文明が發現して、其の美しい光はまさにヨーロッパの各方面に發揚された。數學、天文學、化學、醫學等は、アラビヤ人の手をとほして、ギリシャ文學と併せて、次第にヨーロッパに傳へられた。

若し夫れ廣く歐洲近代文明發現の直接原因としては、今日まで普通に新世界の發見、封建制度の沒落、火藥及印刷術の發見、古代文藝の復活等が數へられる。吾々はこゝで細かに斯やうな原因――近代文明發生の諸原因を數へる要はない。此等諸原因が直接近代生活發生の緣因であつたことは爭はれないが、然かも近代生活が如何にしても第十四五世紀に於て鬱然として發生せざるを得なかつた根本原因はといへば、それは飽までも歐洲民族の生長若くは自覺であつたと言はなければならぬ。第十世紀頃からキリスト教によつて指導された歐洲民族は、次第に其の幼少時代を經過して、此の時に至つてまさに青年時代に到達したのである。ローマ教會が十二三世紀に至つて既に著しく勢力を失つたは、ローマ教會そのもの ゝ衰退といふよりも、寧ろ廣く民衆が青年時代に進んで、教會は之れに相應した指導を與へなかつた結果であつた。青春時代に進んだ快活にして潑溂な元氣——これがまさに近代文藝復興期を產み出した根本動力であつて、青春期の華々しい發現がやがて近代文明——文藝復興の發生に外ならない。青春期の活潑な元氣の發現であつたゞけ、中世紀の寺院的な陰鬱な生活とは全然趣きを異にして、寧ろ反對に自然的な人間的な世間的な精神を以て現はれたが文藝復興の根本特徵であつた。若々しい華やかな元氣の發現——これが近代生活の根本特徵であつた。中世紀の陰鬱な暗憺たる光景に對して、どこまでも晴やかに若々しく、限りない元氣と希望とに滿ち〳〵たが、近代文明發現の光景であつた。

吾々はこゝで文藝復興の眞意義を明らかにすることが出來る。狹い意味に於ては、文藝復興は、中世紀以來全く閑却され放擲された古代ギリシャ及びラテンの文藝の復活を意味した。古文學の復活といふよりは、寧ろ古文學の最初の普及――これまで全く盲昧野蠻であつたヨーロッパの各地に初めて古文學が散布され傳達されたことを意味した第十五世紀に於ける斯かる古文藝の普及が本來如何なる精神に基づいたものであつたかは極めて明白である。近代文明が古文學の復活によつて發生したといふよりも、十四五世紀に至つて、歐洲民族が青年期に達し、生活の形式が全く中世紀と異なるに及んで、自然の欲望と生活とを肯定し、特殊な意味に於て一種完成の域に達した古文學を採用することが、まさしく歐洲民族の精神的發達に相等した。故に古文學復興によつて、初めて近代生活が起こつたのでなく、近代生活が初まつたので、古文學復興のまさに其の根本精神に共鳴したのであつた。

古文學の復興は斯やうに近代生活に共鳴して現はれた現象であつたが、然かも斯くして復活された古文藝は、更に其の廣くして深い影響を當時の歐洲民族に及ぼさゞるを得なかつた。否近代歐洲民族は斯やうに復活された古文藝によつて初めて文化的に人道的に敎化され指導されたのであつた。卽ち古文學は近代歐洲民族の最初の教育者であり指導者であつた。さて斯やうな古文學が如何なる徑路を經て歐洲全體に廣がつたかといふと、最初の復活地は先づイタリーであつてイタリーはどこまでも歐洲の先進國であつた。こゝで吾々は先づ明瞭に記憶しなければならぬ。文藝復興は先づイタリーに發生し、イタリーに榮えて、そこから漸次フランス、ドイツ、イギリス等に波及したことを。イタリーが文藝復興の中心であつたことには立派な理由が有つた。ドイツ、フランス、イギリス等の北歐諸國がまだ封建制度の下に支配された時、イタリーはフローレンス、ヱニス、ネープルス、ローマ等の小都會に分裂し、各都市が各々共和國として獨立し、殊に自由な商工業の發達のもとに、北歐諸國とは全く異なる華美な豐富な生活を發達させることが出來た。北にイタリーの各都市は廣く商工業的に又は文化的に互に自由競爭をつゞけて、當然歐洲近代生活の先驅をなし先きがけを爲したものであつた。デモクラチックな自由競爭は、取分け近代生活の核心であつたと言はれる。斯くして先づイタリーに於て、陰鬱な中世紀的文明と違つて、極めて華やかな自由な若々しい生活が發生した。物質的にも精神的にも最も豐富な生活を備へたが當時のイタリー人であつたのである。

古文學復興の氣運が高まつたは第十五世紀であつたが、イタリーに於てはこれより先き既に十四世紀に於てペトラルカ(Petrarca 一三〇四—一三七四)及びボッカチオ(Boccaccio 一三一三—一三七五)等が熱心に古文學の復活を主張した。ペトラルカは當時不純と成り亂れたラテン語を古への純粹な調つたラテン文に返へさんことに熱心し、其の門弟ボッカチオはペトラルカのすゝめによつてギリシヤ語を研究し、初めてホーマーやプラトーンを地下から呼びさましたと言はれる。されど最も直接に古文學復活の氣運を促したは千四百五十三年に起こつたコンスタンチノープルの沒落であつた。蓋し其の當時までコンスタンチノープルは恰もギリシャ及びラテンの學者文藝者の集中地であつたが、此等の學者文藝者は此の都市の沒落のために歐洲各地に避難し離散した。就中イタリーには多數の古典文藝家が避難した。又イタリー各都市の中でもフローレンスは文化の中心であつて、古文學はこゝを中心として俄に各方面に廣がつた。フローレンスに於て、如何に古文學が移植され尊重され保護されたかは、今日最早周知の事實であつて、一々こゝに説明する要がない。フローレンスの有名な大銀行家兼執政官コスモー、デ、メディイチ(Cosmo de' Medici 一三八九――一四六四)。其の孫であつて一層有名な執政官ロレンツォー、デ、メディチ(Lorenzo da' Medici 一四四八――一四九二又)、又ローマに於ては法王アレキザンダー第四世(Aeexander IV)ユリウス第二世(gulius II)及びロレンツォーの子法王レオ第十世(Leo X)等は、數多の保護者中最も有力な古文學の保護者であつた。古文書の蒐集のため、圖書館建設のため、アカデミー設立のため、多數の學者藝術家の養育及び保護のため等、此等の目的のために上記の執政官法王等が支出した金額は驚くべきほど多額であつたと言はれる。事實、此等の保護者が無かつたならば、或は古文學は復活されず、或は多數の天才も輩出する機會が無かつたかも知れない。此等の保護者の力によつて、ホーマー、プラトーン等のギリシャ文學を初めとし、ヴージル、オビッド、セネカ等古代ラテン文學に至るまで、イタリーに於て燦然其の光を放つに至つた。斯くしてイタリーには井ンチ、ミケランジエロ、ラファエル等の天才が輩出するに至つたが、此等は尙後段に解説することゝする。

大戰後の世界現勢

ドクトル・オブ・フイロソフイー　長瀬鳳輔

——大戰後の世界現勢——（１）

第一講

實に今次の世界大戰は人類の歴史あつて以來未だ曾て見たことの無き大慘劇であつた。

今試みに各交戰國が之が爲に被むりたる損害に就て究はめて見るに、正確なる統計は得て之を知ることは出來ないが、比較的最近の調査に據ると戰死者の總數は敵味方合はせて無慮一千萬である。唯一口に一千萬と言つて了まへば何んでも無いやうなものゝ、假りにその死骸をば寢棺に入れて一列に並らべると五千里の長さに亘たるのであつて、卽ち英國の倫敦より歐羅巴及亞細亞の兩大陸を横斷して我が東京に到り、尚それでも足らずして太平洋上の眞中近く迄にも達するであらう。

奈破當《ナポレオン》戰爭より巴爾幹戰爭に至る既往百年間に世界に起つた有ゆる戰爭に於て果して幾何の人命を犧牲に供したかと云ふと、約五百萬として知られて居る。然るに今度の戰爭は僅か四ヶ年半の間にその倍數だけの死者を出だした譯で、尚之れに負傷者を加はへると三千萬を以て算ぞへるのであるが、して見ると平均一日に二萬人近くの死傷者を出だした事になる。何んと是は驚くべき事實では無からうか。

更に又財政上に及ぼしたる損害に就て見るに、直接戰爭の爲めに支拂いたる費用が約三千八百億圓を計上するのであるが、今之をば假りに十圓金貨として縱に列べると地球の赤道をば九遍廻はり、之を横に平らたく列べると十四回する。卽ち赤道の長さは約一萬里であるから十四萬里の間に十圓金貨が横に繋がる譯である。

單に米國のみに就て言ふて見ても、その交戰二年間に支拂ひたる直接戰費は二百四十億弗であつて、總戰費の八分の一に過ぎないにも拘はらず、その金額だけでも亞米利加發見以來世界に產出したる金の總額よりも遙かに多く、又一七九一年より大戰前迄の百二十餘年間に於ける米國政府の歲費を合算したるものと略ぼ等しく、そしてそれは米國の獨立戰爭を百年間繼續し得ただけの額面である。

大戰前世界に於て最も借金の多かつた國は人も知る如く露國であつたが、それでも九千億圓に過ぎなかつた。然るに露國政府開戰三年間に三百億圓を戰費として支拂つた爲め旣に破產狀態と爲つたのであるが、此の三百億と云ふ金額は十九世紀の後半期卽ち大戰前五六年間に世界に起つた有ゆる戰爭に於て支拂らいたる總額に相當する。所が今度の戰爭に於ける主要交戰國は各々之れに六倍するだけの戰費を負擔したのである。卽ち英國は七百億圓、佛國は五百七十億圓、獨逸は六百六十億圓である。そしてその國富との割合に就て見ると英國は四割六分、佛國は五割六分、獨逸は四割五分に當たる。卽ちざつと國富の半分は戰費の爲めに消耗した譯である。如何に此等の國々が富んで居るにした所で是はその財政上に於ける大々的打擊であらねばならぬ。或る中立國の經濟學者の說に據るに各國がその財政上の創痍より癒ゆる迄には、尠なくとも二百五六十年間を要すると云ふ事である。

そは兎に角之を近世に於ける最大戰爭の一として知らるゝ日露戰爭に於て兩軍合はせて死傷者三十二萬を出だし、戰費約四十三億圓を計上せるの事實に比するときは、何人もその差の太甚しきに喫驚せざるを得ないであらう。

斯くの如き莫大なる犧牲を拂らいたる今次の大戰が果して如何なる收穫を齎らしたのであらうか。是れ吾人が當さに知らんと欲する所の主要問題である。

そこで吾人は大戰の歸結如何に就て語たる前に、先づ順序として戰亂の眞因が果して那邊に在つたかと云ふ問題からして解決してかゝる必要があると思ふ。

吾人の觀る所を以てすれば、曩に戰爭中世間の論者中には往々感情的に走りて冷靜なる態度を缺き、或は又聯合國側の巧妙なるプロパガンダに惑はされて、見當違ひの觀察を下だしたものが決して尠くなかつた。今一二の例を擧げて言ふと、獨逸カイゼルが自己の野心を逞ふせんが爲めに故意に此の戰爭を挑發したのであるとか、或は獨逸の軍閥や汎日耳曼主義者が計畫した戰爭であるとかと言つて、一も二もなく罪を獨逸に嫁したのである。尙太甚しきは今次の戰爭を以て新舊思想の衝突から起つたものゝ如くに解し、若し舊思想を代表する獨逸が萬が一にも勝つたならば世界は中世紀の暗黑時代へ逆戻りをするであらうと論じたる者すらあつた。

兎角戰時中にはヒステリックな感情論が行はれ勝なものであるから是非も無い次第ではあるが、今尚斯かる謬見に捉はれて居る者もまんざら無いとも限らないやうであるから今茲に一層その眞因を明かにする必要があると思ふ。

却說今次の大戰が如何にして起つたかと言ふと、固より是れには幾多の遠因もあれば又近因もあり、主因もあれば客因もありて、却々之を一朝一夕に語たる事は困難であるが、兎に角その主たる動機が那邊から發したかと言へば、何人も巴爾幹半島である事を否定しないであらう。即ち一九一四年の六月廿六日ボスニヤの首府サラエヴォに於て塞爾維出生の一靑年プリンチップなる者が墺地利の皇儲フエルデナンド太公並に公妃をば暗殺したる椿事が端なくも導火線と爲り、墺塞間の紛議よりして獨露の衝突を誘致し更に英佛の之れに參加するに至りて今次の如き世界的大戰亂と爲つた次第である。

實に此の半島は由來歐洲の伏魔殿とか或は噴火口とか言はれて居たる歐洲政局の最危險地帶であつて、既に是迄にも此の地の問題からして歐洲の平和を攪亂した事が一再でなかつた。實に此の半島に發生したる低氣壓は常に歐洲の風雲を捲き起さねば已まなかつたのである。されば人若し何故に此の地の問題が斯かる重大なる關係を歐洲の政局に有して居たかと云ふ事實を審かにしたならば、今次の大戰の由來をも明かにすることが出來るであらう。

抑も此の巴爾幹半島は自然地理上より言ふときは多腦河とザーベ河とを以てその北方の天然的境界とする歐洲の南東端を稱するのであるが、普通政治地理上に於て多腦河以北の羅馬尼を合はせて巴爾幹半島と呼ぶのである。而かしてその面積は歐洲大陸の十五分の一卽ち我が日本帝國と略ぼ同一の大さであるが、此の狹小地域に都合七ケ國の小邦が割據して居て、互にその雄を競ひ、大ならんと欲して相爭ふ所からして紛擾の常に絕ゆることが無かつた。丌は宛かも野に飛んで居る鳥をば狹い籠の中に一處に推込めて置くと同樣で彼等の間に平和を望むことの出來ないのは理の當然である。それも唯此等の小國同士のみの爭に放任して置いたならば別に大した問題にもならずに濟むに違ひないが、俗に小供の喧嘩に親が出ると云つたやうに、彼等の親分なる歐洲の列强が必らず何か此の地に事件が起ると手を出だし、遂には親分同士の喧嘩となる所から事態が一層緊張し、歐洲一般の平和を攪亂するに至るのである。

成程論者の言ふ如く巴爾幹の小國民等が「歐洲の不良少年」であるかも知れぬ。けれどもその實彼等をば手に合はぬ厄介者としたのは畢竟歐洲の家庭が良くない爲めで、その親分たる列强がその大なる責を負はねばならない。幷は過去の歷史が明白に立證する所である。例へばクリミヤ戰爭にした所で、一八七七・八年の露土戰爭にした所で、又近くは巴爾幹戰爭にした所で、何づれも皆列强が自己の野心を逞ふせんが爲めに直接に間接に半島の小國を敎唆煽動したから起つたのであつて、その平和條約の如きも列强が各自の慾望通りに勝手氣儘に決定し毫も小國民の利害の如きは之を眼中に措かないが常であつた。されば其の結果半島の狀態を一層惡化し深かく禍根の種子を將來に植付けたのである。現に今次の戰亂の如きも確かに一八七八年の伯林會議がその禍因を成して居る。實に此の伯林は佛國の老外交家アノトー氏が言へる如く、土耳其に對しては未成品を殘し、巴爾幹の各基督教國に對しては不滿足を與たへ、スラヴ民族の失敗に代へて日耳曼民族の參加を誘致し、半島をして各種難問題の巣窟たらしめたのである、要するに伯林會議は全部のものを紛糾せしめ何物をも調整する所が無かつた。

斯くて一九七八年より近年に至る歐洲の外交史は伯林會議の貽したる禍根が何日しか再び巴爾幹にその芽を發し遂には歐洲一般の戰亂を惹起するの虞れある所からして列强は一日もその遲からんことを祈りつゝあつたもの丶、さりとて又絶對に之を避くることの不可能なるを覺悟して居たる事實を明白に語つて居る。

不肖ながら吾輩の如きも先年即ち一九一二年の秋巴爾幹戰爭が勃發した當時或る講演會に臨みて、目下の巴爾幹戰爭は之を戲曲《ドラマ》に譬へて言ふと都合三幕から成り居る一大悲劇であつて、その序幕は即ち今の土耳其と巴爾幹同盟との合戰であるが、次に來るべき中幕は巴爾幹同盟國同士の喧嘩であつて、最後の大切には列强間の格鬪が演せらるゝであらうと述べた事があつた。此の豫言は偶然にも的中したが、その實是は何も吾輩の獨見では無かつた。その當時既に歐洲の識者間には斯かる觀測を下だして居た者が澤山にあつた。今その一例を擧げると一九一三年の二月佛國コレスポンダンド誌上に某有力なる政治家が匿名で次の如くに論じて居た。

土耳其帝國の保全は歐洲列强の均勢上最も重要なる一要素である。實に一八一五年以來列强は皆此の均勢を保つを以て各々外交政策の基礎として居た。斯くて土耳其はスラヴ族と日耳曼族とのボスフォラス海峽に優勢を爭ふものゝ爲には一障碍物として保存せられて居た。然かるに今や巴爾幹戰爭に依りて此の障碍物は崩壞し歐洲の禍亂は之が爲めにその機會を絶たれずして却つて必然避くべからざるものと爲つた。特に土耳其の消滅と共に墺露の角逐が明白に現出し來たつた。是れ實に將來の最大憂患である。戰爭の紛擾は更に之より發生するに相違ない。予は獨帝ウイルヘルム二世の踐祚以來再び獨佛戰爭を見るべしとは一度も考へなかつた。又英獨戰爭も起らうとは決して思はなかつた。けれども今日に至りてはスラヴ族と日耳曼族との戰爭は必然早晩避くるべからざるものと思惟せざるを得ない事となつた。

又その當時獨墺兩國は必らずスラヴ族の勢力が巴爾幹半島に於て未だ充分に發展せざる今日に於て一同から進んで露國に向かつて開戰するに至るであらうとの意見を漏らした政治家も歐洲に在つたが現に英國の外交論者チロン博士の如きはその危機の切迫せるを切りに世に警戒して居た。

又之より先き一九〇七年に英國の獨逸通エリス・バーカー氏はその著「近世の獨逸」に於て次の如くに論じて居た。

ビスマルク時代には獨逸は近東問題とは全く沒交涉と稱して居た。されど今日に於ては東方問題は實に獨逸に取りての死活問題である。若しコンスタンチノープルが露國の手に歸したならば露國とは同種同宗徒である所の巴爾幹諸邦は直ちに同國の爲めに一統せられ墺匈國も亦遂に露國の領土たるを免れぬであらう。

すると、獨逸は素よりその同盟國たる墺匈國が斯くの如き運命に陷れるを見るに忍びないに相違ない。故に露國の君府占領はよしや遠き將來の事であるにもせよ、今日に於て豫かじめその進路を阻止するの必要がある。是は獨逸に取りては此上もなき重大な問題である。蓋し露國の君府獲取は又一面に於て獨逸の希望を達するの好機であるばかりで無く、實はその生存上最大なる危險である。されど獨逸は此迄露國と衝突するのを好まなかつたので成るべく他の列强をして露國の君府占領の危險なることを感知せしめ他の諸國を協同せしめて露國の前進を阻止しやうと苦心慘憺しつゝあつた。然かも又一面に於て獨逸は露國に對して友情を繼續せんものと種々の手段を講じ獨帝は常に甘言を以て露帝に對した。されど是は表面だけの事でその實露國の南下を恐れた結果陰然露國の目的に反對しその爲めに有形的補助を土耳其に與へ獨逸の如き軍器の如き獨逸の官民が之が爲めに盡したことは決して尠くない。

獨逸が土耳其をば露國俎上の肉たらしめぬ樣、又一方に於ては土耳其には自己の藩屛たらしむる爲めに露國に對して妨碍手段を施しつゝあるは明白の事實であるが、尙獨逸は小亞細亞に於て自己の殖民地を建設せんとした。然るに若し露國にして君府を掌握するとしたならば、獨逸は亞細亞の通路を遮斷せられその殖民地の目的を達することが出來ぬやうに爲り、又墺匈國は露國の爲めに奪はるゝを以て遂に小亞細亞の殖民經營は全然破壞せられて了まい、その結果獨逸は歐洲以外の發展が全く不可能と爲り遂いには二等國に落下せざるを得ないことになるであらう。

所が獨逸に取りては露國が極東に發展するのは別に何等大なる利害關係が無いのであるから露國の方針をば極東に向はしめ日本と葛籐を生ぜしめんと企圖したのである。それと云ふのも亦一つには極東に於て露國がその領土を擴張するは露國を强大ならしむる所以で無くて却つて露國の疲憊の端緒を啓らかしむるものと信じたからである。

斯くの如く露國は屢しば獨逸の利用する所と爲つたものゝ遂に之を氣付いたので、到底獨逸とは兩立することが出來ないことを知つた。卽ち君府の領有を妨碍するものは英國よりも墺匈國よりも獨逸の方が遙かに熱心であると考ふるやうになつた。故に近東に前進するには是非共伯林の追擊をばその先決問題とせねばならぬと覺悟した。それ故爾來獨逸の露國に對する甘言は露國に看破せられ、獨逸との應酬に當りても單に露國は形式上に答禮を爲すに止まりその實獨墺國境方面には急に兵備を增加し戰鬪準備に苦心するに至つた。現に是は最近ウアルシヤウ・ヴイルナ・キエーフ三地方に著るしく兵備を增加したる事實に徵しても明白である。

抑も露國の大目的は君府占領に在るが、若し之を手に收めたならば一方地中海方面を制することが出來ると同時に他方黑海をば露國の內海とすることも出來る、是れぞ一百年の久しきに亘りてその宿志を達せんと欲し毫も怠らなかつた所以である。實に露國はその財政の困難なるにも拘はらず、平時非常の大軍を排するは畢竟するに之が爲めである。又君府に達せんが爲めに要せし費用は莫大であつて、露國は一八四三年より一九〇四年の日露戰爭前迄に七十一億に垂んとする國債を負擔して居たやうな次第でその歲出は一八八五年の九億一千萬圓より二十億圓に達した。

露國の近東に出でやうと云ふ宿望は日露戰爭の失敗の爲めに決して變更せられなかつた。露國の內治外交に非常なる勢力を有する敎務總監ポベドノスチエフは一八六〇年來アレキサンドル二世の侍講であつたが二世三世を通じ現ニコラス二世に至る迄その勢力當るべからざるものがあつたが露國の正教を以て他の基督教國を支配すべきの天職を有するものと爲し而してその天職を果すは君府を獲得するに在りとの意見を懷いて居た。之を要するに過去現在より觀察して獨露衝突は到底避くることが出來ない運命である。此の時に際し英國たるもの如何なる態度に出づべきかと云ふに、英國にして獨露葛藤の渦中に投ずるは愚の極である。獨露大戰の前に英國は露國と衝突するも獨逸と衝突するも決して策の得たもので無い。若し英にても露と戰はんか鷸蚌の利を占むるものは獨逸である。又獨逸と衝突するとせんか鷸蚌の利を占め遂に君府を手に收むる者は露國である。英國たるもの此の機微を察せなくてはなるまい。

獨人は曰ふ露は英の爲めに不利であると、露人は曰ふ獨は英の爲めに危險であると、成程是れには一理もあらう。けれども露國にして君府を占むるは單に英國の商業を脅かすに過ぎないが獨逸に取りてはその民族の死活問題である。

されば英國たるもの獨露問題に對しては暫らく傍看の地位に立つに若くはない。要するに獨露をして雌雄を決せしむるは英國の爲に利且つ智であると謂はざるを得ない。

大體斯のやうな意見が旣に大戰前歐洲の識者間に行はれて居たのであつたが、それが如何なる問題であつたかと云ふと卽ち巴爾幹問題なのであつた。されば今次の大戰は決して偶然に突發したのでは無く、旣に由來する所久しく而かも巴爾幹がその禍亂の温床であつた事は如上の事實で何人も容易に首肯し得らるゝであらう。

所で何故に此の地の問題が斯かる重大なる意義を有するのであるかと言ふに第一地圖に就て觀察して見ても分明なのであるが、此の巴爾幹半島は歐洲大陸の上から見るとその南東端に位いして居るものゝ、歐洲六列强卽ち露、英、獨、墺、佛、伊、の領土或は勢力範圍から之を觀察するとその中央地帶に位して居るのであつて、コンスタンノーブルの如きは實にその中心點に當つて居る。是れぞ此の地の問題が六列强の利害休戚に至大なる影響を及ぼす所以である。故に若し此の半島が斯かる位置を占めずして歐洲大陸の東端か或は西端に偏在して居たとしたならば、決して此迄歐洲の伏魔殿とか或は噴火口であると稱せられる理由も無く、又事實に於て此の地の事件が歐洲一般の平和を攪亂するやうな憂は絶對に無かつたに相違ない。されば若し此の半島が歐洲に存在しなかつたならば斷じて今回の如き大戰亂が起らなかつたであらうと謂へやう。

要するに半島の位置そのものが本來禍亂の溫床たる素質を有して居たのであるが、尙近年特に危險性を帶びるに至つたのは、何故であるかと、云ふと露國の南下政策と獨逸の東漸政策とが端なくも此の半島に於て所謂死十字なるものを畫して相衝突するに至つたからで。そして又一方英國に亞細亞及阿弗利加に於ける帝國政策が獨逸の東漸政策と同じく死十字を此の半島に於て畫したる爲めである。

所で獨逸の東漸政策とは果して何事であるかと言ふと、這は世に伯林バグダッド政策として知らるゝ即ち伯林より起り墺都維也納を經由し巴爾幹半島を貫ゐてコンスタンノープルに出で、それより小亞細亞に渡り南のメソポタミヤの中心點たるバグダッドに達し、更に進んで波斯灣に出でやうと云ふ伯林バグダッド鐵道なるものを布設し以て中央歐羅巴からかけて巴爾幹半島を一統し更に亞細亞土耳其をも自家の勢力範圍に加はへやうと云ふ獨逸の大々的鐵道計畫を稱するのである。偶々此の線路の主要聯絡點の伯林、ビザンツ(コンスタンチノーブルの古名)バグダッドがアルファベットのBを以てその頭文字として居る所から世人が之をば獨逸の三B政策と呼ぶのである。

實に此の獨逸の三B政策が今次大戰亂の主たる原因を成したのであるが、それと言ふのも畢竟その鐵道が不幸にして歐洲の最危險地帶たる巴爾幹半島を貫ぬく所からして歐洲列强の利害休戚に關はつたが爲めである。されば若し獨逸が他の地點に向かつて斯かる鐵道を計畫したならば、別に今回の如き大戰亂を見るの憂がなかつたであらうと謂へる。要するに大戰の主たる原因は全たく玆に在るのであつて、何も世間一部の論者の言ふ如くに獨逸の軍國主義が厄いしたのでも無ければ、又獨逸の思想が間違がつて居た爲めでも無く、獨逸の鐵道計畫が他の列强の政治的或は經濟的利益に一大打擊を與たへんとしたからで、畢竟するに利害の問題に外ならぬ。而かも此の利害たるや主義や思想などの衝突などと日を同ふして語たるべきもので無く、實に列强の生存に關はる重大なる問題なのである尚之に就て稍や詳しく述ぶる前に、何故に獨逸が斯かる政策を採るに至つたかを究めて見やうと思ふ。

伯林バグダツド鐵道

前述する如く獨逸の伯林バグダツド鐵道政策が今次の歐洲戰亂を誘致せる主たる原因と爲つたのであるが、さらば何故に獨逸が斯かる鐵道を計畫するに至つたかと云ふに是れには深き理由の存するのである。

人も知る如く獨逸は一八七一年佛國と戰かつて大勝利を占め新たに帝國を建設せし以來、國力旭日冲天の勢を以て進み、一躍して歐洲第一流國の班伍に列したとは言へ、その實新參國たることを免ぬかれなかつたと同時に、英や佛や露の如き世界的强國と競爭して進んで往かうとするは餘りにその領土が狹ま過ぎたのである。そこで獨逸は是非共海外に殖民地を開き國力發展の足場を樹立するの必要を痛切に感ずるに至つたのであつて、それは丁度此迄横町に店を開いて居たものが、大通りに移轉して見ると、隣り近處に大きな商店が立ち並らんで居るので、勢ひ自分の店も大きく構まへねばならなかつたのと同樣である。それに又獨逸をして益々その必要を感ぜしめた他に幾多の理由がある。

それは何事であるかと言ふと、先づ第一に人口の增殖である。獨逸は爾來人口が年々增加する一方で、一年に八九十萬づゝも殖へて往く。若し此の勢で進んだならば到底今の領土では之を收容し切れないやうになるに相違ない。而かもその結果物資の不足と生活の困難とを來たし、遂には國家の發達をも阻止するに至るかも知れぬと云ふ心配が起つて來た。そこで此の過剩人口を排出する爲には是非共海外に適當な殖民地を求めねばならぬ事となつた。第二には獨逸は工業の長足なる發達に伴ふて生產の過剩を來たすに至つたので、勢ひ又その製品の販路をも海外に擴展するの必要を生じた。第三には工業用の原料や或は食料などをば此迄の如く他國から一々仰いで居るやうでは經濟上の不利之よりも甚しいものは無い。それ故原料の供給地や農產物を豐富に產出する所謂日當りの好き場所を海外に求めねばならなく爲つた。

斯かる理由の下に獨逸は遲れ馳せながら一八八四年以來阿弗利加や南洋諸島に始めて殖民地を開らくに至つた。所が世界に於ける有望なる殖民地と云ふ殖民地は盡とく皆他の列國に依つてとくの昔に占領せられて居て、獨逸がやつとの事で手に得たものは不毛磽确の土地でなければ、到底白人の居住に堪へない熱帶地方ばかりであつた。その結果大體に於て獨逸の殖民政策は失敗に終らんとした。

然るに偶然にも獨逸に取つて此上もなき理想的な殖民地が發見せられた。其は何處であつたかと云ふと、小亞細亞やメソポタミヤを含める卽ち亞細亞土耳其である。此の地方は今は殆んど全たく荒廢して了まつて居るものゝ、太古はバビロニヤやアッシリヤ帝國などの全盛を極めた土地だけあつて地味も頗ぶる肥沃であるから、若し灌漑や疎水工事を加はへたならば世界有數の農産地となることは必定である。特にメソポタミヤの如きは印度や埃及にも劣らぬ棉花生産地となるの望がある上に、畜産業は今日尚土人に依つて盛んに行はれて居て良好なる羊毛の産地として知られて居る。此の外種々の鑛産物にも富み就中石油の如きは最も有望である。それから又氣候が適順であるので獨逸人の殖民地としては實に屈竟の土地であるばかりで無く阿弗利加や南洋などとは違がつて獨逸の本國から近距離である上に陸路で容易に往來が出來る。是れぞ獨逸の經濟學者が最も熱心に此の地の殖民地として頗ぶる有利有望なるを力説して已まなかつた所以である。

すると丁度此の時卽ち一八八八年に伯林から維也納及び巴爾幹半島を經てコンスタンチノーブルに到たる所謂「近東鐵道」が開通した結果、獨逸貨物の土耳其への輸入額が六百萬乃至八百萬馬克より一躍して三千萬馬克にも達したと云ふやうな好景況を呈した。そこで獨逸は君府政府の許可を得てその對岸なるアナトリヤに鐵道を布設した所が、益々有望なることを發見したので、尚之をば延長してメソポタミヤのバグダッドに達せしめやうと云ふ所謂伯林バグダッド鐵道を計畫するに至つた。すると前記經濟學者等の主唱せるメソポタミヤ殖民政策と相待つて一時バグダッド熱《ヒーバー》なるものが獨逸の上下を風靡した。而かして此の時此の熱《フヒーバー》に冒され最も熱心にその實行を期して起つたものは誰あらう。現戰亂の發頭人として世に目せらるゝ獨帝ウイルヘルム第二世その人であつた。

彼れ獨帝は一八九八年皇后及び主要大臣數名を隨がへて親しくコンスタンチノープルに土帝《スルタン》アブドウル・ハミッドを訪問し深く之れと親交を結んだ、そして又獨帝が今はモハメッド敎の總本山と爲つて居る世に有名なるセント・ソフイヤの大伽藍に詣ふでその紀念としてその傍に最《いと》も見事なる東洋風の建築より成る手洗場を建立し、その壁間に獨帝と土帝との交はりは此の泉水の如くに淸らかであるとの句を彫刻し、次で又獨帝がパレスチナに遊でダマスクスに於て數萬のモハメッド敎徒を集めて「世界に散在するモハメッド敎徒は爾今以後獨帝を以て卿等の親しき友として見よ」との旨を演説し、土帝を始め一般土耳其人に甚深なる感動を與たへ、彼等をして獨帝をば宛かもモハメッド敎徒の保護者の如くに衷心より信頼せしめたのは實に此の時の事であつた。

斯くの如くにして獨帝は土帝及びモハメッド敎徒たる土耳其人の甘心を買ひ首尾能くバグダッド鐵道の布設權を獲得したのであるが、之が爲め他國の反感を招ねき、而かして又世人が此の鐵道政策をば一に獨帝の野心より出でたるものゝ如くに誤解したのも無理もない話である。けれどもその實是は前述する如く獨逸の國家的生存上一般國民も亦熱心に之に賛同したのであつて、畢竟獨帝はその國民の意志を迎かへてその實現を期した迄である。

閑話休題一九〇二年を以て獨土兩國間に於てバグダッド鐵道協約締結せられ翌年その工事に着手したのであるが、英露兩國の爲めに妨碍せられたのと財政上の不如意なる爲めに一時工事は中止の姿を呈し、予が一九〇七年の春親しく此の地に漫遊したる際には僅にコニアよりブルグルルーに至る二百吉米突の線路を落成したるに過ぎなかつた。すると又その翌年偶々青年土耳其黨の革命起り獨帝と親交の間柄であつた土帝アブドウル・ハミッドは位より退ぞけられ、之が爲め此の鐵道も一頓挫を來たした。されどその後獨逸の巧妙なる政策は青年土耳其黨政府をも籠絡して自家藥籠中のものとしたので、愈よその工事を進め一九一七年を期してその全部を落成するの運びとなつた、所が偶ま一九一二年の秋巴爾幹戰爭起り土耳其は連戰連敗の悲運に陷いりその結果殆んど歐洲より驅逐せられたるに反して半島に於けるスラヴ諸國は大にその勢力を擴張し、獨逸の東漸を阻止する一大障壁を築いた。茲に於て獨逸は多年苦心の結果漸やくその緒につきたる伯林バグダッド鐵道計畫も亦之が爲めに全たく水泡に歸せんとしたので、是はその國家の生存をも危くする由々敷大事なりと爲し、よしや干戈に訴へても巴爾幹の新形勢を打破せずんば措かずとの決心を堅めた。されば巴爾幹戰爭の未だ全たく終はらざるに先だち即ち一九一三年の五月獨逸政府は俄然十億萬馬克の臨時軍事費を議會に要求し全會一致を以て之を可決せしめたやうな次第で、彼の有名なるベルンハルヂー將軍が今や吾人は世界的强國か否らざれば亡國かその何れかを選ばねばならぬ分岐點に立つて居ると叫けびて大に獨逸國民に警告したのは實に此の時の事であつた。

すると露國は獨逸の戰備に刺激せられて大々的陸軍の擴張を圖かり、佛國又露國に向かつて莫大の資金を調達すると同時に二年兵役を三年兵役に復舊して大に獨逸に向かつて備へんとした。斯くて翌一九一四年の春獨逸の一半官報が露國の獨逸に對する戰爭準備に沒頭しつゝあるの事實を指摘するや露獨の新聞界に激烈なる論戰を開始し一方佛國の諸新聞も亦熾かんに露國に應援して獨逸を非難攻撃して已まなかつた。然るに此の時獨露兩國政府は飽迄も他意なきを裝ほい、輿論の沸騰を鎭むるに努めたので一先づ事なくして治まつたとは言へ、その當時歐洲の識者間には夙とに危機の切迫を看破し、一大戰亂の到底避くべからざるを世に警戒したものも尠くなかつた、すると同年六月廿八日サラエヴオに於て勃發した兇變は端なくも導火線と爲り遂に今回の如き大戰亂を誘致したのである。

以上は單に獨逸が伯林バグダッド鐵道を畫策するに至つた理由と又その政策が今次の戰亂に於ける主たる原因を成した事實の一端を述べたのに過ぎないが素より是れだけでは甚だ不充分である。故に今少しくその過去の歴史に溯ぼつて禍亂の由來する所を究めるの必要がある。

歐洲戰亂の由來

一八七一年五月十日フランクフルト講和條約に據り獨逸が佛國よりアルザス・

ローレン二州を割取したる上に五十億法の償金を課したる爲め深く佛國の怨恨を買ひ、兩國の間に永久的鴻溝を穿ちたるは確かに歐洲戰亂の主たる素因の一を成したのであるが、尙その後に於ける獨逸の對外政策が如何に他の列强の利害と背馳し遂に今回の如き世界的戰亂を誘致するに至つたかと云ふ事に就いて述べやう。

却說獨逸が中歐の覇權を握り歐洲第一流の强國に躍進したのは人も知る如くビスマルクの鐵血政策が與かつて最も力あることは言ふ迄も無い。されど彼れは一度び佛國に勝ちて以來新帝國の統一と內治の改善にその全力を傾注し、對外政策は何處迄も消極的方針を採り努とめて隣邦との親善を圖かり何等積極的行動に出でなかつた。其は彼れの自著「回顧錄」にも明白に記載して居る如く努めて佛や露に對して平和主義を採りモルトケ將軍や軍閥等の主戰主義を抑制するに苦心したのであつて、アルザス・ローレン二州の併合すらも彼れは極力之を反對し佛國を永久の敵とするのは決して獨逸の爲めに得策で無い將來之が爲めに如何なる危險に遭遇するやも計られぬと警戒した程であつた。

とは言へ彼れは獨逸の國際的地位の安全を期する爲めには所謂夷を以て夷を制するの權謀術數を弄することを敢へて躊躇しなかつた。而かも歐洲外交てふ機械はその當時彼れ一人の手に依りて運轉せられたるかの如き觀を呈したのである。

尙彼れの行へる政策の顯著なるものに就て見るに、一八六六年の普墺戰爭の際普軍の將帥や又國王は戰勝の餘威に乘じ、何處迄も墺國に城下の盟を强ひ、相當の土地を割取せねば已まぬと云ふ意氣込であつたが、獨りビスマルクは斷乎として之に反對し、若し自分の意見にして容れられずば直ちに辭職すべしと迄言ひ張り遂に國王を說得して墺國より寸地だも割取せしめなかつた。是はビスマルクの深慮の致す所で、將來是非共墺國と同盟するの必要あるを看破したるが爲めであつた。此の彼れの政策はその後に至つて果然その成功を見たのであつた。蓋し墺國はその後伊太利と戰つて失敗して大に領土を失ふたのであつたが、その代償には巴爾幹半島の地に於て求めやうとした爲め茲に露國との衝突を來たし勢ひ獨逸の援助を求めねばならぬ事となつた。是れは全くビスマルクの術策に陷いつたのであつて親獨主義のアンドラシーが墺匈國の外相と爲るに及び、多年來の舊怨を棄てゝ普國と親交を結ぶに至つた。

ビスマルクは露國に對しても亦同樣親善主義を執り來つたのであるが、一層露國との親交を深からせんと欲し獨佛戰爭の翌年卽ち一八七二年露墺兩帝をば伯林に招待して獨帝と會見せしめて世に「三帝同盟」として知らるゝものを成立せしめた。尤も是れは何等成文的協商を遂げたのでなく一種の提携的默契には過ぎなかつたものゝ、佛國を孤立せしめ獨逸の國際的地位を安固ならしめた點から言へば大なる外交的成功であつた。

所がその後一八七五年に至り又もや佛獨兩國間の危機を告げんとした際に露國は決然起つて佛國を援け獨逸の手を抑へたる爲め露獨の關係が漸やく冷却しやうとした。すると此の時ビスマルクは露國を敵とするの不可なるを知りて所謂「再保險條約」なるものを露國と結び、露國をして近東や中亞方面にその手を自由ならしめた。之に由りて英露の間は益々離間せしめたのであつたが是も亦ビスマルクに取つて得意の政策であつた。

するとその翌年卽ち一八七七年露土戰爭起り露軍は破竹に乘じてアドリアノープルを陷いれ、土耳其をしてサンステフアノーの和約を結ばしめたので、英露の間に危機を見んとした。そこでビスマルクは自から「正直なる仲買人」と稱して調停の勞を執り翌一八七八年の六月に伯林に列國會議を開催した。

實に此の伯林會議は歐洲の政局に最も重大なる結果を齎らしたのであるが、此の時ビスマルクは英國の大政治家デスレーレーをば自分の助手として外交上の鬼才を振ふた、卽ち一方露國の鼻柱を挫きて英國の急を救ひ、他方墺國にはボスニヤ・ヘルツエゴヴイナ二州を占領せしめて之に恩を沽つた。之が爲め時の露國外相ゴルチヤコツクをして憤死せしめたと世に傳へられて居る程で、爾來露國は獨墺兩國に對して痛たく敵意を表するに至つた。

茲に於てビスマルクは之に對する防禦政策として一八七八年に墺匈國と秘密同盟を結び露佛兩國の萬一に備へた。すると又此の時伊太利は建國以來日尙淺く內政の整理に忙殺せられて他を顧みるの遑がなかつたが自己の勢力範圍として認めて居たる阿弗利加北岸のチユーニスが佛國の爲めに併呑せられたので佛國に對して大に反感を懐くと同時に危惧の念を起した。ビスマルクの機敏なる巧みに伊國を誘ひて獨墺同盟に參加せしめた。是れぞ世に「三國同盟」として知られて居るものであるが、時は一八八三年の事であつた。

斯くてビスマルクの巧妙なる夷を以て夷を討つの政策は事毎に成功し、他の列強をして互に相嫉視反目し到底融和接近の望なきの觀を呈するに至らしめた。然るにその政策が餘りに露骨であつたのと、又一面には獨逸の商工業が驚くべき長足の發達を遂げ他を壓倒するに至つた爲め、漸やく此等列強をして共通的警戒を自覺せしめた。されどその實彼等が眞に獨逸に對して危惧の念を懐くに至つたのはウイルヘルム二世が帝位に卽きビスマルクを退ぞけ、彼れの苦心に成れる露國との盟約の如きも之を棄てゝ顧みず、而かもビスマルクは巴爾幹方面に對しては無慾不干涉主義を執り來りたるに反して新帝は大に視線を近東に注ぎ前述する如く伯林バグダッド鐵道を計畫するに至つたからである。

爾來露佛の接近は日に益々その步を進め一八九一年乃至一八九六年に於て兩國間の協商は遂に正式の防守同盟と化し獨墺伊の三國同盟に對抗することゝ爲

つた。

露佛同盟成立の結果佛國は漸やく後顧の憂なきに至つたので專ら力を海外の發展に注ぞぎ窃かに西班牙の同意を得て摩洛哥《モロッコ》を自家の勢力範圍に入れんとし既にチュニス及東京《トンキン》を占領したる上に更にコンゴー・マダガスカル印度支那及北西阿弗利加の各地に殖民地を樹立したこれが爲め英國と紛議を生じ兩國間の危機を見んとしたことは一再でなかつた。然るに一八九六年に殖民地に關して相互の妥協を遂げたる以來兩國は次第に接近した。是れと云ふのは獨逸が遲蒔ながらも殖民地經營に從事し英佛兩國の繩張內を侵さんとしたので共同の敵に當たるの必要を感じたからである。而かして又獨逸が伯林バグダッド鐵道を畫策し土耳其を自家の勢力圈內に加へんとするの意顯著なるに至りて、英佛兩國の接近を益々濃厚ならしめたのである。

斯くて英國のエドウアード七世がヴイクトリア女帝の後を襲ふや從來の所謂「光榮ある孤立」政策を棄て一九〇三年親しく巴里を訪問して懇懃を通じ翌年佛國と「親善なる協商《アンタン、コーヂアル》」を結び、殖民地に於ける多年來の紛議を一掃すると同時に英は佛の摩洛哥に於ける優先權を承認する代りに佛をして英の埃及占領に同意せしめた。然るに日頃から英佛の接近を猜忌の眼を以て監視しつゝあつた獨逸が何條之を默視することが出來やう。乃ち一九〇五年三月宛かも日露戰爭の最中で世界の視線は極東に集注せられて居た際に突如獨帝ウィルヘルム二世は摩洛哥のタンジールに遊び、摩國王の代表者と會見し「朕は本日獨立國の君主としての資格を有する摩國王を訪問したのであるが、朕は斯かる君主の下に於ける摩國をば平等的基礎の上に置き各國の平和的競爭の爲めにその門戶を開放せんことを冀望する。如何なる國と雖も朕と摩國の君主との間に入りて我が利益を妨碍するを許さぬ」との旨を告げた。而かして獨逸本國の輿論も亦英佛が獨逸に一言の相談もなく自分勝手に摩洛哥や埃及の問題を解決したのは不都合千萬であると稱して獨帝の擧に聲援した。此の報一度び巴里に達するや人心の激昂を來たし將さに兩國間の危機を見んとした。然るに佛國政府は此の時その同盟國たる露國が我が日本の爲めに散々に打破られ到底單獨で獨逸に當たるの力がなかつたので、無念ながらも排獨派のデルカッセをして責を引いて外相を去らしめ、獨逸の要求

社會問題と思想問題

東京帝國大學助手
文學士　赤神良讓

第一章　社會問題とは何ぞや

第一節　問題の概念

總て學問的な議論をやり、科學的な立論をなすには、少くともその議論に用ふる主なる術語に就いて豫め其概念を明にして置く必要がある。往往同一なる術語に對して各自が有する概念の相違から、際限のない議論が起り、口角泡を飛ばし、面を赤らめ皆を決して遂に攫み合ふ結果にも立ち至るが、而もその兩者の立脚地を精細に研究するに於いて其實兩者が共に同一主旨を主張して相降らず、相爭ふてゐるのであつて、其喜劇の原因は唯だ單に一つの術語に對する概念の相違が兩者の間に存してゐたに過ぎない事がある。要するにこの激論は無用であり、時を空費するものであつたと云ふことが相互に了解せられ、互に一笑を交してこの徒勞に報ゆる事は單に書生同士の議論ばかりでなく、堂々たる教授、博士のまゝ陷る通弊である。それ故に玆に「問題」の概念を明にし、「社會」の概念を說明して、先づ第一に「社會問題」の概念を明確にする事は決して徒勞の事でなく、必ずなさなければならぬ事である。

社會問題といひ、思想問題といひ、これを要するに問題の一種である。實に現代は大小各級各等諸種雜多なる衆問題で充されてゐる「問題の世界」である。そして現代はこの衆問題の中に轉々し、この衆問題に呻吟して一日も早くその解決のなされる事を熱望してゐるのである。

然らば問題とは何であるか、世界に於ける否宇宙に於ける問題の中に於いて社會問題は如何なる地位を占めてゐるか、又は思想問題はこの社會問題の中に於いて如何なる地步を取つてゐるか、これ亦一つの問題である。それ故に先づ吾々は「問題」の問題を解釋することによつて本論の端緖を見出さねばならぬ。

「問題」は解釋を要して而も未だ解釋せられざる命題であり、略言すれば解釋を要する命題である。この解釋を要する主體は誰れであるか、勿論宇宙間に於いて必意を有する體でなければならぬ、卽ち個人か或は社會でなければならぬ。そしてその客體は時として宇宙萬象皆之に當り得るのであつて、問題の發生はこの主體と客體とが共に存在し、其間に解釋の必要と云ふ關係が生來する必要がある。再言すれば問題の發生には主觀的要素と客觀的要素との共存を條件とし、主觀的要素としては人間思想の一定程度の進步を擧げ、客觀的要素としてはその命題が指す所の事象の存在を數へねばならぬ。

幼兒に何等の疑問が存し得ない樣に、又は野蠻、未開の人類に何等の疑問が存し得ない樣に今日の文明人も未だ進步せざる始めに於いては獨斷的な模倣生活の裡に蠢動してゐて何等懷疑の域にまで進んでゐなかつたのである。然し次第に其智能の進むに從つて諸種雜多の事物に對して疑を抱き問を發し、その疑問の解釋を求める樣になるのである。

更に一段の進步をなして人間思想が懷疑より批判に進むに於ては疑問は單なる疑問に留まらず、解釋せられて問題の消滅を結果する。これは問題の正的消滅とも云ふ可きものであつて、問題の消滅にはこの外に變的消滅がある、この變的消滅は如何にして起るかといふに問題發生の主觀的要素の消滅によつて起るのである、卽ち客觀的要素は依然解決を要すべき性質を有してゐるにも拘らず、主觀が之れに必要を認めざる樣に立ち至つた時には自からその命題としての價値を失墜して、此に變的消滅が現れるのである。そして此變的消滅は多く寧ろ問題の流行變遷に依るものであると云ふ方が適當であるかも知れない。

本來人間の思想は諸多の內的、外的或は精神的、物質的動因に由つて規定せられてゐて、容易に變動するものであるから、昨日解釋を必要とした命題も今日未だ解釋されざるに先つて解釋する必要なしとせられ、或はその解釋の必要が大であるか否か、急であるか否かによつて、小より大に移り、緩より急に走るのが勢であり且理であるから、隨つて小なるものと緩なるものとは次第に人間の注意圈外に遠けられ、次で忘却されてしまうのである。

この發生し、變遷し、消滅する問題に人的問題と非人的卽ち超人的卽ち自然的問題とがある、そして人的問題に個人的問題と社會的問題とがあり、自然的問題に物理的問題と生物的問題とがある。

問題
- 自然的問題
  - (1) 物理的問題
  - (2) 生物的問題
- 人的問題
  - (3) 個人的問題
  - (4) 社會的問題

乃ち一つの問題が特に自然に關するものであるか或は人に特有するものであるか、更にその命題が特に物理的のものであるか、生物的のものであるか、或は一個人特有のものであるか、或は社會共通のものであるかに依つてその問題は夫々分科を生ずるのである。

第二節　社會の概念

吾々が此問題の概念より進んで社會問題の義解に入るに先ち、是非とも「社會」の何たるかを明にして置く必要がある。

社會とは何であるか、言を俟ずして明であり、論を費さずして理解されてゐる如く考へられる。然し近來餘りに社會なる語が亂用せられて各種の意味を有する樣になつてゐるから、一應の吟味をするのは決して無用の事でない。常識的に謂へば社會は二個以上の人衆がなす協同生活の體である。更に學問上より謂へば社會は第一に事實であり、第二に渾一體である、即ち其部分が全體より成立し全體は部分によつて完全する體であつて、その全體を以て他體に對立し、對存し、對抗するものである。この渾一體には單體と複體とがあり、複には聚合體、化合體、機制體及有機體の四種がある。第三に社會はこの體制を成して成長し、新陳代謝機能を爲して生殖を營む複體即ち有機體である。而もこの有機體にアミーバー或はモネラの如き下級有機體と、この下級有機體即ち單細胞の集りて成る中級有機體即ち人類の如きものと、この中級有機體が集りて成す上級有機體とがある、社會はその上級有機體で進化の過程に於いて最高最終の最も複雜なる一段を占めてゐるのである。尚又社會は第四に心意ある體である、心意の體は心識であり、心意の用は意志である、人に心識がある樣に社會にも心識があつて神話、傳說、學術、科學となり、意志があつて行政、司法、宣戰、講和となる。然るに社會の心意は其成分たる人衆に存するのであるから社會の心意は人の心意と同等或は以上の程度でなければならぬ。人的行動の主體を名づけて人格と謂ふ、それ故に社會も亦第五にこの人格ある體卽ち人格でなければならぬ。

斯くの如き社會が如何にして發生し、如何にして發達したか、簡單ながら前以てこれを說明して置く事が社會問題、思想問題を論ずるには必要である。最近文化を口にし、改造を筆にする徒輩には時とすると社會は人爲的のものであるから、人爲を以て開散し得るものであると謂ふ彼等の自稱卓見を振廻す者がある、然しこれは大なる誤謬である。社會には自然社會と人意社會とがあつて、自然社會は實に人類の發生と同時に發生したものである、否人類の發生は卽ち社會の發生であつて、凡そ人類が發生するには主成條件として一對の親たる高等動物の存在と、その兩者間に性的關係の行はるゝ事と、生存の資用の存する事との三條件があり、助成條件としては鞠養者と協棲の群衆と環界との三條の存在が必要である、卽ち合せて六個の條件が必要である、それ故に人類はその厥初より社會的存立をなしてゐたものであつて決して契約等によつて人類在つて以後に人爲的に生來したものではない。

生物進化に由つて人類が發生した始め卽ち自然社會の發生した始めには一時的にして且不安定なる原始的協同生活卽ち群の形式を取るものである、その群の內に於いて男女の有性的協同生活卽ち婚姻の現象が起り、婚姻、母子同棲、親子同棲、同胞關係が次第に生來して、その一乃至四を備ふる血緣關係を有する家となる、この家より氏となり氏より大氏となり部となるのである。　部より進んで血緣關係を素地とし共濟或は資外の爲に、對天防備は對敵防備の必要上より幾分人爲制度を加へて人意社會の第一段たる部落となり、或は全然人爲制度によつて體制を成す市府となり、そしてこの部落の增大或は併合、市府の增大或は併合、又は部落と市府との併合等によつて國社會となり、無秩序期と秩序期とが交互に現れて遂に國際社會の發生に向ひつつあるのである、それ故に社會を分類すれば左の如く表示することが出來る。

自然社會 ｛ 群 / 家 / 氏、部

社會
- 人意社會
  - 部落
  - 市府
  - 國
- 國際社會

第三節　社會問題の概念

社會問題は人的問題の一つであつて、社會に屬し、社會に於いて存在し社會に由つて解釋せられねばならぬ問題である。再言すれば社會問題は社會の特殊なる機關を介して間接に社會に關渉する問題でもなく社會の部分に偏局して存在する問題でもない、社會渾一體に直接に關渉する所の問題即ち社會的問題である。そして社會問題は社會渾一體の病弊の各種の方面に於ける症候であり、社會的不安の發現したものである。換言すれば社會問題は人智の進歩が科學の發達を來し、實理の開展をなし、社會はその生活に於いて從來の舊制度に滿足することが到底出來なくなつて、玆に舊制度は漸次その權威を失墜してしまつたにもかかわらず之に代る可き新なる制度が未だ興り得ない危機の不安であり、不安定なる過度

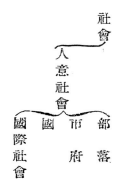

の一時期に於ける煩悶である、病弊である。勿論この危機そのものより考へれば好ましきものではないけれども社會がその發達の一過程として通過しなければならぬものである。それ故に建部博士は「社會問題とは社會渾一體に直接普關する問題のことなり」と義解を與へてゐられる。

斯くの如き社會問題はその性質に於いて渾一的でなければならぬ、何となれば社會は渾一體であるからこの社會的の不安、煩悶、病弊も亦渾一的であり、隨つて社會問題も亦渾一的である。然しながらその病弊の迸發する方面に由つて之を大別すれば凡そ十種となり得るのである。

一　人口問題
二　經濟問題
三　階級問題
四　人種問題
五　國際問題
六　婦人問題

七　犯罪問題

八　政治問題

九　宗教問題

十　思想問題

以上十種の問題等は又夫々各種多様の小問題等に分れ所謂問題の中でその複雜と難深とに於いて社會問題の右に出るものは殆んど皆無である。太陽の光線は無色であるがこれを一度三稜鏡を通して分光すると、主色として七色を現し、その七つの主色は又夫々相互の間に兩者を連結する無數の混合色を有して複雜を極めてゐるが、而も再びこれを集むると又元の無色となるが樣に社會的病弊はその分觀に於いては迸發して十種となり、更に數多の小問題に分派するけれどもこれを綜觀するとその本源は社會的病弊の一に歸するのであつて、一即一切、一切一即の關係にあるものである。そしてその各問題相互の關係は單なる併列的の關係でなく相互連繫の組合的關係を有してゐるのである。

斯の如く社會病弊即ち社會問題は主として社會進步の趨勢に於ける無秩序期

に迸發するものであつて、近世の社會問題は實にその淵源の一部を有形物質文明の發達に無形精神的舊制度の平行して否寧ろこれに先んじて進むことの出來ない近世文明の病弊に存してゐるのである。然しながら一部の世人が常に論ずる樣に物質文明の進步そのものが實にこの禍根を大にする所以であると速斷し、物質文明を咒ひ、物質文明の發達を阻害せんとするが如きは思はざるも甚だしい誤解である。

物質文明は勿論より進步しなければならないのみならず、禍根は實にこの物質文明の進步そのものにあるのでなく、無形精神的舊制度の前者より後れて跛行するにあるので、二八の花嫁に嬰兒の衣を着せんとし、その不可能を知るに及んで嬰兒の成長を非とする者があればそは多分愚者であり、さもなければ必ず狂者である。乃ち非は嬰兒の成長そのものにあるのではなく、嬰兒の衣を着せんとするにある、適切に云へば二八の花嫁に適する衣を新調し得ざるにあるのである。

現代物質文明の進步卽ち自然科學の發達に伴ふ産業の發展は一夜にして目を拭ふて見るべきものがあるにもかかわらず、精神文明は依然徒に常識に倚り、哲學に絶り、形而上學に則して、これ等の低級なる思想から捻出された舊制度を以て新進の物質的發達を規定せんとする大なる不調和、大なる矛盾を敢てしてゐるのに、主なる社會問題はその起因を有してゐるのである。

然し唯だ單にこの物質文明の進歩に精神文明が遲れて跛行するにのみ社會問題の起因を歸してはならぬ。この主因の外に助因として各種の社會問題に特有なる無數の動因があり、又各種の社會問題が相互に因となり果となり、果となり因となつて複雜錯輳を極めてゐるから到底薄學無識にして凡庸なる學者博士の手を下し得るものではない、然るに盲者蛇に怖ぢざるの無謀を以てこれが解決に當ると自己の愚劣を世に暴すのみならず、社會を惑し人心を毒し、害あつて益なきは理の當然であり、過去の史實の明々白々に吾人に教ゆる所である。

第四節　社會學の使命

昔ギリシャの名醫の言葉として、「目を治せんとすれば頭を治せざる可からず、頭を治せんとすれば身體全部を治せざる可からず、身體全部を治せんとすれば精神を治せざる可からず」といふ格言が傳へられてゐる。そして彼名醫自身は隨分徹底した言ひ方だと自負し世人も亦これを認めて今日にまで傳へてゐるのであらう、けれども甚だ淺見であり、短見である。この言葉の形式を借りて更に二方面にその論を進める事が出來る、第一は個人の先天的素質を治せんが爲め優生學的方面であつて、一個人全體を治せんとすればその父母を治する必要があり、その父母を治せんとすれば父の父母と母の父母とを治せねばならぬ。斯くして逆行し、數學的に立論すれば十代前には三百八十四人を治し、二十代前には三十九萬三千二百十六人を治し、三十代以前には四億二百七十三萬三千百八十四人を治し、遂に今より二百萬年の原人を治し、更に更に逆行して今より五千二百五十萬年以前に始めて發生したる單細胞を治するの必要が生ずる。第二は個人の後天的素質を治せんが爲に優生學的方面に於いて、一個人全體を治するには、社會的環境を治し、生物的環境を治し、物理的環境を治し、宇宙の萬事萬象、上は蒼天の日月星震より下は路傍の瓦石に至るまで治する必要があるのである。それ故に一個人の病氣を治療せんとすれば先づ社會の病氣國の病弊を癒す必要がある、卽ちその主なる一端として社會問題を解決する必要がある、此意味に於て「名醫は國を治す」と云ふ古言にも意義を認める事が出來る。

醫學に人體の組織を研究しその營養、運動を學び、病理、衞生の學を知る必要がある樣に社會の病弊の治療に際しても社會の組織、運營を研究しその要素、規定、動因を明にし、社會の由つて以つて活動する通理法則を熟知する必要がある。　この社會の理法を敎ふる學は何であるか、哲學か、然らず、敎育學か、然らず、心理學か、政治學か、經濟學か、否々然らずして社會學である。

社會學は社會の理法の研究に任ずる科學である、その理論を研究するものを名付けて理論社會學といひ或は之を純理社會學ともいふ、そしてその理論社會學に由つて得た理法を實際の社會生活に如何に應用すべきかを研究するのが應用社會學であり、この應用を適確ならしめる爲には對象たる社會の實狀實勢卽ち見在を知る必要がある、この見在相の研究に任ずるものが社會誌學である。　次に斯くして應用の道を講じ各社會の見在相を明にしてその實施或は實現の方策を論ずるの學が實際社會學である。

（理論社會學又は純理社會學

社會學
- 應用社會學
- 社會誌學
- 實際社會學

然らば本論に於ける社會問題、殊に思想問題はこの社會學の内いづれの目によつて解決せらる可きであるかと云ふに、第二目の應用社會學によつて解決せらる可きである、然るに現今往々哲學或は倫理學を嚙ぢりし者、法律經濟の學を舐め廻したる者等が全く社會學の何たるを知らず、甚だ多く且怪むに堪えざるは學問の何たるをすら解せずして堂々その愚論、籔井竹庵式、馬鹿にして鐵砲を放つが如き立論をなし、教説を垂れて以て足れりとなし、當局も亦社會化と社會的化との區別をも爲し得ずして金看板のみ麗々しく揭げ、其内容は似て非なるものにも及ばずして、羊頭を掛けて狗肉を賣るの類より甚だしく、大判小判を得んとして瓦や瀬戸片を得而もその瀬戸なるを知らずして大判小判なりと思ひ居るは實に頗る屢々目擊する事實である。

社會學と云はざれば卽ち止む、社會學的考察と云はざれば卽ち止む、社會學的解

社會事業概說

内務事務官　齋藤　樹

緒論

社會事業は社會公共の福祉增進隨つて社會進化の目的の下に、其の社會の組成分子たる總ての個人の精神生活竝に物質生活の内容を充實安定せしめやうとする組織的社會制度である。換言すれば人類一般の生活上、文化的にも經濟的にも必要なる幸福を增進せんとする社會又は其の各部の組織的努力であつて、之に依つて、社會的疾患を除去し更に進んでは其の發生を豫防し、以て社會進化を圖らうとする手段の過程である。而して社會生活の內容や又之に關して發生する社會的疾患は、時代の推移につれて其の特色を異にするものであるから、近世社會事業の研究は近世に於ける社會組織の特質に對する十分な理解を基礎として初められなければならない。近世社會組織の著しい變移は社會事業に關する總ての問題を規定し、且つ其の基礎となるものであるからである。

近世社會史上の現象は、盡く資本的生產組織を背景とし自由平等の思想を中心として居ると謂つてよい。從つて中世紀の社會組織に對照して、近世社會組織の特色を爲すものは、溯れば此の兩者に歸着するのである。實際社會組織全般の方向轉換點となつたものは、十八世紀末佛國に於ける政治上の大革命と英國に發した產業組織の改革とであつた。中世封建制度の下に在つては、嚴格な階級制度が社會組織の基礎であつて、總ての個人は盡く差別的關係に於て共同生活を營んで居つたのである。職業身分に依る階級の嚴存したのは勿論、其の狹い各階級に就ても治者と被治者、家長と家族、生產指揮者と其の指揮の下に勞働に從事する者、其の何れの關係も皆君臣主從の性質を內容として居つた。社會の構成は君臣主從の差別的關係が中心で、君たり主たる者は完全な人格を有して居るが、臣たり從たる者は法律上の權利保障も社會上の資格も完全に享有して居ない。其の代り臣たり從たる者の生活は君たり主たる者の保障の下に營まれ、無自覺な充實せざる生活内容ではあつたとしても、兎に角一般社會的の生活不安といふものは無かつた。當時に於て生活の安定が脅かされるのは、饑饉、水火災等所謂天變地異に因る場合であつて、卽ち自然的原因に因り主從共に窮民となる時か、さもなければ極めて特殊な個人的原因に因つて主を失ひ所謂浮浪人となり又は主從共に落ちぶれた時に外ならないのである。例へば貧乏と謂つても當時は此の自然的原因に因る貧乏か特殊な個人的原因に因る貧乏かに限られ、今日の樣に本人に何等の原因がなくとも社會的の原因に因つて陷れられる貧乏といふ樣なものはなかつた。勞働者を例に取れば、其の主從關係は殆んど世襲的で、社會的には全く主人に隷屬し、完全な人格を享有しなかつたけれども、主從間には一脈情誼の掬すべきものがあり、勞働に對する報酬は慣習に從つて正確に給せられ、一旦疾病其の他の不幸が生じても主人の保護の下に安全な救濟を受けたばかりでなく、老衰又は癈疾の場合にも所謂飼ひ殺しといふ樣な保護を受け、本人ばかりか妻子迄も安全に生活することが出來たのである。

要するに中世紀迄の社會組織は主從關係を中心とし、加ふるに大家族制度の下に於ける相互扶助と竝に住所の移動の少ない結果父祖代々からの近所同志の間に於ける隣保相扶の習俗の中に、小規模の家內生產に依る經濟組織が行はれて居たのであつて、法律上社會上の人格こそは不完全でも、其の生活は槪して安全で所謂生活の社會的不安などは無かつたのである。

此の狀態を一變して近世に於ける社會組織の特色を作り上げる基礎となつたものは、卽ち前記の自由平等の思想と經濟組織の進化とである。近世國家の發達に際し、中央權力の統一の爲に極端に個人の自由を壓迫した反動でもあつたが、所謂天賦人權の思想は十八世紀末歐洲の天地を風靡するに至つた。人には天賦固有の自由がある、此の自由は絕對の權利であつて何者の力を以てしても奪ふことが出來ぬ。而して各人の自由權は平等であると謂ふのである。此の思想は政治上には立憲主義となり、經濟上には自由競爭主義となり、其の成果として財產の自由、營業の自由、住所の自由、結社の自由、勞働の自由等を初めとして個人の自由といふことを社會制度の根底たらしむるに至つた。加ふるに産業革命以來經濟組織の異常なる發達があり、彼と是と互に原因となり結果となつて、政治上にも經濟上にも將た又社會上にも自由平等を以て制度の根本となしつゝあるのが各國共通の現象である。固より明治以來の我邦も其の例に洩れない。法律の前には各人平等で、職業や身分に依る階級的の差別は勿論なくなり、傭者被傭者共に同一の權利を有する個人として全く完全な人格者となつたのである。勞働者に就て謂へば傭者と全然同一の人格者として、何時でも解約することの出來る自由契約に依つて勞働と賃銀とを交換し、之に依つて自己の責任に於て獨立の生活を營むのである傭者被傭者の關係は、互に自由なる契約以外に何物の結付もない。往時主從を結合する力であつた情誼の衰滅も勿論である。生活は固より各個人の責任で傭者が保障する樣なことはない。

人格上の自由と對するものは經濟行爲の自由である。而して此の自由競爭の制度の下では、資本制企業の營利主義が、機械の發明、生産技術の進歩、生産品交換手段の發達等に依つて益々發揮され、又更に資本を集める爲の制度の整備に依つて愈々助長せられるに至つた。産業組織の資本化は近世産業の異常なる發達を齎したが、同時に又自由契約に依る賃銀勞働者の工場又は製造業中心地に集中することや、又此の毎日の賃銀に依つて生活する勞働者の多數の集團の發生といふやうな現象を促したのである。

勞働者は固より貧民ではない。往時のそれに比較すれば其の生活內容は遙に向上して居る。法律上獨立の人格者となり、自由平等なる社會の單位となつたのである。併し一歩を進めて考へると、其の經濟的實質的の自由平等は決して實現されて居らない。否な近代人は法律上の人格を獲得し、形式上の自由平等を得た代りに、生活の不安といふ位置にさらされることになつたのである。生活の不安といふ現象は勿論今に初まつたことではないが、中世紀迄の社會では主從的情誼の作用により又一面には骨肉相助、隣保相扶の作用に依つて、或る程度迄は各人生活の保障があつた。今は生活は各人の責任である。家族制度は經濟組織の複雜化するにつれて、漸時中家族制度から更に進んで個人主義に基く小家族制度に推移しつゝある。住所移動の頻繁に因り、都會生活などに在つては隣人同志互に相識らぬ樣な現象を加へつゝある。往時の相扶相助の習俗が殘存する筈はないのである。而も主從的情誼は破壞され、自由契約の支配に依つて傭者被傭者の關係は唯物的の結合であるが故に、多數個人の所得は全く其の性質を變じ其の確實性を失つてしまつた。其の所得は財產又は習慣に依る所得でなくして、生活資源は多くの人に取つては勞働の對價たる賃銀收入に止る。勞働せなければ所得はない。職を失つたり、勞働能力を喪へば直に飢餓にさらされるのである。工場勞働に在つては災厄の機會が多くて、何時勞働能力を喪うかも知れない。自由契約の支配する今日傭者は何時解雇を申渡すとも限らない。所得の確實は全然期待し得ない。極端に謂ふならば、自由平等の思想は尙ほ法律上形式上の目的を達したに止り、資本的產業組織は完全なる發達を遂げ、それ等の結果として社會生存の不確實といふことが生れたと謂うこと、之が近世社會の特色である。

契約は成る程自由である。併し法律上形式上の自由は決して生活を自由ならしむるものでない。傭者被傭者の地位の事實上の懸隔が存する以上、對等な契約の締結される筈はない。傭はんとする者は近代の人口増加の結果勞働の不足を補ふべき方法に苦しまない。且つ機械力に依つて勞働の節減も出來る。併しながら勞働者は、身體と分離して勞働を取引することが出來ないから、假令不利な條件でも飢餓には換えられないのである。傭入を受けなければ勞働の機會もなく賃銀を受くることも出來ないといふ弱者の地位に在る。形式上自由なる意思に依つて契約するのではあるけれども。此の地位の強いと弱いとの關係に依り、實質的には自由でも平等でもない。且つ資本階級は依然として大なる富を擁し、之に依つて飽くなき奢侈の生活を營む。勞働者其の他被傭者の地位に立つものは所得の不確實に依つて常に生活の不安を感じ、殊に又其の所得も貧しいのである要するに方今社會組織は法律上形式上は各人自由であり、平等であるが、實質的經濟的には自由でも平等でもないといふ缺陷を有つて居る。そこで更に一歩を進めて生活上の自由平等を實現せんとするのが今日の所謂社會運動であり、之に關する論議考究は卽ち所謂社會問題である。

斯う考へて來ると、社會問題は單に貧富調和の問題や、社會現象としての貧乏を如何に救治するかといふ問題や、卽ち經濟問題分配問題に限局されるものではない。社會各人の全生活に亘つて、此の精神物質兩面の實質的自由平等を實現せんとする社會理想に關する問題である。卽ち生活上の自由を有せざる者の社會的實質上の解放に關する論議考究、之が社會問題の核心である固より貧富調和の問題、賃銀勞働者の問題は社會問題の中心である。併し其の根底は更に深く實體上の自由平等に關する社會理想の問題に在ることを看過してはならない。此の意味に於て、參政權擴張の問題も、婦人問題も、又家族制度の問題も、乃至は人口問題、人種問題其の他荷も近世社會組織の特質の基礎を爲した自由平等の思想及資本的產業組織に由來して發生した總ての精神生活並に物質生活に關する問題が包含されるのである。而して資本組織に由來した物質生活上の問題の解決を圖るものは、卽ち狹義の社會政策であり、更に之に自由平等の思想に由來した精神生活上の問題の解決をも加へて目的とするものは廣義の社會政策である。

社會政策（以下常に廣義に用ゆる）は以上の目的の爲に社會全員の生活を、經濟的にも文化的にも標準生活に近づけやうとするのである。萬人等しく時の餘裕と物質の餘裕とを享受し、所謂社會的幸福を實現せんとする努力である。精神生活に就ては萬人益々充實向上することを要する、物質生活に就ては、一部の富の私を防ぎ財物本來の普遍性に基いて其の社會的利用を十分ならしめ、他面又標準以下の生活者を扶掖誘導して其の生活内容を向上充實せしむることを要する。固より社會政策は現代組織を是認し、其の基礎の上に妥協漸進の方針を以て、經濟的生產力と利潤とを損ふことなくして、而も總ての人の生活を文化的に進めやうと謂ふのである。而して現今所謂社會事業は社會政策中富の社會的利用の爲にする財力に對する制限を含まない。其の他の範圍に於て社會全員の價値發揮の爲に標準下の生活者の生活内容を、精神的にも物質的にも向上せしむる手段として經營執行せられる公私の施設を謂ふのである。

元來社會は人類の有機的團體である。共同生活を實體とする。今日の社會に於ける生活上の利便は祖先人類の發明發見の結果であり、今日一人の發明發見は其の人のみの幸福を增すに止らず他日萬人に惠福を與へる。一人の貧困者の生活の影響は萬人の頭にかゝつて來る。疫病は貧民窟のみに止らず其の不潔な空氣が病毒を富豪の邸宅に送り込むこともある。近代の自然科學及社會學の進步は此の人間社會に於ける有機的關係を明にしたのであるが、苟も全部としての社會を進化せしめやうとするなら、其の如何なる部分に存する缺陷でも、それは全部の進化を阻害するものであるから、何等かの方法で之を救治せなければならない。一本の指、一本の足の病氣でも、身體全體の發達は之が爲に阻害されるのであるが、社會に就ても理論は同じである。平素から保健の用意を怠ることなく、もし一部に病氣を生じたなら速に醫療を加へて之を治し、其の部分の保全を圖ると同時に全部の健康を維持し增進する事が必要である。生存の不確實と謂ひ、生活の不自由不平等と謂ひ、何れも社會一部の病氣である。之を治さなければ全部の發達進化は固より望み得ない。社會政策なり、社會事業なりの觀念を社會連帶の思想に基礎付ける樣になつたのは實に此の社會本質論の結果に外ならない。

社會連帶は現に事實として認められる。社會事業も社會政策も、決して相對關係に於ける恩惠ではない。共に全部としての社會進化、同時に各分子の向上充實の爲に全部又は他の分子の爲す努力である。此の點に於ては社會政策も社會事業も區別はない。唯其の發生と發達との上の區別から、其の手段方法或は範圍に於て觀念上の區別を爲すに過ぎないのである。以下少しく此の點を述べて見やう。

人類の慾望は必要慾望と有用慾望とに分たれる。前者は健康を保ち生命を維持する爲に最少限度に於て必要な生存的慾望である。後者は必要慾望滿足の後に初めて生ずる文化的慾望である。慾望は滿されるに從つてより高き他の慾望を發生せしむるものであるが、社會進化の爲にも、個人の充實向上の爲にも必要の程度を超えた慾望は、即ち奢侈的慾望であつて、其の滿足は時に有害なる場合さへある。標準生活は固より生存的慾望を滿足するに過ぎざる程度の生活でなく、又勿論奢侈的慾望を滿足する程度の生活たるを要しない。精神生活、物質生活の兩面に亘り、政治生活、經濟生活、社會生活の全般に就て、文化的慾望の滿足が不安定なる生活狀態に在る程度の人々扶掖誘導して、標準生活の安定を得しめやうとする努力、それは卽ち社會事業である。此の努力の外に更に物質的生活に於て繼續的に奢侈的慾望を滿足する程度の生活に對して制限的の手段を採り、以て財力の普遍性を發揮せしめやうとする努力迄も包含するもの、それは卽ち社會政策である。社會政策に在つては社會力の强制を以て財力の社會的利用を命ずる方が寧ろ本旨であり、從つて主體は國家公共團體等公權力を有する社會なることを本則とする。社會事業に在つては其の遂行に社會力を用ゐるのは寧ろ例外であり、從つて其の主體としても全部たる團體自身の事業であることを必ずしも必要としない社會事業に在つても、社會敎化事業中の矯風事業の如き、奢侈的慾望に交渉のあるものがないでもない。又浮浪人保護、不良少年の感化の如き、警察力を必要とするものがないでもない。併し之とて財物の普遍性發揮の强制、換言すれば富に對する制限ではなくして精神生活の充實せざるに對して匡救向上の努力を爲すに過ぎない。又警察權を用ゆるのも保護感化の目的を達する爲に止むを得ざるに出でたるに過ぎないのである。社會政策と社會事業との間に斯く觀念上の區別はするものゝ、固より絕對的の區別でなく、互に相交差するものである。唯だ社會事業の觀念範圍を明確にする爲に多少の便になるとして以上のことを述べたのみである。

社會は現に社會的生活不安、社會的弱者の存在といふ病患を有つて居る。之等の病患を除去し、進んで將來其の發生を防止する爲に、社會の全員をして各々其の最大の價値を發揮せしめ、生活を充實せしむることを目的とする社會事業は、結局之等の缺陷を除き弱者をして精神的にも物質的にも漸次其の劣弱の地位を脫せしめ、遂には社會に一人の弱者なく些の不安なからしむることを使命とするものである。之が爲には政治、宗敎、道德、敎育、經濟等あらゆる社會制度の一大進化を必要とすること勿論であるが、之と相並んで結局社會事業は社會事業の必要なからしむることを其の使命とすると謂ふことが出來る。

社會事業の組織としては、前記の如く公私の施設を含んで居る。卽ち國家公共團體の全部として其の分子に對して爲す事業ばかりでなく、所謂民間篤志の事業がある。隣人に存する社會的病患は有機的關係に於て生活する吾に對しても亦進步向上の阻害となるからである。社會進化に分擔を有する個人として經營する私的社會事業は、從つて道樂の仕事でもなく、社會連帶の觀念に基づく責務履行の一形式である。社會制度たる性質に就て公私事業の間に固より差異がない。

否社會事業發達の沿革から謂へば、素と惻隱の本能に基づく慈惠施與の救濟事業が漸時今日の社會事業の端を爲したのである。其の進化の沿革は、同時に事業の中心の推移と事業の基礎觀念の變遷とを語るもので、近世社會本質論の賜と謂ふべきである。殊に近世社會組織の特質たるものゝ所產たる社會的原因に依る貧乏の發生の如きは、社會事業に新生命を吹き込んだものであつて、其の他に於ても社會組織の複雜化は更に社會事業の一大進化を要求して居る。科學的智識の應用、事業全般を通じての幾多の新傾向、事業範圍の擴充等、何れも皆社會事業全體の將來の進化を豫想せしむるに足りる。近世社會組織の特質は、近世社會事業の特質を作る原因であり、社會事業に關する種々の問題は之に依つて規定せられ、且つ又論究考察の基礎となるものである。初代臨機の一時的施與救濟から、漸く繼承的制度としての社會的救濟事業に進んだのも、固より其の當時に於ける時代の特質を語つて居る。更に近世に至つて各般の社會事業が綜合的なる組織を爲し、一連の系統を爲す社會制度となつたのも、社會組織變遷の反映である。此の基礎の上に社會事業を硏究するのは、自分も亦社會進化に分擔を有する一分子として、社會の推移發展に應じ、全部たる社會の保健的用意を爲すものと謂つてよい。個我たると同時に社會我たる性質に於て、個我の發展充實を更に社會の進展向上に擴張するの用意と謂つてよい。社會事業を研究し、之に關する明確なる觀念を獲得し之に對して同情融合するの個人となるのは、實に個人の發展充實を更に社會的ならしむる所以である。社會事業研究の目的は斯くして個人の完成に在ると謂ひ得ると思ふ。

所謂優生學は社會連帶の此の方面の發現と見ることが出來やう。本能には長計を慮るの識見がない。科學の指導なく、社會連帶をかく觀念することを爲さずして、慈善事業を營む場合に於ては、意外にも却て社會の退歩を招くの結果となるのである。社會進化の爲に明白に不適當である人々を人爲的に排除せんが爲に其の種の永續を差控えるといふことは、此の連帶の思想に依つてのみ是認され合理化されるのである。社會事業は倫理的宗敎的見地からして社會の總ての個人に此の觀念に依る社會連帶の自覺を促さんとする努力を含む。かくして初めて精神生活の充實があると謂ひ得るからである。

社會教育

文部省社會教育課長
文學士　乘杉嘉壽

第一回　社會教育の意義

一　社會教育と學校教育との關係

社會教育とは、如何なる教育であるかといふ問ひに對し、第一に、社會教育と學校教育との關係を見ることが、必要で且便利である。從來學校教育といへば、或一定の場所乃ち學校で、一定年限の間、一定の生徒兒童に對し、一定の學科を教授すると同時に、一定方針の下に訓育を施すことを骨子として居たのであつた。勿論近頃になつては、學校そのものが、一定の場所以外に、其の位置を、巡回移動する巡回學校《ムーベルブスクール》といふ樣なものや、或は、その內容から見ても、一定の生徒一定の學科といふものがなく、否生徒も學科もあるけれど、其の內容が非常に、複雜になつて來て如何なる人でも、老若男女の區別なく、生徒として收容せられ又是等の種々雜多の生徒の諸有志望に應じて、如何なる學科でも、自由に學習せしむる樣な機會學校《オツポリチユニテースクール》といふ樣なものも出來て來た、のみならず、彼の英國や、米國で盛に行はるる學校夫自身が、社會一般の人達に通信や、巡回又は出張講演等の方法で、或る學科を教授する樣な事業乃ち學校擴張事業《スクールエキステンション》が從來の學校本來の仕事に、附加わつて來たが爲、今日では、一口に學校教育といつても、其の意味が、甚だ複雜多樣になつて來たのである。さりながら兎に角嚴密なる意味の學校教育に於ては、其の對象となるものは大體一定の兒童生徒であり、又其の教科課程も大體一定せられたもので、加之此の教育を授くる人は教師である。然るに社會教育では、其の對象となるものは洽く社會であつて今少しく詳しくいへば、社會を作れる諸有階級及種類の人々や、家庭や、又各種の團體等であつて、此の點に於て學校教育に比べて、其の範圍が至つて廣汎であつて、且學校教育では、教育の衝に當るものは、教員であるけれども、社會教育では、教員でも宗教家でも、乃至藝術家でも、如何なる種類のでも、苟も、社會の教化に當り得る一切の人が、其の任に當るべきであつて、社會の道德思想、乃至趣味の向上、活動能率の增進等に對して貢献し得る人達は、互に相助け相奮げまし、以て國家社會に依存し、且相互の扶助に依つて、其生を全ふし、其の進歩を招致すべき所以を、實現すべき新教育で、且學校教育の仕事の內容は、大體に於て、其の教育を受けるものの將來に於ける實際生活の準備として、之を行ふことを特色とするけれども、社會教育に於ては社會の成員たる各人又は團體の實際生活その物に就て、之を改良し、指導し、以て社會其物を全體に向上し進歩せしむることを主要の目的とする點に於て、特長があるのである。

斯の如くして社會教育は學校教育に對して二樣の意義を生じて來る、卽ち其の一は社會教育は學校教育の延長又は補充と見ることが出來る點である、其の二は社會教育は、學校教育に對して、特別の刺戟を與へ且新味を加へ、之が內容形式までも變化を來たすものといふことが出來る、卽ち因襲に依て一種の形式が出來上り社會の實際生活から漸く遠からんとする學校教育に、其の傳統を打破して、社會其の物と學校との連絡融合を圖ることに於て、大なる刺戟を與へるものである。

之を要するに、社會教育は、直接に、社會の進步發達を目的とする教育事業で、學校敎育に對して、其の足らざる所を補ひ且之に對して、不斷に必要なる刺戟を與ふる關係に立つものである。しかし玆に特に注意すべきことは、社會敎育は學校敎育の延長であり、補充であり又新刺戟を與ふるものであるけれども、又之が健全なる發達と進歩とは又學校敎育の力に待つこと頗る大であつて、結局此兩者が相依り相助けて行ふべき性質のもので、何れか一方だけでは、健全なる國家社會の進歩は望まれないのである。乃ち學校敎育の完備だけでも、社會の進歩は望まれなければ又社會敎育だけでも、社會の進歩は望まれない、國家社會の進歩は此兩者の依存と互助とに依て初めて完ふすることが出來るものである是乃ち歐米先進の諸國に於て學校敎育も甚だ完備して居るが又社會敎育にも之に劣らず力を注ぎつゝある所である。

二　社會敎育と家庭敎育

以上述べた所で、大體社會敎育は學校敎育に對して如何なる關係を有して居るかといふことが分ると思ふが、次に社會敎育が家庭敎育に對して、如何なる關係を有して居るかを見て、以て社會敎育が、敎育全系統の上に於て、如何なる地歩を占めたるかを知る爲めにも必要である。然るに學校教育が家庭教育の延長であるべきと同樣に、社會教育も亦一面より見れば、家庭教育の一層擴大延長せられたものといふことが出來ると思ふ。元來人間は此の世に生れて所謂社交的生物《ソシヤルビーイング》として、其の社交性を發揮し、人間相互の依存と互助とに依つて共同生活を營み、其の公共の利益を增進せんことに努力して居るのであるが、此の觀念の萌芽は先づ之を家庭に發することは、いふまでもない、即ち家庭は、一の小社會である、家庭に於ける教育陶冶が、人間一生を通じての活動の根本基礎となる各人の性格性行の上に、偉大な力を有して居ることは、今更論ずるまでもない、乃ち氏より育ちといつて、家門とか、系圖とかも或點からは大切なことであるけれども、夫よりも生れ落ちてより、その生ひ立ちの間に於ける各家庭の生活に於て、殆ど人の一生の運命がきまると見て差支ない位である。かゝる至大な意義をもつて居る家庭教育に對して、社會教育が、如何なる意味を有するかといふに、恰も社會教育が學校教育に對して、二重の關係を有するが如く、又二樣の意義を有つて居ると思ふ、即ち其の一は社會教育自體が家庭教育の擴大延長なると同時に更に家庭が社會の一單位として、存在する以上、此の家庭に對しても、教育教化の働きを及ぼす點に於て社會教育夫自身の特徴を示すのである。乃ち社會教育は、家庭教育に對して之を延長し、補充する他に家庭教育其の物の改善上進を圖る點に於て二樣の意義を持つて居るものといはねばならぬ。

乃ち玆に於て、社會教育の意義は自ら明になるのである、元來教育は、家庭、學校、社會の三者を、通じて行はるべきものであつて、而も是等三種の教育系統に於て社會教育が、他の二者に比べて、其の對象が甚だ宏大なばかりでなく、其の性質に於ても家庭や學校に於ける教育をも左右し少くとも、之に有力なる影響を與ふべき地位を占めて居るのである、故に若し完全に社會教育が行はれると假定したならば、明かに前二者の教育に比べて、より重要であり、より深き意味を有するものであることがわかると思ふ。

三　社會教育振興の必要

然るに以上は、純理論としてのことであつて、實際社會の未だ進步せざる場合には、或は單に家庭教育で滿足し得た時代もあり、不完全な學校教育で十分であつた時代もあり、又完備した學校教育の上に不完全な社會教育を以て滿足し得た時代もあつたのである。されど社會が漸次進歩して人間の生活が、複雜となり、從つて其の社會的意義の今日の樣に明瞭に且深厚になつて來た時代では、最早家庭教育や學校教育だけでは滿足しきれなくなる。卽ち我邦の如き、社會教育の施設を見るに至つたのは極めて最近のことであつて、それも甚だ漠然たる意味に於て所謂通信教育の名稱の下に、その教育の一部が行はれたものであつたが、今日では最早かくの如き狹義の社會教育のみを以ては、滿足することが出來なくなつた。故に現在の法令に社會教育といふ名稱がなくて、更に通信教育といふ名稱を用ゐて居るのは最早時代に適合しないことが分かる。又社會教育では、更に一般社會の知識や道德を進むる外に、文藝美術等に對する趣味を向上し又國民の體質の改造や體力の增進に努め且公衆衞生を發達せしめて、以て社會の健康を增進したり又は職業上の指導や生活方法の改善に依つて、國民の活動能率を增進すること等の如きは、その主要なる任務である。加之、社會や家庭の缺陷から生じて來た不幸なるものに對して特に教育的救濟或は矯正の手段を講ずることも亦社會教育の施設の中の重要なる部分を形造くるものといはねばならぬ。茲に教育的救濟といふのは、社會に於ける弱者を救濟するに、物質的に之を行ふに對し、精神的に行ふ意味である。かくの如き事業が、將來社會教育の重要なる部分を占むべきことは、最早疑を容るべきことでなくなつた。故に畢竟社會教育は現代の如き複雜な社會に於て其の社會生活を完全に遂げしめ、社會の基礎を愈々鞏固にし、其の社會の發達を容易ならしむる點に於て、他の家庭や學校に於ける教育が、吾等の社會生活に及ぼす影響感化よりも更に一層切實であつて、適切なる教育施設でなければならぬ。又此の教育の完全に行はるる度合に依て其の社會の健康や發達の運命も定まるものである。此の事實は歐米先進の諸國に於て明かに看取し得ることである。

然るに我邦過去五十年の教育の歴史に於て學校教育に對する努力の大なるに比較して社會教育の施設に對するる工夫と、熱誠の缺げて居たことは、我邦社會の文化や乃至經濟狀態が然らしめたとはいへ、顧みて甚だ遺憾千萬のことであつた。殊に現代の如く、家庭教育の根底に於て、動搖を見んとし、學校教育が形式に流れんとする場合に於て、一層此の感を深ふするのである。蓋し我邦に於ては、社會に對する觀念が甚だ薄くして、從て社會生活に對する公共犧牲の精神や又協同努力の習慣に缺げて居ることは、他の文明國民に比べて、著しき遜色がある。吾等の現代生活に於ける諸方面、乃ち政治上にも行政上にも乃至産業經濟又は敎育等の諸有方面に於て、その組織に於て、又其の施設に於て、公共協同乃至自治の實績が擧がらず其の進歩の甚だ遲々として、彼の英米アングルサキソン民族の營みつゝある社會生活に較べて、大に見劣りする生活をなして居ることは、實に遺憾至極のことであつて、たゞ國家の權力の下に漸く、其の社會共同の生活の體裁を整へて居るに過ぎない。箇々の國民としては甚だ自主自立の精神に乏しく從てお上だより人だよりで、權利は主張するが、義務履行の精神と體驗に乏しいことは又嘆きても尙餘りある次第である。

かくの如き自主自立の精神や公共犧牲や共同努力の習慣の如きは、遠くは家庭や學校の敎育に待つことが多い。從て我邦の現狀に照らして特に此の敎育の緊切なることは、喋々を要しないと思ふ。隣國支那の如き國としては、甚だあはれな狀態にあることは何人も知る所であるが、彼等は其の國民精神を統一し、自主自立の精神を涵養して、將來國家としても益々强大ならんことを欲することは、彼邦識者の大に努力して居る所である。　勿論其の成否は、今直に之を知るに由しはないが、實質ある共和國として、其の國民を陶冶せんが爲に、特に社會教育に力を注ぎつゝあることは、吾人の大に注意すべき點である。　即ち彼邦の文部省では專門教育と普通教育とに對して、社會教育の一部門を認め、他の二者と對等の行政組織を立てて居る、乃ち專門教育局と普通教育局と社會教育局とを以て文部省を造つて居る、かくて專門又は普通の教育に對して、社會其の物の陶冶訓練に特別の組織を立てて居るのである。　元より吾人は支那の國家又は社會と其成立の歴史を異にし又その理想を別にすることは、今更論ずる必要もないが、併しながら國家社會の健全を冀ひ之が發達を望む點に於ては同一でなければならない。　我が國體を維持し、我が民族精神を發揚して、我等の利益と幸福とを增進することに於ても、又社會組織の上に最も必要なる社會共同の精神や公共奉仕の慣習が愈々盛んにならねばならぬのであつて、此點に於ては、國體の相違や歴史人情の相違に係らず、同一でなければならぬ。　勿論支那國民が、我々日本人に比べて、社會生活に、より適應して居るとも信ぜられぬが、少くとも我々日本國民は、社會生活の素養訓練に於て、先進文明の諸國民に比べて、甚だ劣て居ることは既に述べた通りであつて、此點に於ては、大に社會敎育の必要なことは、支那に於て、社會敎育が、必要な以上に、必要だと思ふ。然るに我邦では、社會敎育に對する行政系統や、その組織的施設の如き未だ皆無の狀態であつて、此の點に於ては、我邦は支那に對して遙かに劣つて居るといふも差支ない。かくの如き點に對して、我邦敎育の局に當る者、又世の識者たりはた爲政者たるものが未だ十分に社會敎育の必要と之が施設の急務なるを理解し若くは之を世に求め又訴えんとするものの甚だ少いのは遺憾至極なことである。予の考へる所に依れば我邦の敎育の全系統を通じて、根本的の改造が行はれねばならぬと思ふが、何よりも特に此の社會敎育に對する一般識者の理解と敎育の覺醒とを求めたいのである。何となれば此の仕事は單に政府や箇人の力で出來ることでなく、總ての國家の機關や團體や各箇人が一心協力して、初めて其の目的を達し得ることとであるからである。

尙最後に一言して置きたいことは、社會敎育といふものは何か社會主義を敎へたり又は現代の社會問題や勞働問題に關する危險な思想精神でも鼓吹する樣に敎へる人もないでもないが、之は誠に誤解の甚しきものであつて、寧ろかくの如き危險な外來思想に對しては、最公正にして且穩健な思想を宣傳し之を理解せしむることに努むるのが、社會敎育の思想善導の施設となるのであつて、却て社會敎育は今日の樣な社會の思想傾向の險惡な場合に一層必要を感ずる譯である。此の思想界の方面だけから見ても社會敎育の施設の甚だ必要なことが分かると思ふ。

四　社會敎育の施設

然らば、社會敎育の施設とは如何なるものであるか、之れが次に來る問題である以下回を重ねて、此等の諸般の施設に就て、順次申述べたいと思ふが、今便宜上、その概括的な要點だけを、上げて、次回以後の講義の大體を、豫め了解して置いて頂くことゝしたい。

さて社會敎育施設として、擧ぐべきものは、殆ど際限がないけれども、その中でも最も重なるもので且之で他を概括することの出來るものに分類して次の十種類とする。乃ちその第一は學校の擴張開放である。

既に述べた如く學校は、限られたる場所として限られたる生徒にのみ使用される許りでなく學校の有する總ての意義や設備材料が、學校の壁を越へて、廣く社會に及ぶことが甚だ必要である。かくして初めて學校は生徒の上に働くのみならず、社會に向て働くのである。他の言葉を以ていへば、學校は社會より離れて存在せず、社會の間に存在することとなるのである。此の施設は、英米諸國の學校には盛に行はれて居る。乃ち學生生徒の教授と相並んで學校の一大要務として社會の教育に其の力を注ぎつゝある有様は實に目覺しいものである。從て其の社會に及ぼす效果の大なることは、想像に餘りがある。卽ち各學校は、其の學校の組織種類に依り夫々特色ある施設を以て社會全般に對して、智識の授與や德操の涵養や、職業の指導や又は、生活の改善等の如き、諸有方面に盡力しつゝあるのである。かくの如き施設は、我邦の現代社會の實情に照らして特に必要であるのに、未だ我邦では、此の種の教育的施設が、系統的に行はれず、只我が文部省に於て、昨年度末より漸く其の眞似事位なことを初めたに過ぎない。此點に於いて我邦の學校事業の發達が彼の歐米先進の諸國に比べて數十年の後れを取つて居るといつてよいと思ふ、誠に殘念の次第である。

第二には　公開講演事業である。

之は一般市民(町村民)の道德の增進に資するが爲に、一定の組織の下に、講演又は講習の手段に依つて、之を敎育すべき事業である。我邦でも斯れに似寄つた講演なり又は、講習の施設が皆無ではないが、それには外國に於ける樣に、前後の連絡全體の系統といふものがなく、各團體各別に之を行つてゐる樣な始末で其の間に一貫した組織といふものが出來て居ない、卽ち外國では之を公開講演と稱して、豫め其の一年間に行ふべき講演又は講習の題目を定め、其の一題目に就ても七回とか十回とかの回數を重ねて完了する樣に計畫せられしかも之が各都市は勿論其の他のより小なる行政區劃でも夫々公共團體の經營として行はれ、之に對して公私の學校團體も夫々援助し且相互に連絡して、最も系統的に施行されて居る、然るに我が邦の公開講演又は講習の如きものは、其の時々の思付きで、其の間何等の系統連絡がなく、從て其の效果は甚だ少ないのである。

第三には　圖書館及巡回文庫の事業である。

之も近年になつて我邦でも相當の進歩を見たのであるが、之を今外國の盛況に比べると甚だ微々たるものである。假りに五千冊以上の藏書を有する圖書館について比較するに千九百十四年に於て、既に米國では、其の數が三千を越へんとして居るのに、我邦では、千九百十八年乃ち一昨年の調べで漸く百六十一を數ふるに過ぎない狀況である、且今や米國の二萬有餘の圖書館が持つて居る圖書總數が七千五百萬冊といふに對して、我邦圖書館は僅に四百五十萬冊を有するに過ぎないのを見ても其の內容充實の點に於ても、彼我の間に、大なる懸隔の存することが分かる。啻に以上述べた樣な圖書館の設備の大小のみならず、全體として、國民の圖書に對する趣味や讀書力の上にも大なる懸隔があるのである。これ一は學校敎育の罪に歸すべきではあるが、又社會敎育の施設に於て、自由研究の機關たる圖書館乃至巡回文庫の不足や、又之が經營上の才幹の充分でないといふことにも由るので、今後是等施設の一大發展を遂くべき必要に迫られて居ることは、今更申すまでもない。

第四には　教育的觀覽施設である。

之も我邦では、甚だ幼稚である。歐米の先進國では、相當の都市には必らず、歴史地理及び鄕土に關する各種の地方文化の程度を示すに足るべき一定の觀覽施設の機會を有し、之が地方民に對する敎化に重大なる働きをなして居る、之が又其の都市其の地方の品位を示すに充分の役を勤めて居るのである、我邦に於ては中央でも地方でも、殆ど見るに足るべき此種の施設を有して居ない。殊に近代科學に立脚した多種の材料を蒐集して、一般人の智識開發の手段としても、又學校敎育の補助をなすべき機關としても、誠に有益な役目をなして居る外國の博物館は皆無といふ外はない有樣である、此點に於ても、いかに我邦の社會敎育の程度の低いかを示して居る。

第五に　擧ぐべきは各種の修養團體の指導である。

即ち我邦に於ける靑年團及處女會の如き修養團體の指導經營に對しては、特に力を注ぐべきもので、之亦社會敎育の重大なる任務でなくてはならぬ。特に此種の團體に對して注意すべきことは、曩に內務文部の兩省より訓令して、此團體が修

我國の政治と佛教

文學博士　村上專精

緒言

豫め政治と佛教といふ事に就て一言申したいのは、政治と佛教は即ち政治と宗教であるが、政治と宗教といふことは、何所の國でも太古は最も密着な關係を以つて、殆ど政教一致といふ態度で、何處の國でもさういふ親密の關係を有つて居るが、段々進むに隨つて政教の間が分離するといふ状況になつて居る。日本でもその傾向があるが全體政治と宗教といふものは親密に關係して宜いものかどうかといふ事は一つの問題である、併し宗教といふものも國家に行はれる間は、政治と全く無關係といふ事は到底望むべからざる事である、その關係の仕方はいろ〳〵あらうけれども、宗教が國家に行はれるものであつて、政治といふものは國家全體の事に關係しなければならぬものであるから、政治が全く宗教と離れてしまふといふ事は到底不可能である、宗教も亦政治に全く無關係で生存することは不可能な事柄であると思ふ。それは政治が宗教に關係してよいか、又宗教が政治に關係する事がよいか惡いかといふ事は一問題として別に攻究すべき事であつて、私はさういふ事は今茲に申さない。唯だ日本に佛教が渡來してから殆ど千四百年に垂んとして居るが、この間に於ける日本の佛教といふものは、國家の政治とどういふ風な工合になつて居るか、その大體のお話をするのであります。

その大體をお話するに就て、私は日本の佛教史を七期に分けて見て然るべき事だと思ふ。第一期は推古朝時代の佛教、第二期は奈良朝時代の佛教、第三期は平安朝時代の佛教、第四期は鎌倉時代の佛教、第五期は室町時代の佛教、第六期は德川時代の佛教、第七期は明治時代、而して大正時代は御承知の通として置きます。

第一期　推古朝時代

それで此の七期に分けた中に於て政治と佛教の關係に就て殊に注意して見る

べきは推古朝の時代である。此の時代は日本佛教の開拓史である、日本に始めて佛教といふものが來て、これが日本の國教同樣になつたのは、卽ち推古朝である、推古朝時代に於て日本佛教の基礎を築いたと見なければならぬのであるから、殊に政治と佛教の關係は推古朝に於て大體を定めんければならぬ。其處で推古朝時代の佛教は、政治とどういふ風に關係して居たかといふと、全體推古朝に誰が佛教を興したかと言へば、申す迄もなく聖德太子が中心となつて興つた。その他に關係した人があつても、太子が中心になつて印度の佛教が日本の佛教となつたといふ事は、どの方面から見ても確乎として動かすべからざることである。古來太子を佛教家が餘り擔ぎ過ぎて、太子樣と言へば殆ど宗教家の如く、坊さんの如く看做して居る人があるが、それは大變間違つた話である、太子は太子樣である、而かも普通の太子樣ではない、攝政の官におはした太子である。卽ち事實は時の天子推古天皇に代つて天下の政治をお執りなさつた攝政の位におはします太子であるから、決して宗教家ではない、僧侶ではない。けれどもその聖德太子に依つて印度の佛教が日本の國教同樣になつたので、それは全く太子中心である。實は聖德太子といふお方は、政治家が見たら政治の開山、或は外交家が見たら外交の開山、實業家が見たら實業の開山、工業家が見たら工業の開山である、凡ゆる方面は太子から興つたのであるから、佛敎の方から見たならばやはり佛敎は太子に依つて興つたと言はなければならぬ。

それではどうして太子に依つて興つたかといふと、推古天皇が御即位遊ばすと同時に、天皇は女帝でおはしましたから厩戸皇子を以つて太子となさると共に、攝政の官、即ち天皇親らお執り遊ばすべき政治を太子に御委任になつた。それと同時に三寶興隆の詔勅が出た、三寶興隆といふ事は言ひ換へて見ると佛敎の興隆である。御承知の通り「書紀」には三寶といふ事が佛敎の代名詞であるから、三寶即ち佛敎である。此の推古天皇の御即位と同時に三寶興隆の詔勅の出たのは、明治元年に明治天皇が德川氏の返上し奉つた政治をお受取遊ばすと同時に五箇條の御誓文を下された、これと推古天皇の三寶興隆の詔勅とは一對したものである。歷史は過去の事を繰返すといふ事は能く言うたもので、實に過去の事を繰返して居るものがあの五箇條の御誓文である。即ち長い間德川時代に鎖港して居つたその鎖港が開港となつて、歐羅巴の文物を日本に採用するといふ關門が開けた、明治天皇の御英斷に依つて日本が開進主義を取つて、萬國御交際といふ事になり、而かも世界の文物を――尤もそれ迄にも歐羅巴の文物が陰かに輸入して居つたけれども、その間際までは鎖港論が中々盛んであつて、西洋人と言つたならば之れを「犬羊の類」ナンと言つて、まるで人間でないと看做して居つた、私共もさう見て居つた。外國人といふものは髮の色も違つて居る、眼の色も違つて居る、話をしてもまるで通せん、服裝を見ればまるで猿同樣ぢやないか、さういふやうに見て居つたのが、何ぞ知らん明治天皇の御英斷に依つて外國御交際となり、さうして何でも西洋の善い事は皆こゝに採用するといふ事になつた。泰西の事情の分つて居ない人間は、皆この時非常に驚いた、その前には鎖港論といふものが喧ましくて、開港論などを唱へる者は極く少數中の少數、大多數の人間は西洋の事情などの分つた者は無い、所謂舊弊家ばかりであつた。所が陛下の御英斷に依つて開港といふ事になつたのである。其處で推古朝の時代に立戻つて見ると三寶興隆といふ事は啻に佛教を興すのではない、大陸の文物を日本に輸入する所の關門がこれで出來たのである。その以前の状況はどうであつたかといふと、欽明天皇十三年に始めて佛敎が百濟國から渡つた。これは佛敎でありますけれども佛敎だけではない、佛敎が中心になつて色々の文物を皆輸入したので、推古朝の文明と言はれる文明は皆この佛敎が中心となつて輸入したものである。即ち欽明天皇の十三年に百濟國の聖明王が佛敎を献じましたけれども、欽明天皇御一存では之れを御英斷遊ばさずして左右に御諮詢になつた。その結果が蘇我家と物部家の所謂保守家と開進主義の人間との政治上の意見の衝突になつて「それは御採用になるが宜い」といふ議論と「ならぬが宜い」といふ議論になつた。天皇は然らば蘇我稻目、汝にこれを預けると仰せられた。これは能く氣を附けねばならぬ所である。誰が日本に佛敎を渡したかと言へば百濟國の聖明王である、受取られた方は欽明天皇である、お預けになつたのは蘇我稻目即ち時の大臣である。早く言ふと政治家の寄合である。(今日は政治家といふと餘り感心しませぬが、政治家といふより寧ろ爲政家と言つた方が宜いかも知れん。)所で蘇我稻目にお預けになつた結果、國是問題から天下の爭亂となり、丁度御一新の際と同じやうに蘇我と物部家の政權の衝突となつた、丁度今日の政友會と憲政會の軋轢と同じやうな事情である。其の渦中に佛教が投じたからどうしても解決が出來ぬ、併しどつちかといふと蘇我家の方が勢力があつた爲めに、佛教は年々榮えることは榮えて來た、併し未だ解決といふ場合には至らずして、是非の議論をして居る間が四十八年間かかつた。さうして遂に戰爭となつてその結果蘇我家が勝利を得て、物部家は敗を取つた。これは丁度御一新前嘉永六年亞米利加のペルリが相州浦賀に着いて開港を求め、德川政府は開港條約を結んだ所が、國是問題から天下の騷擾となつて、所謂開港鎖港の議論が喧ましかつたけれども、此の時代は十六年で濟んだ。それは世が進んだから十六年で濟んだけれども、佛教渡來の時には四十八年かかつた、その結果最後蘇我家の勝利となつたから、問題は茲に解決して、推古天皇の御卽位と同時に太子が攝政の官となり、そこで三寶興隆の詔勅が出た。卽ち明治天皇の五箇條の御誓文の依つて來る因緣は嘉永六年にある、三寶興隆の詔勅の出た淵源は欽明天皇十三年にある、さうしてそれが愈々三寶興隆の詔勅となる迄には四十八年かかつたのである。

此の三寶興隆の詔勅が出た後どうなつたかといふと、推古天皇十六年、(「書記」で見ると十四年になつて居るけれども、もつと確かな「法王帝説」に依ると十六年）天皇が聖徳太子に命じて勝鬘經の講釋を宮中に於ておさせになつた、卽ち天皇の御發起といつて宜い、天皇の勅命に依つて、誰がせられたかと言へば攝政聖德太子、何處でかといへば宮中に於て、誰が之れを聽いたかといふと天皇親らお聽きになつた、勿論天皇御一人ではない、此の時は凡ゆる宮樣方からお姬樣方に至る迄、官吏はいふに及ばず、時の公民まで傍聽をお許しになつたと思ふ。これは洵に注意すべき事で、御承知の通り「書記」を見てもあの時代の記錄といふものは簡を極めて居る、昔は總べて簡であつたが、殊に「書記」の記事は簡を極めて居る、けれども若し詳しい記事があつたらどんなものだらうかといふ事を私は想像するのである、その場所柄から云うても、御發起人から云ふても、講釋をなさる方から云うても、又諸王、公主、公民といふ者が傍聽の席に居並んで居る、實にこれで見るとあの時代に於て空前絕後の御大典が宮中に行はれた事と察せられるのである。明治四十五年間の歷史で最も大切なる御儀式は、明治二十二年の憲法發布式であつた、これは又四十五年の時間から言ふても丁度中心である、あれが又明治天皇の御政治の內治の圓滿した時である、「萬機公論に決する」と仰せられた五箇條の御誓文が事實になつて現はれた時である。であるから明治の歷史で見ると、憲法發布の式といふものは容易ならぬ御大典である。それを推古朝の三十年の歷史に持つて行つたならば、天皇十六年の勝鬘經の御講釋といふ事は、宮中に於て容易からぬ御大典の儀式を御行ひになつた譯である。御經の講釋といへば、此處で私が諸君にお話をするやうな譯のものではない、これは三寶興隆の御詔勅を事實に現はされたもので、唯だ一片の御詔勅を御發布になつたのではない、是は天皇親ら斯の如く御信仰遊ばし、宮中に於て斯の如く御奉體遊ばすから、國民擧つてこれに倣へよといふ所の嚴かなる儀式の下に、此の勝鬘經の講釋が行はれたのである。

それで今申す通り此の事を御發起になつたのは天皇であり、講釋をした人は太子であつて、どちらも僧侶ではない、聽衆も前に擧げたやうな者で、どの傳記を見ても僧侶が居つたといふ事は無い、所謂袈裟衣を身に着ける所の宗敎家といふ者は一人も居つたといふ事が見えぬ。居つたであらうけれども歷史の記事にはどの方面にも見えて居ない、どういふ人が寄つてやつて居るかといふと、詰り時の國家を與《あつか》つて居る人、時の政治を以つて本職として居る人々の寄合ひの仕事である。

抑々欽明天皇の時佛教の渡つた其の時から、推古朝に於て此の御大典の儀式を行はれる迄、宗教家は居つても隱れ人である、萬國の佛教史にこんな歷史は無い、印度の歷史を探ねても、支那、朝鮮を探ねても、或は暹羅、錫蘭等の南方佛教の歷史を探ねても、こんな歷史を有つて居る國は無い。　此の開發當時の事情といふものは、日本佛教の特色として數ふべきものは澤山あるけれども、その中の主なる一つである。

知らない人が言つたら誰が佛法を弘めただらう、言ふ迄もなく宗教家だとマア即斷してしまふのであるけれども、日本に於ては更に宗教家が關係した事が見えない。　又太子は勅命に依つて勝鬘經といふ御經の講釋が濟むと、更に岡本の宮に於て法華經の講釋をなさつた、此の勝鬘、法華の口の御講釋が濟んで、更に筆を以つて解釋をなさつた、即ち勝鬘經、法華經、維摩經の三部の經文に就て註釋をお書きになつた、これが即ち太子の三經の義疏として有名なものである。　支那の歷史を探ねても、又日本でも、千三百年も昔の書物が今日滿足に殘るといふ事は實に珍らしい、たゞ事ではない。　即ちこれは信仰といふものがあつたから、今日まで無事に保存が出來たのである。此の太子の三經の疏といふものは、近頃まで隨分歷史家は疑つて居つた、さう昔の本が存在して居るといふ事は奇怪だ、のみならず內容を讀んで見ると餘り出來が良すぎる、太子にあんな事が出來るといふのは不思議だ、これは後世書いたものだらう位の疑ひを懷いて居つた。けれども近頃は段々それが疑ひ無い事になつて來た、殊に先般宮內省の御物として保管されてある太子の御書を見ると、太子の御直筆か何か分らんけれども、修正していろ〱文字を直してある所がある、どうも後人の寫した物とは考へられぬ、して見るとこれは太子の御直筆と見るより外はない、愈々以つて太子の三經の疏なるものは太子の御直筆であるといふ事が分かるのである。今日諸君は英語も獨逸語も達人で居らつしやるだらうが、併し英文や獨逸文を書くといふ事は、さう樂なものではありますまい。あの時代に日本に漢學が渡つたと言つても、漢文が自由に書ける人がそんなにあらうとは思へない、所が太子は勝鬘經の講釋を爲さる時二十五歲、又筆を執つて講釋をお書きになつたのが、二十九歲の時からやつて居られる、思へばたゞ人ではおはしまさなんだと言はなければならぬ程の能力を有つて居られたといふ事は疑ひない。

それから十一年になつて十七憲法の御製作があつた、この十七憲法に就ても學者はそれ〳〵の解釋をしますが、要するにこれは明治天皇に比べたならば、明治天皇の憲法とは違ふ、明治天皇の憲法は政治の依つて出る基礎をお示し下されたにある、太子の憲法はさういふ意味ではない。然らばどういふ意味であるかといふと、國民道德の依る所をお示し下されたのであつて、若し明治天皇に例を取れば、どうしても教育に關する勅語に配當して見るより外はない。教育に關する勅語は、それ迄の日本の道德といふものは、佛教にあらざれば儒教、さもなければ神道、この神儒佛の三道より外に國民道德の依る所は無かつた。所が御一新と同時に廢佛棄釋の思想が流行すると同時に、孔子の教も從前に比べて見ると餘程廢れて、三文の値打も無いといふやうに孔子を批評するやうになつた、そこで殆ど國民道德の依る所が無くなつたので、明治二十三年にあの詔勅を下して國民道德の依る所を示されたのである。聖德太子の憲法はやはりその通りで、國民道德の依る所を示されたのである。その內容は十七箇條に亘つて居つて、中々長いけれども、一言でいへば即ち國家は和合にある、國民の和合と同時に上下の和合が大切である、その意味から見ると此の憲法は和合主義といつても宜い、その和合の基礎となるものは即ち信仰――佛教を信ずる事である。だから第二箇條に「篤く三寶を敬へ」と仰せられて、此の平和といふ事の基礎となるものは佛法である、國民の上下を平和ならしめる根抵には佛教を信ぜよといふ意味で、太子は十七憲法を御製作なさつた。憲法の上に現はれた所では、佛法といふ事は第二箇條に「篤く三寶を敬へ、三寶とは即ち佛・法・僧なり」といふ言葉があるだけであるけれども、此の御精神を以つて言ふと、國家に於ては國民同士の和合と共に上下の和合、即ち平和でなければならぬ、人の精神を根本的に平和ならしむるものは佛理の教理を信ずるより外はないといふ御精神であつたと窺はれるのであります。

斯ういふ事に依つて考へますと、太子は實に平凡《たゞ》の政治家ではない、用明天皇の御子として、時の太子であり、攝政の位におはしますが、率先して日本の國是問題、國家萬世の基礎をお立て遊ばすに就て、種々の方面に御苦心遊ばしたその中に於て、宗教道德は即ち佛教を中心となさつた。動もすると世人は太子は佛教に傾いて神道をお嫌ひなさつたと云ふやうな事をいふ人があるけれども、それは以ての外の事である。「書紀」の中にも神を疎略《おろそか》にするといふ事を誡められた勅語も出て居る位であつて、決して太子は神道をお嫌ひなさつたと云ふやうな事は無い、詰り太子は佛教を中心にして神儒佛の三教を一致のものと御覽なさつた、卽ち三道一致の精神が太子の理想である。後に能く云ふ通り、日本の一つの美風といふものは、皇統一系といふ事が日本の國體上の萬國無比なる所以であるといふ事は辯を俟たぬ。日本は地形上斯ういふやうに一つにならなければならなかつた、此の小さな一つの島國で而かも人種が一つである、多少の歸化人があつても大體に於て人種が一つである、地形上偏《かたよ》り易い所で人種が一つである、其處に中心の皇統一系なるものがあり、尙ほ政治に於ても宗教に於ても能く統一が出來て居る。日本が何事に就ても能く擧國一致して來た事の源《もと》は、宗教の統一といふ事にある、此の事に氣のついて居る人も鮮からずあると思ふ。日本の是れ迄の歷史を見ると、宗教が立派に統一されて居る、神儒佛の三教が能く一致して居る、さうして三教ともに何等の不平なく能く融和して、異身同體の態度で日本の宗教は一致して居る。德川の中世以降その一致が缺げるやうになつたが、その以前殆ど千二百年程の間といふものは實に宗教の統一が出來て居つた、是れは國民の一致に就て大なる影響があつた事である。人種の異なるといふことも一致を妨げる大なる原因になるが、信仰が違ふといふ事も亦さうである、所が日本は皇統一系、人種一種、而かも信仰が統一であつた、是れが日本が如何なる戰國時代と雖も一致して「克く忠に克く孝に」といふ忠孝の精神を發揮して、尊王の精神が繼續したといふ事は、此の宗教の一致といふことが間接に大いに與つて力あることゝ思ふ。これは理屈の上ではそんな事はあるまいけれども、實際に於ては宗教の信仰が違ふといふと、非常に異宗教徒を敵視するといふ人情は、何處の國の歷史にも現はれて居る、有るべからざる事であらうが事實免かれぬ。所が日本にはさういふ事なく、宗教の一致統一の出來た其の基礎は誰がお開きなさつたかと言へば、やはり聖德太子である。

斯ういふ風に日本佛教の開拓は爲政家が之れを開拓して、宗教家が之れを開拓したものでないといふ事は歷史の敎ゆる事實である、これは萬國無類の歷史である。それであるから日本の佛教は政治と密接な關係が始めから附いてしまつた。

卽ち皇室と密接な關係が附くと同時に、政治と離るべからざる關係になつてしまつた、これは歷史の然らしむる所である。此の事は他の國に於ても、例へば支那でも、後漢の明帝が月氏國から佛敎を齎し來つたと云ふやうな所を見ると、日本の歷史に似寄つて居るやうであるけれども、併ながら支那に於ては國家の革命といふことがあるので、後漢の國が續けば自分等の先祖が佛敎を迎へたといふ事が言へるけれども、一度革命が行はれて他の國になる明とか淸の時代になれば、少しも關係が無くなつてしまつて居る。所が日本は皇室と密接な關係を有つて、その皇室が一統連綿として今日までである、それであるから日本の佛敎といふものは、皇室と離れられぬ關係が推古朝の時にキチツと附いてしまつた、それと同時に皇室は政治の中心であるから、王朝時代の皇室の榮えると共に佛敎も榮えたのである。

さういふ譯であるから日本の天皇には、欽明天皇から　今上陛下に至る迄九十五代の天皇の中、法皇におなり遊ばした方が三十五代おはします、能く御寫眞や肖像などを拜見して、「何處の坊さんだらう」といふやうなことで側に寄つて見ると、何々法皇といふやうな譯である。啻に剃髮なさるのみならず、後宇多天皇などは仁

自治民政と佛教

加藤咄堂

第一章　地方自治と民政

第一節　自治と民育

一　講述の目的

自治民政といへば政治法制に關したことであり、佛教といへば云ふまでもなく精神方面の宗教のことであるから此二つは何の關係もないやうに思はれるが其の實切つても切れない關係を持つて居るので、實際の上から見ても、日本全國各地方の如何なる町村に於ても佛教信仰の對象なる寺院のない所はない。此寺院と町村の住民とは多く寺檀の關係を持つて居つて、先祖傳來其の土地に住するものは先祖傳來の位牌を此寺に納め、佛敎の信仰はやがて祖先の崇拜となり、追善供養には隣保此寺に相集るのみならず、其の寺に行はるゝ法要には其の町村の者が集合して參詣するの風俗を爲して居るのであるから、町村民が其の土地を愛着する上に於ても、一致協同する上に於ても、寺院は決して地方自治の施設と無關係なものではない。寺院が既に無關係のものでないとすれば、其の寺院によつて表象せらるる佛敎も亦斷して無關係なものではないばかりでなく、實に地方結合の中心となるものである。更に其の精神の上からいへば、地方自治といふことは隣保の協力和合を基礎とするので、其の又根抵となるべきものは自らを知るといふことにあらねばならぬ。自らを知らずして自らを治めることは出來ない。此の自らを知るといふことは佛敎敎義の根本を爲すもので、道元禪師も「佛敎を學ぶといふは自己を學ぶなり、自己を學ぶといふは自己を忘るゝなり」と云はれて、自己を究めて之れを忘るゝに至つた無我の精神、これ自治に最も必要なる公共心、協同心の基礎となるべきものであるから自治と佛敎とは切つても切れない關係を持つて居るのである。

然るに從來自治を論ずる人々が、主として自治の治の方に重きを置て、此自の方を閑却して居る、治はオサメルで政治とか統治とか續いて支配の義を有して居るので其の方法として政治經濟敎化等の方面に亘つていろ／＼な施設は說かれて居るが、自卽ち自己、自身、自分といふ此ミヅカラの方は餘り說明して居らぬから自治の問題が何時も形式的物質的になつて內容的精神的にならないのである。此講義は此の自の方面から出立して其の根本に向つて說明を試みんとするのである。

二　自己の存在と國家

此の自己卽ち我なるものは、何うして存在して居るかといふと、父母より生れ出たのであり、其の父母は祖父母より出で祖父母は曾祖父母より出で曾祖父母は玄祖父母より出たので、遡つて祖先より斷えざる生命の流れが我となつて現れたので我といふものは血緣關係によつて存し、其の父母に養はれて我を自覺するに至らしめられたのは云ふ迄もないが、現在何うして生活して居るかといへば多くの人々が互に働きあつて、それが持ちつ持たれつの共同關係となつて生きて居るので、衣も食も住も皆な自分の手一つで造つたのではない。我は實に此協働互助によつて生存を保つて居るので、我の今日此の如くに生存して居るのは悉く我以外の人々の力に賴つて居るのであるから、我は血緣關係によつて生じ、協働關係によつて保たれて居るといふても差支はない。

此の血緣關係に男女の有性的結合たる婚姻によつて成る夫婦關係を起點として親子關係生じ、兄弟關係が出來て、こゝに家族となり、此家族更に擴大して氏族となり、其の家を共にせるを戶といひ、家を分つて居るを部といひ、其の部を集めて部族といひ、更に擴大して民族に至る皆な此血緣關係であるが、其の部族一地方に集り、血緣的愛着以外、利害を主とする協働關係を有するに至つて部落となり、血緣漸く薄くして利害次第に深く內には相互の利害を調節するの必要生ずると共に、外には部落の擴大は他の部落との衝突となり、勢ひ一致團結の必要を促し、こゝに戰時にあつては統率者となつて其の部落を率ゐて他部落に當り、平時には統治者となつて共同生活の安全を保障するものゝ必要は治者、被治者の關係を生じて國家の萠芽漸く成り、勝てるものは他の部落を併せ敗れたるものは或は併され或は遁れ、遁れたるものは他に入つて新部落を形成し、其新部落は國家となり、國家は又他の國家と衝突し盛衰興亡、幾星霜を經て、今日に至つたのであるが、吾等は遠き昔より國家といふ社會組織、卽ち治者と被治者との關係ある一定の土地の上に其生存を保たれ來つたので、國家といふものがなかつたらば吾等の生存は常に脅かされて居らねばならぬのである。併しそれは國家の統治が完全に行はれて居る場合で、若し國家が暴虐なる政治を施された場合には、吾等は國家あるがために其の生命、財產、自由を奪はるゝことがないとはいへない。實際暴虐なる政治の行はれた場合に人民の困憊した事實は史上に乏しくないのである。もと〳〵人民の安全生活を保障するが爲めに成立して居る國家が却て安全生活を脅威するやうになつては人民の耐えらるべきではないから、かゝる場合には何時も人民の意志を國家政治の上に現はして貰ひたいといふ要求が起つて其の甚しきは鮮血淋漓たる革命となり、其の甚しからざるは法の變更となつて民意は次第に國家政治の上に顯現せられて現代の立憲國家となつたので、人民自らが直接間接に國家政治に參與することが出來るのであるから、所詮自己の生存を保障すべき國法は自己自らが規定し（間接ではあるが）自己自らが守るといふ形式になつて、自己の生存する國家は或る特殊階級の國家でなく自己の國家、國家に服從するといふのは他に服從するのでなく、自己に服從するのであり、國家を愛するといふことがやがて自己を愛することとなつて立憲政體は完備し、自治民政は大成せらるゝのである。

三　自治民育の必要

それには人民の智識が進歩して國家の一員たることを充分に自覺する程度にまで進まねばならぬので、人民の智識が未だ進歩せず、たゞ自己の生活に沒頭する以外、少しも國家とか社會とかを思想せざる時代は、智識の優れて國家全體に着目し得る一部少數階級の指導を仰ぐの外はないのであるから、此時代に於て專制政治の行はれるは當然のことであるが、人民の智識が進んで受動的なる統治の客體たるに止らず、發動的に國家の事務に干與し、其の統治機關の組織に參加し得るに至つては、專制時代のやうに「民をして賴らしむべし、知らしむべからず」流では、充分に統治機關を運用することが出來ないのであるから、民をして國務を知らしむるの必要は生ずるので、これが國家的には立憲國家の訓練となり、地方的には自治民育となるのである。而してこれら教養の根本となるものは、單に自己といふ個人的の我以外に國家といひ町村といふ大なる我を自覺せしむることにあつてそれが又無我の大我を主張する佛教の精神と一致し來るのである。

第二節　自治の性質

一　中央と地方

自治といふのは人民自らが治めるのであり、官治といふのは政府が之れを治めるので、廣い意味に於ては專制時代には官治あつて自治なく、立憲時代には自治あつて官治なしとも云はれるのであるが、實際に於ては專制時代に於ても地方〳〵のことに就ては自治の狀態になつて居つた點もあり、立憲時代にも官治の行はれることもあるのであるが、立憲時代の所謂官治と專制時代の官治とは趣を異にして專制時代に於ては其の執行せらるゝ法律も、其の徵發せらるゝ租税も皆な官憲の獨斷によつたのであるが、立憲政治となつては、人民の代表者たる議員によつて成れる議會によつて立法や豫算が議定せらるゝのであるから其の執行せらるる法律も、其の徵發せらるゝ租税も皆な人民の協賛を經たもので、官憲は之れを執行するに止るのであるから、茲に官治といふのは中央政府の任命したる官吏によつて行はるゝをいひ、自治とは地方人民によつて自ら審議執行せらるゝをいふと見て差支はないのである。一體國家を治めるには中央集權と地方分權との二の形式があるが、何事も中央政府で處斷するといふやうに權力を中央に集注してしまうと、地方行政といふ方が萎靡として振はないやうになるし、凡ての權力を地方に分けてしまうと國家の統一といふことがつかなくなることは日本の歴史に於ても見ることが出來る。即ち平安朝時代は專ら中央集權に傾きましたから地方の政治といふものは行き屆かなつたので、封建時代に多くの力を地方〳〵の領主に與へたから國家の統一が充分に行はれない戰國時代を現出したので、いづれも一方に傾くことは出來ないのであるから中央政府によつて統一を計りつゝ地方に自治を許してあるので、今日の所謂自治とは法令の範圍內に於て國家の事務を其の地方〳〵が自己存立の目的の爲めに行ふといふことになるので、更に詳しくいへば法令によつて利害關係を共にすると認められたる地方團體(卽ち市、町、村)が法令の範圍内に於て共同の力を以て共同の利益を增進し共同の禍害を排除するの意思を定めて之れを執行するの關係を自治といふので、こゝにいふ自治は(一)地方行政をやるといふことと、(二)團體が自己の意思を以てするといふことと、(三)團體から選ばれた執務者を持つて居るといふことが必要になるので、中央政府より任命せられたる官吏が執務するのでもなく、中央政府の命令によつてやるのでもない。全く地方共同の意志決定によつて行ふのであつて、中央政府は之れを監督して其の統一を計つて行くのである。故に本講義にいふ自治といふのは中央政府のやる政治のことでなく、地方政治の上のことであるといふことは、豫め御承知置き下されたい。

二　國家の事務

自治は地方のことであるとは云ひながら、國家事務の一部を行ふのであるから先づ國家の事務といふことに就て一應知る所がなければならぬ。國家は前にもいふ如く、吾等の共同生活の安全を保障せなければならぬのであるから、共同生活を害するものを防ぐといふことが必要である。如何なるものが共同生活を妨ぐるかといへば、それは犯罪と爭議である。犯罪は國家が共同生活に必要なりとて定めた法律に背くもので、之れには刑罰を施して二び犯罪を重ねしめざるやうにする必要があり(刑事)爭議は主として個人間の利害關係に萠して共同生活を紊るものであるから之れを裁斷して是を是とし非を非として相互に守る所を守るやうになさしめねばならぬ(民事)これを國家規制の任務といふが國家はたゞかゝる人爲の禍害を防ぐのみならず、暴風、洪水其他自然力の共同生活を脅かすものに對しても、相當の防備を施さねばならぬばかりでなく、其の共同生活を現在以上に向上進歩せしむる必要がある。蓋し吾等の生活は過去幾千年斷えず向上進歩して現代に至つたのであるから、それを更により善くし、より完全にして行くのは吾等の任務であると共に、吾等の組織したる國家の任務であらねばならぬ。其の爲めには敎育の普及産業の奬勵、交通の便等を計つて行かねばならぬ。私は之れを國家創造の任務といふ。これら規制、創造の二大任務の外國家は其の存立を維持するためには、外より其の存立を害せしめないやうにする國防用兵並に外交の任務がある。更に又これらの任務を完行して國家として存立して行くに必要なる計費の徴集並に支辨の任務がある。

　國家の萠芽漸く生じ來りし原始の時代にあつては之れらの事は總て統治者の自由意志によつて勝手に行はれて居るものであるが、それでは被治者たる人民は何處までが共同生活を害するものとして罰せらるゝやら、何處までが正當として認めらるゝやら解らぬから、常に不安の念に驅られなければならぬ。そこで其の組織が稍進んで來ると法律を設けて、これに背きさへせなければ安全に生活せられるが、之れに背けば罰せらるるといふやうに法なるものが、吾等の生活を規定することになるが、かくて法を定める立法と法を行ふ行政と法によつて裁斷して行く司法との機關が生ずるのであるが、それも專制時代にあつては其の法の變更一に治者の心の儘であつたから、所謂朝令暮改、民、安きを得ないといふ狀態に陷るを免れなかつた。それが立憲自治の時代となつては議會なるものが開かれて民意が立法の上に顯現せらるゝこととなり、立法、司法、行政の三大機關は各其の任掌を分ちて國家の任務を遂行する機能となり、其又廣き意味の行政を大別して外政卽ち外交に對する政治と內政卽ち國內に於ける政治とに分ち、此內政を普通に行政と呼び、之れを敎政、財政、軍政、民政等に分つので、これらは悉く統治の大權を握れる主權者の總纜せらるゝ所であるが、其の政治を行ふに當つては各種の機關を設けて之れに委任せざるを得ない。其の委任の方法には先きにいふた官治と自治とがある。官治は先きにもいふ如く中央政府が直接の機關たる官廳を設け、それに任命したる官吏を置て政治するのであるが、自治は市町村の如き人民の集合體に人格を認め、其の人格團體が自己の目的のために行ふ事務を國家の行政に應用するのである。其他特別自治體たる水利組合、商業會議所の如きもあるが今は地域を限つて集合せる地方自治のみに止める。

三　官治と自治

國家の事務、此の如く、地方自治の位地此の如きを以て、地方は地方の爲めに地方の事を行ふのではなく、國家の爲めに地方の事を行ふのである。かくいへば地方は全く國家の犧牲になるべきもので、一地方の利害なぞは念頭に置くべきものでないやうであるが、それは全く地方といふものを國家から分離して考へたからの誤謬で、國家は全體であつて一地方は其の一部分である。もと〳〵全體といふものは部分から成立するのであつて、部分といふものは全體によつて存立するものであるから地方は國家の基礎であつて、其の利害は直に國家の利害に影響するものであるから、地方の利害に着眼することが直に國家の利害に着眼することとなるのである。併し時には一地方の利害と他地方の利害とが衝突することがないとは云へない。かゝる場合に於ては何れが國家全體の上に利益なるかを考へてやらねばならぬ。此全體の上のことは中央政府が監督するのであるが、各地方自治體も亦常に全體の一部分たることを自覺してかゝらねばならぬ。我が地方も國家の一部分であると共に、他の地方も亦一部分である、一部分の利害が直に全體に影響するならば、一地方の利益のために犧牲にせられたる他の地方の損害は又國家の損害である。これを考へずして自己の地方のみの利害に沒頭するは地方自治の弊である。かゝる弊があるならば何事も中央官治の主義を執つて地方自治なぞは行はぬがよいといふ議論が起るかも知れないが、其の利益は優に此弊を補ふて餘りあるばかりでなく、此弊は中央の監督によつて矯めることが出來るので、これは制度の弊といふよりも寧ろ道徳教化の上に於て地方民に國家全體の一部たることを自覺せしむることによつて改めらるべきものである。されば地方自治の利はといふに、

一　一定の地域の中に利害を共にするものが打寄つて政治を行ふのであるから當該地方に最も適切なる政治を行ふことが出來る。

二　もと／＼自己の選擧した議員の議決によつて自己の選擧した機關によつて行はるゝのであるから不平を少からしむ。

三　何事も共同によるが故に協力の必要を自覺せしめて國家の基礎を鞏固ならしむると共に共同の利害に着目せしめて自ら公共心を養成す。

然らば一切を地方の自治に任してよいかといふに何事も地方／＼の自治であつては、全體の利害といふことが疎かになるばかりでなく、國家としての統一を貫

徹せしむることが出來ない。そこで國家全體の利害に關することや劃一を必要とすることは矢張中央官治の主義に賴らねばならぬといふのが學者の定論である。

かく中央官治と地方自治と相待つて國家の事務は行はれ、我の存立は保障せられ、我の發達は企畫せらるゝのである。

第三節　民政と人民

一　民政の意義

中央政府が直接に任命したる官吏を以て國家全體の統一政治を行つて行くのを官治といひ、地方人民が自ら選擧したる機關によつて自ら其の地方を治めて行くのを自治と見るのであるから、普通に民政と云はるゝのは主として官治の方面から人民を政治して行くを指して、先きに擧げた廣い意味の行政の一部にして外政（外務）軍政（陸海軍）敎政（文部）財政（國家的には大藏、社會的には農商務）に對して云はるゝ民政で、主として內務省の管轄が之れに當るので、官制には「內務大臣は神社、地方行政、議員選擧、警察、土木、衛生、地理、出版、賑恤、救濟、及び拓殖に關する事務を管理し警視總監、北海道長官及び府縣知事を監督す」とあつて直接人民に關係する大部分の政治は此中に含まれるのであるが、更に其の意味を廣げますと外政、軍政を除きました他の部分は皆な此民政の中に含まれ、外交や國防以外の對內政治は民政といふことが出來るので國家の維持發展を計る政務は大部分此民政に屬するので嚴密にいへば諸種の分掌があるのであるが、こゝには政治の機關や官制のことに就て論議するのでないから、廣い意味で直接人民と關係して國家の維持發展を計る政務の總稱を民政と見ることが出來るのであるが、更に其の意味を的確にいたしますと人民の爲めの政治と申すべきで如何に人民と關係してもそれが支配階級の爲めの政治であつては民政と申すことは出來ないので、それが更に一歩を進めて、人民によつて行はるゝ人民のための政治となると、これを自治民政といふべきであるが、自治の認められない時代に於ても民政といふことはなかつたのではないから、古來我が國が如何に人民のための政治を施して來たかを見て、今日の狀況に及ぶことにしよう。

日本の文化と神道

帝室博物館
祭祀神祇部主任　津田敬武

緒言

歐洲大戰の後を受けた我思想界は、未だ其適從する所を知らざる有樣で、之を如何に指導すべきかは今尙朝野の大問題である。我國民は如何なる思想と如何なる國是とを持つて居るか。或は又持たんとしつゝあるかと言ふ事は日本人のみの問題ではないのである。歐米列國も又各自國に關係ある問題として注目して居るのである。言葉を替へて言ふと我國民思想と國是とは世界の問題である。即ち我國は軍國主義を固持して居る國家で、軍閥が政治の要路に立つて居る國であるか。それとも國民の輿論に基礎を置いて居る國家であるのか。其眞相如何といふことに就いて深甚な注意を拂ひつゝある樣に思ふ。此と同時に我々日本人も亦歐米列國が如何なる國是を有し、如何なる主義を高調しつゝ國際關係を結ばんとしつゝあるのか。其背後に如何なる思想が動きつゝあるか。彼等の聲明と實際上の行爲が如何なる關係にあるかと言ふやうな方面も十分理解して置く必要があらうと思ふ。然し彼等の態度主張に迎合するが爲めに研究するのではいけない。吾人の着眼點はよろしく更に遠大なるものでなくてならぬ。如何にして人類を永遠の平和に導くべきかと言ふ問題を考慮の中に置くことは五大强國の一員として立つものゝ責任である。此責任觀は我々日本人たる者の自覺して居なければならぬことである。人類永遠の平和といふことは人間の考へ得べき最も高遠な理想であると同時に又實際問題としても最も重大な人生問題であるのである。個人道德と國際道德との間には、今日はまだ大變な相違があるから到底兩者を一律の下に見ることは出來ない。苟も國家の體面を維持して居る獨立國は其國內の安寧秩序を保つ爲めに一般國民の幸福に危害を與へるやうな罪惡や不道德な行爲に對しては直ちに制裁を加へ得べき最高權威を持つて居る。此國家の最高權威は主として警察權、司法權及び軍備等によつて確保されるのであるが國際關係に於てはかゝる最高の權威を何れに需むることも出來ない。將來非常に强大な國家が現はれて世界の總ての國家を統一するに至ることは望ましいことであらうか。斯る國家の出現は人間として望むべき正しい理想であらうか。斯の如き理想は此度の世界戰爭で全く破壞され盡したものと思ふ。帝國主義と言ふのは斯の如き理想を國是となす國家を指して言ふのである。舊獨逸帝國は卽ちかゝる帝國主義の權化であると觀破された。故に聯合國は各死力を盡して獨逸を粉碎したのであつて、再びかやうな帝國主義の國家の現はれることは世界の最も恐るゝ所である。前米國大統領ウィルソンが唱道して弱國から非常な歡迎を受けた例の民族自決主義は此帝國主義とは全く反對の立場に出たものである。斯の如く觀じ來る時に一大强國が現はれ、全世界を統一して絕對的最高權威を其上に振ふといふやうな事は人類の理想として望むべからざるは勿論のこと、事實に於て今後かゝる國家が出現しやうとは夢想だに出來ないことゝ思ふのである。兵力の上に建てられた、帝國主義の危險については斯の如く苦い經驗を持つて居るけれども金力卽ち財力の上に立つ第二の帝國主義が現はれぬとも限らぬ。果して斯様な第二の帝國主義が現はれたとするならば、其が人類一般に及ぼす害悪は如何であらうか。即ち國際的經濟上に絶大な勢力を有する一强國が現はれて他國の利害を度外視して自國に都合よき國際政策を强行するならば其危險の測り知るべからざるは、資本家對勞働問題の比ではあるまい。兩者ともに物質的文化の最大瑕瑾で、何の道破滅に終るべき運命を持つて居ることゝ思ふけれども一度斯る國家が出現した曉に於ては其を破壞し盡すまでに此度のやうな大戰の慘害を見ねばならぬならば、或は又外貌は綿羊の如く柔和を裝ひ日夜弱國の民を苦め、次第に其存在を脅かすやうな事があるならば慷慨悲憤しても終に及ばぬことがあるかも知れない。故に斯る慘劇を避けるためには最善の努力を致さなければならぬ。或一國或は又數ヶ國が合同して超國家的勢力を持つといふことは最も危險であつて是は理論の上に於ても全く不道理である。斯くては民族の自決も何もあつたものではない。然らば國際的平和は何によつて需むべきか。又超國家的勢力は何處にあるべきであるかと言ふと、此は人類共通の理想に對する憧憬のうちに需むべきもので、物質的勢力によつて超國家的權威を一手に收めんとする如きは非望の甚しきもの極惡無道と言はざるを得ない。

斯の如く論じて來ると精神文化が如何に大切であるかゞ初めて明かになるのである。人はパンのみによつて生きる事は出來ない。國家は兵力と財力によつてのみ榮え且つ平安であり得ぬ。吾人の所謂人類共通の理想は卽ち精神文化の進步する事によつてのみ近づき得られる境涯である。此理想たるや總ての國家が永遠の隆盛と平和を得る爲めに必ず守らなければならぬ理想で、此理想の前には如何なる强國と雖も平伏しなければならぬ底のものである。此理想が兵力や財力のために左右される間は未だ精神文化の隆盛を見ることは出來ぬ。人類共通の理想と言ふのは要するに絕對眞理《ツルース》に對する信仰と其信仰の社會化、世界化であると思ふ。然らば此理想は如何にして實現されるであらうか。人種に白きあり、黑きあり、黃なるあり、又赤きもあるやうに各其國體國情に大なる相異あるは當然のことであるから各特殊の理想國是を有ずることも自然の歸結であらう。是れ卽ち社會の差別相であるけれども平等は何しても此差別相のうちに見出されなければならぬものである。差別のある儘にして平等があり得るのである。卽ち差別即平等圓融無礙の眞理が國際關係の上にも絕對權威を發揮するやうに成つた時に初めて其處に世界の平和が望まれるであらう。其時こそ萬人に謳歌される國際聯盟が出現するであらう。吾人は此高遠なる理想の旗を押し立てゝ、奮闘しなければ到底世界の改造を望むことは出來ない。此平等を發見する爲めには同時に差別相を知らなければならぬ。差別相のみを考へて居るならば、固陋に陷り易く、排他主義に傾き易い。卽ち家庭に現はれては親子の間に思想の衝突を起し、政界に現はれてはみだりに新思想を恐れて極端な言論の壓迫と變じ、却つて風波なきに舟を覆へすが如き危險を生ずる事があらうと思ふ。これ皆差別卽平等の眞理を見出し得ざるの罪である。故に各國互に自他の差別相を了解すると同時に各國共通の平等相の發見に努力して此圓融無礙の大眞理に到達しなければならぬのである。

我神道の硏究も此大理想の實現に關係があるのである。我國の差別相卽ち我國家の特徵を硏究せんとする者は何しても神道を無視することは出來ないのである。故に外國人にして我國を理解せんとする者は皆先づ神道に着目するのは此が爲めである。神道を科學的に研究し始めたのは日本人ではなく却つて歐米の學者であつたのである。卽ちサトウ・アストン、ノックス・ルボン・チエムバレン等の諸氏は何れも夙に神道を研究した學者であつた。又現に東京に住居して居る宣教師ホルトム博士の如きは神道に關する論文をシカゴ大學に提出して學位を得た學者で引續き熱心に神道を研究しつゝあるのである。同じく米人であるがミユレ、ウォーナーと稱する婦人の如きも熱心に神社の祭禮を研究しつゝあるのである。此外にも神道の研究者は少くないと思ふ。要するに彼等は我が神道について深甚な關心を以て研究しつゝあるのである。

日本人たるもの如何でか神道の科學的研究を外人にのみ委ねて坐視することが出來るであらうか。今日は旣に神社は有難いものであると言ふことを以て滿足して居る時代ではないのである。所謂有難屋に神道の解つた者は餘り見掛けぬのである。吾人は須らく神道は何が故に難有かりしか。何が故に神道は今尙難有のであるか。又何が故に將來も亦難有かるべきかに就いて其由來を繹ね、現狀に考へ、未來を考察する所がなくてはならぬと思ふ。近來我國の學者も漸く此點に氣が付いて追々熱心な學者の現はれつゝあるのは大いに喜ぶべきことであるけれども此は小數の學者や政治家のみに任かして置くべきものでなく一般國民も十分に省みて學者の研究に聽き各自沈重に判斷する所がなくてはならぬ。殊に思想問題に深い關係を持つて居る警世家、宗敎家又は敎育者は深く理解し置くべき必要があるのである。

そこで私は「日本の文化と神道」と言ふ標題を掲げて神道の社會的表現、卽ち種々な社會相を捕へ來つて其が我國の政治と如何やうに結び付いて居つたか、又現に如何なる形に於て政治と關係を持つて居るか。我が國是に對しては如何樣なる關係にあるか。我が國民の宗敎心には如何なる感化を與へて居るか。佛敎儒敎或は道敎思想などと如何なる關係を保ちつゝ發達して來たか。此等の諸點を考慮の中に置いて研究を進めたいと思ふ。研究の方針としては種々の宗敎思想と比較研究すると同時に人類共有の思想が我神道に於ては如何なる形式を取つて表現されて居るか。而して又其形式は世界文化史上如何なる地位を占めて居るかと言ふ點にも進んで行きたいと思ふのである。要するに結局は差別卽平等、三千一如の社會相を究めんとして努力して見たい。

第一章　神道の成立と其起原

第一節　天孫降臨の傳説と其背景

天照大神は御子天忍穂耳尊《アメノオシホミミ》を降して豐葦原の瑞穂國に王たらしめんとなし給ふたけれども中國いたく擾亂して居つたので天降《アモリ》まさず大神に此由を奏せられた。よつて大神は高皇彦日神《タカミムスビノカミ》とはかりて群神を天の安河の河原に集めて評議を凝らして天菩比神《アメノホヒノカミ》を遣はし後、又天若日子《アメノワカヒコ》を遣はされたけれども悉く失敗に終つたので、最後に軍神、經津主神《フツヌシノカミ》と武甕槌神《タケミカヅチノカミ》を遣はして平定せしめられた。

斯くて中國が彌々平定されたので、天照大神は天孫瓊々杵尊を高天原から日向の高千穂に降し給ふたのである。

天孫降臨のことに就いては古事記に次の如く記載されて居る。

爾《ココニ》天兒屋命《アメノコヤネノミコト》。布刀玉命《フトタマノミコト》。天宇受賣命《アメノウヅメノミコト》。伊斯許理度賣命《イシゴリトメノミコト》。玉祖命《タマノオヤノミコト》並て五件緒《イツトモノヲ》支《クマリ》加《クハ》へて天降したまひき。於是其遠岐斯《カノヲギシ》八尺《ヤサカ》勾璁《マガタマ》鏡《カガミ》及草那藝劍《クサナギノツルギ》亦常世《トコヨ》思金神《オモヒカネノカミ》。

手《タ》力男神《チカラヲノカミ》。天石門別神《アメノイハトワケノカミ》を副賜ひて詔者《ノリタマヒツラク》。此之鏡は專《モハラ》我御《アガミ》魂《タマ》と爲《ナ》して吾前《アガミマヘ》を拜如伊《イツクコトイ》都《ツ》岐《キ》奉《マツ》れ。次に思金神は前事《ミマヘノコト》を取持て爲政《マツリゴチテヨ》と宣り給ひき。

天孫降臨に對する信仰は、神道成立の心髓をなすものであるから此古傳について以下少しく解釋をするであらう。伴緒と云ふは其部《ト》屬《モ》の長といふ事であるから五伴緒支加《クマリクハヘ》てとあるは五部屬の長を引率して天降りましたといふことである。遠岐《ヲギ》其遠岐斯とある其は加能と訓み、天石屋《アメノイハヤ》戸《ド》の段の事を指して云ふのである。遠岐《ヲギ》は書紀の石屋ノ段に思兼ノ神者、有思慮之《オモヒハカリノ》智乃《アリケレバ》、思而《オモヒナ》白日《マヲサク》、宜圖造彼神之象而《カノカミノミカタヲウツシツクリテ》、奉二招禱《ラムナギ》一也とある招禱《ヲギ》と同じ意義の字である。又海神宮の段にも風《カゼ》招《ヲギ》と云ふことがあるが、此は風を招き發す方《ワザ》を指して言ふのである。凡て遠岐《ヲギ》といふのは物を招き寄せむとする事で、こゝは石屋に隱れました天照大御神を招き出し奉つた其行事《ワザ》をいふのである。八《ヤ》尺《サカ》勾《マガ》璁《タマ》、及び鏡は天照大神が彼の石屋にお隱れになつた時、玉祖命に命じて作らしめて眞《マ》賢木《サカキ》の上《ホ》枝《ツエ》に取著けたる玉、及び伊斯許理度賣《イシゴリトメ》命に命じて作らしめて中《ナカ》枝《ツエ》に取りかけた八《ヤ》咫《タ》の鏡とである。卽ち此璁《タマ》と鏡は天照大神が忌《イミ》服《ハタ》屋に坐します時素盞嗚尊が大神に對して暴戾極まる行をなし、最後に天上から投げ入れた斑駒に驚動して神退《カムサ》りて天石窟《アメノイハヤ》に入り磐戸《イハド》を堅く閉ぢて隠れ給ひし爲めに天地が常闇《トコヤミ》となつた時諸神が祈を捧げて大神の出現を祈る爲めに用ひられた鏡と玉を指すのである。草那藝劔はいふまでもなく素盞嗚尊《スサノオノミコト》が八俣遠呂智《ヤマタヲロチ》を切り給ひし時に遠呂智の尾中から得給ふた異物《アヤシキモノ》で天照大神に献せられたものを指すのである。次に常世思金神、手力男神、天石門別神はともに大神が隠れました時石屋戸の前に現はれた神々である。さて此等の神は其現御身《ウツシミミ》を降し給ふたのではなく皆其御靈實《ミタマシロ》を降されたのである。御靈實《ミタマシロ》といふのは御靈《ミタマ》の託《ツケ》る御體で俗にいはゆる神社の御神體である。次に詔者《ノリタマヒラク》とあるは其下に我御魂としてとあるから天照大神の詔ふのである。我が御魂として言ふことは、大御神の御神靈《ミタマ》を此御鏡に取託《トリツケ》て賜つたことを言ふのである。吾前《アガミマヘ》といふは大御神の現御身《ウツシミミ》の大御前のことである。次に前事《ミマヘノコト》とあるは天照大神の御魂の御前の事である。

此傳説に現はれて居る玉と鏡と劔は即ち三種の神器のことである。從つて此古傳の解釋によつて三種の神器の意義が明かにされやうと思ふのである。已上の説明によつて次の如き結論が引出されると思ふ。即ち三種の神器は天孫の肉身の祖母とまします大神卽ち人間の形を以て出現ましました御神の御靈代として最神聖であると言ふことになる。我等の祖先は卽ち斯の如き御方として天照大神を拜んで來たのである。而して今日の日本人も同じ意味に於て天照大神を崇拜して居るものと思ふ。天照大神に對する信仰は始めから此意味を持つて居つたことを疑はないのである。さて斯くの如き崇拜の生れて來るには其素地をなして居つた背景的思想がなくてはならぬ。卽ち天照大神崇拜の背景となつて居る宗敎思想について研究を進めるの必要がある。

天照大神は日本書紀の記載によると伊邪那岐、伊邪那美二神が大八洲國及び山川草木の類を生み了へたる後天下に主たる君として生み給ふた神である。大日《オホヒル》孁貴《メムチ》又は天照大日孁尊とも稱し奉る。又此神を形容して「此子光華明彩、照徹於六合之內」ともあるから天照大神は一面に於て太陽神たるの神性を備へ給ふことは明かである。本居宣長も此方面は明かに認めて居る。又鈴木重胤が天日を主宰する神であると言つて居るのは此方面をのみ見た論である。又古事記の記載によると天照大神は伊邪那岐神《イザナギノカミ》が黃泉《ヨミ》の國から還りて筑紫日向の橘の小門の阿波《アヘ》岐《ギ》原《ハラ》に於て禊祓《ミソギハラヒ》をなし、左の御目を洗ひ給ふた時に生れ給ふた神である。又此時右の御目を洗ひ給ふた時に生れました神は月讀命《ツキヨミノミコト》卽ち月神であつた。此古傳は日本書紀の異傳にも記載されて居る。

太陽崇拜は日本のみにある信仰ではない。支那にもある。太古のバビロニアにもあつた。エジプトにもあつた。其外世界到る所に於て見出すことが出來るのであるがエジプトバビロニアでは殊に盛んであつた。而して其太陽神の生れ出づる神話には天照大神の出生と頗る似通つた點がある。卽ちエジプトの大ホラスといふ神の右の眼は太陽で、左の眼は月であるといふ傳說が傳へられて居る。此エジプトの神話では左右の眼を直ちに日月神と信ずるのであるが、我國の古傳では日月兩神が諾神《イザナキ》の兩眼から生れたといふ點に於て少しく相異して居る。然し其根本思想に於ては類似して居る。と言ふことが出來るであらう。

原始民族が自然界の威力ある現象を崇拜することは最も自然の勢である。故に何れの民族にも自然崇拜の時代があるのである。自然崇拜に於て太陽の如き人類に對して常に偉大な恩惠を與ふるものが崇拜の對象となることは人類の經驗に於て最も自然なことゝ言はねばならぬ。されば我國の如き温帶國にして太陽から豊富な恩惠を受けて居る國に於ては其太古に於て太陽崇拜のあつたことは疑ふべき餘地が無いことゝ思ふ。そこで我天照大神の出生及び天孫降臨の古傳説にも太陽崇拜の思想が附隨して居つたことゝ思ふ。故に太陽崇拜の我天照大神に對する信仰の背景をなす宗教思想の一面であると言ふことは言ひ得ると考へる。然し此は背景の一面であるが、最も重要なる背景をなすものではない。然らば最も重要な背景となつて居る思想は何であるかと言ふと、其は祖先の御靈に對する崇拜である。言葉をかへて言ふと祖先崇拜である。抑々祖先崇拜の起り來る所以を繹ねると其處には死後に於ける靈魂の存在について信仰がなければならぬ。卽ち靈魂不滅に關する思想がなくてはならぬのである。故に我上古に於て此靈魂の不滅の思想が如何なる社會相として表現されて居つたかを明かにしたい。次いで又鏡が特に御靈《タマ》實《シロ》となつた由來に說き及ばうと思ふ。

吾人は先づ我が上代の遺物遺跡によつて此方面の思想の存在について研究することが出來る。此に遺物、遺跡と言ふのは、古墳墓の遺跡と、其中から發見される棺や副葬品を指すのであるが其古墳は主として佛敎渡來以前に死者を葬る爲めに築いたもので地上に土を盛つて築いたものと、丘陵の側面に穴を掘り込んで造つたものとがある。何れも立派な墳墓になると內部には廣い石室を作り、其中に石棺を納めるのである。石棺の外に木棺、陶棺などが盛んに用ひられたやうであ る。其形には色々のものもあるが家形をして居るものが少くない。棺の中には死體と一緒に飮食物を盛るべき土器陶器の類を始め鏡、劔、斧、弓矢、甲冑、馬具、裝飾用玉類、金屬製裝飾具などが多く發見されるのである。尙墳墓の表面は小石を以て葺いたものもある。小石の外に埴輪を樹てたものも多くあるのである。

かやうに立派な墳墓を築き、石室石棺などを設けて死體を納めることは要するに祖先の死體を丁寧に保存し、且つ尊敬する所の思想の行爲に現はれたものであることは毫も疑ひなき所である。又直接死體を納める棺其物の形に家形の多くあるのは、確かに死者の住宅としての目的を持つて居つたものと考へられる。死後生前に類した生活を營むものであらうと言ふやうな考へは一般に原始民族の考へる所で、我國の古代にも斯樣に考へられて居つたからして多くの副葬品の必要があつたのであらう。要するに我上古に於いて死者に對する態度は我等の祖先が持つて居つた靈魂觀或は未來觀《エスカトロジー》を出發點として起つた宗教的行爲と見るべきものである。

斯の如き古墳墓から發見される副葬品のうちに於て玉と鏡と劒は最も重要な遺物である。玉は當時廣く頸飾として使用されたもので、其着用の態は埴輪に屢々現れて居るのである。玉の質は瑪瑙、碧玉岩、水晶、硬玉、滑石、蛇紋岩等種々ある就中碧玉、硬玉は寳石である。次に鏡は後世の鏡と同樣に姿を寫すことが重な用途であつたことゝ察せられるが、此と同時に一種靈威あるものとして考へられて居つたやうに思ふ。さて古墳から發見される鏡はすべて圓形で靑銅又は白銅製である。其鏡背の中心には必ず紐を通ずる鈕がある。其鈕を基點として全面に種々の模樣がある。其模樣には神像、怪獸、十二宮の動物或は鼉龍などがある。而して此等の銅鏡は我國で發達したのではなく、支那から輸入されたもの、或は支那鏡を模造したものである。宋の王黼《ワウホ》の撰んだ博古圖の鏡の部や、又は淸の馮雲鵬《ヒウウンホウ》の編輯した金石索の鏡鑑部などを開いて見ると全く同じ形式の鏡を見ることが出

聽衆の心理

加藤咄堂

緒言

私のこれから講述せんといたしますは、簡單に「聽衆の心理」と題して置きましたが、詳しくは「思想の表現と聽衆の心理」とも申すべきで、民衆教化に從事する人々が如何に思想を表現したらば聽衆を首肯せしめ共鳴せしむることが出來るかと研究いたしますので、問題は自ら二つの方面からの觀察を必要といたします。 即ち一は講演者の側からどんな言語を用い、どんな言ひ廻しをすれば聽衆を首肯せしめ共鳴せしむるかの研究であり、他は聽衆の側からどんな言語を要求し、どんな言ひ廻しを望むかといふことであります。 此の二つがしつくり合ひまして其の講演を效果あらしめ、其の教化を有效ならしむるのであります。 併し此の二つの中で能動的なる講演の方は自分の心掛けで其の言語や言ひ廻しを如何やうにも改むることが出來るのでありますが、聽衆の方はもと〳〵受動的でありまして、別段其の講演に對しての何等の準備もないものでありますから、これは講演者の方で豫め其の心理狀態を洞察して、如何なることを要求するかを知らねばなりません此の相手の洞察を怠つたならば、如何なる名論卓說も的なきに矢を放つやうなもので、決して聽衆の心に觸れて其の共鳴を得べきものでありません。そこで先づ第一の問題は聽衆心理の洞察といふことであらねばなりませんから、此の聽衆心理の基礎となるものは如何なるものか、これを觀察するには如何なる方法を用ふるか、又其の聽衆心理の動き具合は如何なるものであり、又如何にすればそれを動かし得るかといふ諸點が此講述の眼目となるものであります。

聽衆の性質

此の講述に於て先づ第一に研究せなければならぬのは聽衆は如何なるものであるかといふことであります。これは演說なり講演なりの場合〳〵によつて異るのでありますから一概に申すことは出來ませんが、聽衆は講演場裡に集合して講演の對手となる人であると申すことは何れの場合にも適用せられます。多くは聽くを目的として集つた人でありますが、中には單なる好奇心によつて講演其者を目的とせずして集つた人もありますし、政談演説などの場合には妨害せんとする目的を以て集つた人もありますし、必らずしも聽くを目的とするとは申されませんが、旣に講演會場に集り、講演者の對手となりまする以上は、之れを聽衆と見て差支ないので、其の講演の效果によつては單に好奇心を以て集つたものをも共鳴者にすることも出來ますし、妨害のために來たものをも贊同者たらしむることも出來るのでありますから、講演者は是等の人々を對手として自己の思想を表現する覺悟がなければなりません。これら聽衆は一堂に集められて居るのでありますが、悉く人でありますす以上、個々の人として共通の心理狀態を持つて居るのでありますから、普通心理學の理法は直に此聽衆に利用せられますので、其の記憶を應用して事理を明にし、其の想像を應用して事件を描出し、或は觀念の併合を應用して言辭を趣味あらしめ、或は推理を應用して判斷を容易ならしむる等、思想の表現と心理の法則とは離れられぬ關係があるのでありますが、旣に一堂に集められて居ります上は、個人心理の法則が其儘に聽衆に應用せらるゝとは、申されませんそれは人は個人として別立して居りまする場合と群衆として集合いたして居りまする場合とは、甚しく心理狀態に變化を起しまするもので、個人個人としては理解力の確かな人も群衆となりますと其の理解力が低下いたしまして、個性は其の光りを隱くして集團として一致したる心理狀態になりますもので、これを群衆心と申して居ります。　一人一人を呼び出して說明すれば能く解る人も、群衆として集つて居る場合には解らなくなつたり、一人一人としては多少責任を感ずる人も群衆となると無責任になり、一人と一人と相對するときは禮儀を重んずる人も群衆となると無禮無作法になり、一人一人の場合には煽動に乘らぬ人も群衆となると煽動に乘り易くなる如きは皆な此群衆心理の狀態でありますから、聽衆の研究には此群衆心理を洞察するといふことが必要缺くべからざる事であります。　否な寧ろ個々別々の聽衆の心理を共通一致せしむる群衆心理の狀態に入らしむるといふことが講演者にとつて最も必要なことであります。

「雄辯心理」の著者チル、スコット(米國ウイスコンシン大學教授)は「雄辯の第一義は群衆をして創造することである」と申して居ります。卽ち個々の聽衆をして群衆として一致共通せしめ、其の一致共通點を目掛けて講說して一致共通したる共鳴を得るといふことです。實際人の心は個々別々であります。此個々別々の心を有せる人々を一堂に集め一樣の言辭を以て彼等を一樣に首肯せしめんとするのでありますから、個々の聽衆を共通ならしむる群衆心を創造するといふことは何よりも必要な心掛けであらねばなりません。それには先づ個々の聽衆の共通して持つて居る性情を見るといふことが肝要であります。それも學生のみであるとか、官吏のみであるとか、或は商人のみであるとか、又は青年のみであるとか、老人のみであるとかいふ具合に職業又は年齡によつて特定せられたる場合には、其の特定の範圍が狹ければ狹いほど、例へば老若男女の混在よりは男のみと特定せられ其の男も青年のみと特定せせられ、其の青年も學生のみと特定せられ、其の學生も同一科目を研究する者のみと特定せらるれば、其の共通點を見出すに困難は少いのですが、年齡や境遇や閱歷の違ふものが雜多に群衆いたしました場合は、一方に理解せられても、他方に理解せられぬことがあり、一方に興味があつても、他方に興味のないことが多いのでありますから、其の共通點を見出すに頗る困難を感ぜざるを得ません。特定せられたる場合は之れを同類聽衆といひ、特定せられざる場合は異類聽衆と申します。同類聽衆の場合には青年ならば青年の心理、婦人ならば婦人心理、職業ならば其の職業家の共通して居る職業心理、普通に所謂職人氣質とか商人根性とかいふことから洞察して行けば便利でありますが、異體聽衆の場合には此の便利がないのでありますから、更に廣く民族精神、國民精神(又は地方精神)を洞察して一般聽衆の個性に浸徹せる共通點を捕へねばなりません。併したゞ此民族精神、國民精神(又は地方精神)のみを以て目前の聽衆を動かし得ると思ふたらば、それは大きな間違で、これと共に必要なるは時代精神であります。民族精神國民精神といふのは當該民族並に當該國民の共通して居る心情でありますし、地方精神は當該地方民の共通して居る心情でありますが、時代精神は其の時代の民衆の上に流るゝ心持でありますから此二つは聽衆心理の基礎を爲すものと申しても差支はないので、これを閑却して共鳴を求めんとするは、相手を考へずして相談を持ちかけるやうなものであります。

ソコデ私は先づ此民族精神、國民精神、特に國内敎化の上に必要なる地方精神といふものを一瞥して時代精神に及び、更に同類聽衆の場合に必要なる性や年齡又は職業による性情の特徵を述べ、それから聽衆として集れる群衆心の狀態に及ばうといたすのであります。

民族精神並に國民精神

日本は古來同一民族を以て成立して來た國でありますから、民族精神は其儘に國民精神と申されますが、他の國家は必らずしも同一民族によつて成立して居るとは申されませんので、日本も亦今日では北の方には樺太、南の方臺灣にはいろいろな民族が起り、殊に其の初めに於ては同一と云はれて居りますが、今は全く別の民族と意識して居る朝鮮民族も加はつて居るのでありますから、民族精神即ち國民精神とは申されなくなつたのであります。

サテ民族とは如何なるものであるかと申しますと、正確に申しますれば同一の祖先より出てそれが家族となり、氏族となり、民族となつたもので同一血統の關係を有するものを指すのですが、嚴密の意味に於ては今日少しも他の民族の血を混ぜない民族といふものはござりません。最も純粹なりといはれて居るわれ〳〵日本民族の中にも支那や朝鮮の血は混じて居るのでありますから、今日では同一血族なりと意識する人の集團を民族と申しまして主として同一の言語、同一の風俗習慣を持つて居るものであります。されば何れの民族に於きましても其の祖先を崇拜し、同一民族の中に現はれたる偉人を敬愛し、歴史や傳統を重んずる性情を持て居りますから其の民族を敎化せんとするには其の民族の歴史や風俗習慣を知るといふことが必要であります。

國民といふのは同一統治の下にある人の集團でありまして、これは必らずしも同一民族たるを要しませんが、近代の國家は主として同一民族を中心として國を建て居りますから略ぼ同一の觀察を以て知ることが出來ますが、其の國家の制度並に其の變遷が國民の心性に影響いたしまして、廣い意味では同じチユートン民族である英吉利と獨逸と其の性情を殊にし、同じラテン民族でありましても伊太利と佛蘭西とは其の國民精神を同じくしないといふ狀態になるのであります。勿論、これは其の國の制度や歷史のやうな人爲的原因ばかりでなく、氣候風土の自然的原因も關係いたしまして南歐の快活に、北歐の陰忍なる如き性情を造り出すのでありますが、又共通の點もありまして、同じ基督教を奉ずるにいたしましてもラテン民族は主として羅馬加特力教《ローマカトリック》、チユートン民族は主として新教、スラブ民族は主として希臘正教《グレーコオーソドックス》といふやうに民族的に其の共通的に色彩を見ることが出來るのであります。

併し私は他の民族や他の國民を相手にしての御話をいたすのではありませんから、他の民族精神や國民精神のことを詳しく申し述べる必要はござりませんし日本の民族精神や國民精神のことは、茲に詳しく申し述べる餘裕を有しませんから、之れを略して、唯だ此民族精神、國民精神の洞察と申すことが雜多なる聽衆に共通點を見出し共通の理解、共通の感情を起さしむるに最も必要なるものであることをいふに止めて置きます。

私共は日本人に話をするのでありますから當該問題に對して日本人は如何な

る理解や、感情を持つて來たか、又は當該問題を過去に於て如何に取扱ひ來つたかといふことを知らねばなりません。これを察知せずして漫然西洋に於て共鳴せられたから日本に於ても共鳴せらるゝものと考へて飜譯的主張や輸入的議論を其儘に日本に於て宣傳せんといたしましても、決して受け入れらるゝものではありません。日本人は日本を知らざるべからず。殊に日本人を敎化せんとする人は日本の民族精神、國民精神に就て充分知悉する所がなければなりません。

地方精神

國民精神は國民として共通なものでありますが、其の國家の一部分たる一地方に共通特殊の精神の存しまするもので、普通に講演は一地方に於て行はれるのでありますから其の地方の共通なる精神狀態を知るといふことが必要であります同じ日本の中でありましても、關東人と關西人は其の氣質を異にし、東北人と九州人とは其の風格を同ういたして居りません。今日に於ては交通の便が開けて此差別は餘程渾融せられましたけれども、尙ほ多少の相違は免れませんが、これら地方的の分類のみでなく、人を相手として互に密集して生活して居る都會の人と、自然を相手として互に分散して生活して居る村落の人とは、自ら其の氣風を異にして前者の輕薄ではあるが機敏なるに對して、後者は質朴ではあるが鈍感でありま す。前者にあつては一を云うて早くも二を察しますが、後者は二をいうても未だ一を察せないといふ風があつて、前者に於ては直に感動いたします、ことも、後者にあつては關せざるが如くに平然として聽かるゝ場合もあるのでありますこれは唯だ概括的に申したのでありまして、詳しく洞察いたしますれば同じ都會でありましても、政治の中心となつて居る都會と、商業の中心となつて居る都會とは、其の聽衆の問題に對する興味が違いますし、工業地としての都會と、商業地としての都會とは其の人々の氣風も異り、同じ村落と申しましても、純農村と、農よりも養蠶の盛んなと申す村落とは同じくありませず、漁業を主とする村落とは全く趣を異にして居ります。それらを千篇一律に講演いたしましては或る地方では成功いたしましても、他の地方では失敗に了るといふことがないとは云はれません。此の如く人文地理的の差のみでなく、自然地理の上から、山岳地方か、平原地方か、海岸地方か、或は氣候のよい所か、惡い所か、暖いか、寒いかをも知らねばなりません。寒い〳〵エスキモーに行つて地獄の火の話をして「ソンナ所へ行きたい」と思はしたといふ寓話は敎化に從事するものゝ心得べきことであります。其の外、知らねばならぬことは其の地方の歷史であり、風俗であり、習慣であります。甲斐の國へ行つて武田信玄の惡口をいうて聽衆の反感を買ひ、河内の國へ行つて楠正成を例に引いて喝采せられたりするのは皆な此地方の歷史的感情によるのであり、阿波の國へ行つて淨瑠璃の文句を引用して感銘を深からしめ、薩摩に行つて十二月十四日赤穗義士討入の夜に行はるゝ義士傳讀みの話を例として歡ばれたりするのは、此風俗習慣を知つて居つたから聽衆に適切ならしむることが出來たのであります、

されば地方精神察知の要點としては

一　地的環境　山間か、平原か、海岸か等の考察、一般に山間は他より交通不便なるが故に古風が殘留し、爲めに他より傳へらるゝ新思想の入り難く平原地方は常に人類活動の舞臺となるが故に交通頻繁にして新陳代謝甚しいから他より傳へらるゝ新思想は平原に入り易い、入り易いが故に、又散じ易く

思想常に活動するも、山間にあつては入り難きも、一たび入れば之れを固執する傾きがある。従つて山間の人は獨立的であるが偏狹に傾き易く、平原地方は寛容であるが輕薄に陷り易い等、同じ海岸でも山岳の岸に迫つて居る地方は山間的の氣風あり、平原に接續して居る所に平原地方の氣風を有し、海岸線の屈曲甚しく良港を有する地方は他との交通甚しきが故に新思想を受け入るゝこと多く、徳川時代に於て長崎が唯一の外來思想輸入場であつた如く、今日に於ても神戸、横濱は後に大阪、東京を控えて常に新思想の輸入地となつて居る等地的環境の當該地方に影響することは少なくないのであります。

二

氣候の影響　これも地的環境に屬するので、氣候のよい地方の人は如何にも快活で、氣候の險惡な地方の人は如何にも陰鬱な傾きがある、花笑い鳥謳ふ陽春四月の交になれば人の心も長閑に、時雨そば降る冬の夜には、氣も心も濡り勝ちになるのが人情であるならば、年中氣候のよい所に生活して居る人々との心理狀態に差異を生ずるは爭ふべからざる事實であります。

快活な人々には思索的な論議は耳に入らずして寧ろ感情的に片言隻語に動かされますが、陰鬱な地方には比較的に落ち着いた話が耳に入る傾向があります。大體の上に於て寒い地方の人は出無精であつて、進取の氣風に乏しく、暖い地方の人は出動的で進取の風があるが、其の代りに寒い地方の人のやうに辛抱強くない、或る軍人の話に九州の兵は勢ひよく前進するが疲れ易く、東北の兵はグヅ〳〵して居るが耐久性に富むといふたのは此地方精神の一面を見るべきであります。其の外、天災地妖の多い地方の人とさういふ憂いのない地方の人とは自ら其の性情を異にして、前者は一時的目前的で、後者の如く永久的定住的の考へが少く、苟もすれば破壊に流れ易いに反し、後者は持續的である事實は暴風や地震や火事の多い東京人の氣風と、其の害の少い京都人の氣風とは之れを代表せしめて考へることが出來ます。

三

交通の狀態　交通の頻繁なる所と、交通の不便なる所との差は大約先きに山間と平原とでいうたが、此交通の狀態が變化すれば其の地方の人情に多大の影響を與へて、交通の便利なる山間には新文化が毎に訪れても交通の不便なる平原には全く訪れぬがために平原の中にあつて非常に素朴なる舊風を維持するあり、山間にあつて新思想の發動となる地方もある。交通は人類が自然を征服するの力で、此力の加はるに從つて自然的なる地的影響は一變することとなり、從つて外社會との關係が變化して、これまで關西の影響を受けて居つた北陸地方が、東京の影響を受けることが多くなつたりしたやうに、流行は上より下に移るのが原則であるから大都會の影響は常に小都會に及び、小都會の影響は更に村落に入るといふ順序で、其の範となるべき都會との交通の變化は其の地方の精神に大なる影響を與へるのであります。

これら地文的影響の外に、更に精到に觀察すべきものは人文的關係であります。此方面に於て着目すべき要點は

一　政治の狀態　一國政治の狀態の其の國民精神に影響するが如く、地方政治の狀態は其の地方人の心理に影響する甚大なるもので、今日に於ては全國

は中央政府に於て劃一の政治が行はれて居るのでありますが、明治以前は各藩分立で其の藩々によつて政治の模様を異にして居りましたので、それが地方民心に浸徹して居りますから、今日に於て、同一町村に屬して居りまする地方でも、藩領の異つた部落が集つて居りますと、非常に統一に困難を感じ、同一藩政に屬して居つた地方は統一し易い傾きがある如く、三百年の因襲は未だに抜けないものがあるのでありますから、舊幕時代に譜代大名の領土であつたか、外樣大名の領土であつたか、幕府の直轄であつたかをも見ねばなりませんが、それよりも必要なのは藩祖の人格であります。各藩は此藩祖の人格を中心として教化をいたしたものでありますから其の影響は殊に大なるを見るのであります。薩摩藩に於ける島津日新公、佐賀藩に於ける龍造寺隆信、鍋島直茂、長州藩に於ける毛利元就、仙臺藩に於ける伊達政宗、米澤藩に於ける上杉謙信等は其の感化の最も大なるものであります。これらの歴史的關係を見ると共に、現在に於て自治制度が圓滿に行はれて居るか、黨派的分裂の傾向はないか、部落的衝突はないか、選擧の狀態、納

佛教各宗の安心

故 大内青巒居士

今回私に各宗安心の異同と云ふことを話せと云ふことであるが、之は私から出した題ではないので、會の方から勝手に出したので廣告を見た時に私は小言を言つたのです。小言を言つたと云ふよりも、何の考えもなく實に困つたのである、各宗の同じい點を話せとでも云はれるなれば兎に角もだが、異同と云ふことになると餘程擇びを付けねばならぬことになる。各宗の間に所謂安心と云ふものゝ上に就てどう云ふ異りがあるのであるか、それは私は考へて居らぬ。各宗安心の上の方法手段と云ふことになると、大層な異點があるやうであるけれども、安心其物に變つたところがあるかないか、あるであらうが、考へて居らぬ、併ながら、之を廣く各宗と云ふ上から見る時になれば、或は有るであらうと思ふ。即ち廣く言ふ時になれば同じ佛教と云ふ中に就ても、亦大乘小乘の區別がある。その大乘の安心と小乘の安心と轍頭轍尾同じであると云ふことが出來るか出來ないか、叉同じ小乘と云ふ中に於ても聲聞と緣覺との差別があり、大乘と云はれる中にも亦三乘と一乘との差別があるが、是等は轍頭轍尾同じであるか別であるかは一つの問題であらうと思ふ。一つの佛法中でさう云ふ風に差別して行きますれば、異點も見出しませうし同時に同點も見出すと云ふことになれば、大分六ケしい區別した御話をしなければならぬ。それは各宗の專門のお方が一々お話になることになつて居るから、私は通佛敎の上、殊に大乘の上だけを話さうと思ふ。何故かと申すに前申した大乘小乘の各派が分れた上から、その以前に遡つて調べて行くと云ふやうなことは、例令自分に考へが有つて見たからと云ふても、御話して居る時がない勘定である。隨つて各宗安心の異同と云ふことの上の御話は、到底及ばないことである。然らばどうするかと云ふに、今日我日本に行はれて居るところの、各宗と申しますれば申すまでもなく小乘ではない、叉三乘家と云ふものも學問としては傳はつて居るので、尤も法相家が奈良あたりに幾分か痕跡がある樣であるが、實際に於て今日日本に在る天臺禪淨土と同じやうな姿には行はれて居らぬ。行はれて居るところのものは皆一乘家である。之を華天禪密四家の大乘と言つて居るが、淨土門も無論大乘である。その淨土門も亦細かに分れて淨土宗眞宗と云ふ差別もございませうけれども、是も淨土門と日蓮宗との間に色々の議論がある如きものではなくて、大體に於ては一つでございませうから、その根元に付て考へれば、安心と云ふことに付ても異點はなからうと思ふ。その安心を得る方法手段或はその落着工合を、細かに調べて見れば悉く違ふ。同じ淨土門の中でも西山派は西山派大谷派は大谷派、又同じ天臺宗の中でも寺門派眞盛派と分れて、甚しきに至つては淨土の建て方迄が違うと云ふのだから、その方法手段に至つては勿論違ふ。御互に斯ふやつて集つて居る中には、近眼の人もあれば遠目の利く人もあり、又折には片々は近眼片々は遠眼で御醫者に診て貰ふたら、左の眼は三十度右の眼は二十四度なんと云ふやうな札を貰つて、態々妙な眼鏡を誂らへねばならぬと云ふことになる。私は三十頃迄は滿足な眼のつもりであつたが、四十歳頃には全く近眼になつて六尺も離れると、向ふに誰が居るか分らぬと云ふやうな始末、その時分には書物を看ると云つても、大きな文字の所謂四書五經と云ふやうなものばかりであつたから左程でもなかつたが、その後新聞や雑誌に關係しかけて以來、一時は二十四度位から益々進んで、二十度位の眼鏡をかけるやうになつた。是ではならぬと思つて一方には新聞事業を止め、一方には旅行を多くした加減でゞもあるか、旅行をすれは自然遠方の山などを眺めることになるから、近眼を癒すには旅行をするのが良い方法であるさうだが、私も此頃では全く元の眼に立還つた。立還つた時分には最早老眼になつて仕舞つて致方もないことであるが、兎に角同じ一つの物を見る上にも、見る者の位地に依つてハツきりと見へることもあれば、十分に見へきらないこともあらう、乃ち各宗各派の間に於て、多少説く所を異にして居るやうに見へるのは、唯相の上の違ひだけで、その體に於て明かに是が違ふと云ふことは言はれまい。皆其所に到るまでの手段の違いで、安心其物の相違ではない、けれども前に言ふ三乘二乘或は權大乘と云ふ側になると、啻に手段方法が違うのみならず落着場所迄が違うやうである。之は別問題として今華天禪密淨土日蓮の六家の安心はと云ふことになれば、何にも違はないことゝ私は思ふ。何を以て其違はないと云ふことを言ひ得るかと申しますると、私は佛教の中に於て何宗何派と云ふやうな偏寄つた信仰は有つて居らぬ、所謂通佛教といふものゝ根底から見てさう思ふのである。其には聊か自分は自分だけの標準を立てゝ居る。或は其が私の色眼鏡であるかも知らぬが、其を以て見れば各宗は明かに見へ得ると自ら信じて疑はない。その自分の立つて居る標準に依つて、今云ふ六家の宗旨の安心と云ふところを考へて見まして、ドウも變りはないやうに思ふのである。斯う話をして見ると各宗安心の異同ではなくて、各宗安心の一致と云ふことになつて來る。それにしても今日は到底其一班を盡すことも如何かと思はれる。

先づ第一に安心と云ふことは一體ドウ云ふことか、之を歴史的に研究することは中々六ヶしいけれども、古いところの言葉ではないやうに思はれる。支那に於て安心と云ふ言葉はイツ頃からあるか、詳しく調べる遑はないが、此安心立命などゝ熟字してあるところは有るかも知りませぬが、私の寡聞なる未だ見當りませぬ。之は加藤君の今言はれた造語とでも云ふのであらう。尤も古い書物には安身立命とあつて、必ず此場合には身と云ふ字が用ゐてある。それが何時頃から誤まられて來たのか、能く考へて見ると實に可笑しいことだと思ふ。之に限つたことではないが、若い御方は文字を使ふ上に、餘程注意して貰いたいものである。明治の御一新から二三十年頃迄に、西洋の文字を飜譯する上に隨分あてずつぽうなことをやつたものである。例へば彼の自由と云ふ文字は今では不思議とも何とも思はないが、あの文字を當篏めたのは非常に可笑しい。實は此當時英語を學んだ人達は、漢語はおろか日本語さへも碌に知らない飜譯をするものだから、見當違いな文字を用ゐたところが非常に多い。私共は其が後世を誤まること尠なからずと察し、飜譯に就ての法令を設けて貰いたいと、時の文部省へ向つて建白したことがあつた。彼の自由と云ふ原語はフリイドムと云ふので、漢書の方では宋朝の文人の語に、物色香邊百自由と云ふ句が見へて居る。それを見ると何のことはない自分勝手氣儘放題と云ふやうなところに用ゐてある言葉である。然るに今日使つて居る自由は、そんな意味ではなく權利とか義務とか云ふ上に用ゐられて居るのだから、その內容が大いに相違して來ることになる。これは餘計なことであつたが、ツイ安心立命の文字の使方から妙なところへ入つてしまつたが、私は安心立命と熟字したのは一向見當らぬのである。然らば安心とは何時頃から用ゐられた言葉であるかと、是も深く調べたことはないけれども、確かに此字は我宗教界の重もなる場合に於て現はれて居ります。乃ち達磨大師と二祖惠可大師との問答が、一番著しき歴史を有つて居るやうに思はれる。今の各宗安心と云ふ意味の所に適當した文字であると思はれる。今更歴史談を詳しく申上る必要はないが、當會には各宗の方々が居られて、誰も彼も禪宗の歴史を御承知になつて居ると云ふでもあるまいから、一通りだけは言つて置かねばならぬ。

達磨大師は御承知の通り、支那に來られたのは梁の武帝の時であつて、武帝は豫て佛教信者の聞え高い人であつたから、大師も非常に喜んで、旣に佛教上の御話があつたところが、迚も佛心印を傳へるに足らぬ人だと見てとられて、遂に南朝を去つて、北朝魏の少林山へ引籠つて、九年の間面壁坐禪をして居られた。それは何の爲の坐禪であつたかどいへば、則ち釋迦牟尼如來より嫡々相承し來つた衣鉢を傳へる人の、出で來るを長の間御待ちなされたのである。漸くにして神光と云ふ人が出て來た。此の人は最初色々敎家の學問をせられて、一時は非常に辛苦艱難をせられた樣子である。けれども學問にては到底十分の落着は出來ぬことを知り遂に或晩即ち十二月の八日の晩であつたと云ふから、釋尊の見性悟道なされたのと同じ氣候の頃である。折しも寒氣凜烈積雪腰を埋むること三尺、求道隨喜の涙は滴々凍つたとある。斯る中に立つて達磨大師の、御出ましになるのを待つて居られた。大師は熟々その樣子を見て居られたが、其方は何の爲めに其の所に立つて居るのであるか、と言葉をかけられたを幸に、自分の志のあるところを述べて求道のことを懇請した。すると大師は禪宗流の簡單なる言葉で、佛法は輕心慢心を以ては迚も求むることが出來ぬ、不惜身命の覺悟あつて初めて得ることが出來るのだと申された。神光法師は初めより萬一此の事を明らむることが出來なかつたら、生きて居る甲斐がないから自殺して仕舞う考へでゞもあつたか、豫て用意の利刀を取出し、左の腕をブツリと斬つて、血の淋漓と流れる奴を大師の前へ投出して決心の程を示した。是に於て達磨大師もこいつ本氣だなあと見られ、汝命を捨てゝ何を求むるかと問はれた。そこで是迄種々に辛苦艱難して、心を落着けたいと煩悶したが何うしても、心が安らかになりませぬ「願くは我爲に心を安んじたまへ」と云つたが、乃ち此時に安心と云ふ言葉がある。すると大師が「心を將ち來れ汝の爲に安んぜん」その落つけたいと云ふ心を、こゝへ持つて來て見よ、さうしたら安んじてやらうと言はれたが、今日迄十分に工風をした結果が現はれて「心を求むるに竟に不可得」その心と云ふものは、頭のギリ〳〵から足の爪先まで、種々樣々肉體的にも研究し、惜い欲い憎い可愛いと云ふ精神作用の上にも、十分に研究をして見ましたが、之が心であると云ふものは認められませぬと答へられたが、其を口眞似して禪宗の和尙さん甚しきは小僧までが此事を言ふて居る。斯く口では何とでも言へるが之を見る眼識が必要である、然るに今神光の言ふた所は眞實心を求むるに、竟に不可得の地に到り了うせて居ると云ふことを、達磨大師が見拔かれたものであるから「我汝の爲に安心し竟る」眞實心を求むるに、竟に不可得であると云ふことが分れば、其で心は落着くのじや、安心は出來るのじやと敎示された言葉がある。之は佛敎史上著しき事で、且つ各宗の安心と云ふ意味のところに適當した事柄であると思ふ。唯安心と云ふことになれば、淺くも深くも又何の方面にも使はるゝ文字であるが、今此達磨大師が二祖に向つて、我汝が爲に安心し了ると云はれた語は、當に此場合に適當である。今各宗に於て何う云ふ風に、此安心と云ふこととを研究して居るかは知らないが、要するところ各宗各派何の點から言ふても、それは同じであると云ふことに就て異論のないと云ふ點、私の常に信じて居るところを極く簡單に書いた「信行綱領」と云ふものがございます。その大綱を申しますれば佛教廣しと雖も此の信と行との二つに約することが出來ると、まア自分はそんな考へをもつて居りますが、併し萬一自らを誤るのみならず、人を誤るやうなことがあつてはならぬと存じて、自分の先輩、自分の幾分か教へを受けました先學高德の人々に過つて、その意見を聞き又その本を見て貰いました。その人は行誡上人に一度見て貰つて印可を受けた、新井日薩師に見て貰つたがそれも許して呉れられた。つぎに大杉覺法師此人は大日灌行大法門を勤められた、今でも此法を修した人があるかも知らぬが、大方彼の人が御仕舞であつたらうと思ふ。學者と云ふではなかつたが中々高德の御方であつた。その人にも見て貰つたが別に御叱りも受けず、其他眞言宗の高幡、吉弘の兩人、眞宗側では今の村上專精織田得能、彼の人は能く理屈を言ふ人であるから、何うか遠慮なく批評を加へて貰いたいと言つたけれども、別に何とも言はない、其から臨濟宗では若い人ではあるけれども釋宗演和尚ずつと以前に坦山老師にも見て貰つたが、大方そんなことだらうと言つて許して下された。斯く大勢の方々に見て貰つたけれども、何の御咎もなかつたのであるから、先づ誤りのないものと信じて居ります。其説くところは極く平凡ではありますが、廣大無邊なる佛敎の法門は、恐らく此二つを出ないのである。それは何であるかと言へば、申すまでもなく信と行との二つで、心に信ずるところを身に行ふより外はないと。今各宗の安心と云ふに付ても、その心に信ずると云ふ上に種々なる程度はあらうが、其が圓滿に成就せられた時を安心獲得と云ふのであらう。然らば其信とは一體何を信ずるのであるかと云へば、彼の起信論にも詳しく出て居るところの體相用の三つ、卽ち本體に現相に妙用である。それを私は斯う書きました。

吾人は無限の空間に充塞し、無限の時間を通貫して宇宙平等の本體なる、絶對不變の靈光あることを確信す。

吾人は宇宙平等の本體活動して、萬象差別の現相と成り、因緣相續して世界の果報歷然たることを確信す。

吾人は萬象の妙用各其本德を全うして、互に相感應するときは、卽ち差別の現相直に是れ平等の本體たることを確信す。

これは私の新發明でないことは言ふまでもないが、卽ち佛教と云ふものは是より外はないと私は信ずるのである。然らばその本體現相妙用とは何んなものであるかと云ふに至つては、此所には專門に其方の學問をした人もあらうし、又一々解釋して居る暇はないが、之を華天禪密の各宗派に當てゝ見ますれば、華嚴宗の眞空事理周偏、天台宗の空假中之はちよつと當りにくいかも知らないが、今は順の如く萬物の本體を空諦と爲し、其本體より現はれ來るところの相は假諦にして、此二つから現はして來る妙用を中諦としたのである。次に眞言の六大四曼三密、禪宗で言ふ正偏回互曹洞宗で言ふ五位と云ふのも此中を出ない。正位は眞ん中一味平等の本體、偏はかたよる則ち因緣に依つて物の形が現はれる卽ち現相、而して正其儘が偏々其儘が正と回互圓融することを妙用と云ふのであるが、其を禪宗では他の教家の使ふ字を成丈け使はないやうにして、所謂禪宗は造語を澤山使ふ。何もそんなことを言はずとも宜からうと思はれるけれども、何うも詩的な風流な快活な文字を多く使いたがる。話が側路へ入るやうであるが、曾て二句丈は前からある句へ自分が又二句を付けて、斯う云ふ七言四句を拔いたことがある。

無邊風月眼中眼　不盡乾坤燈外燈　柳暗花明十萬戸　敲門處々有人譍

之を去る眞宗の坊さんが見て、どうも禪宗の言葉はまるで外國人の話のやうでチツとも分りません、飜譯すると何うなるのですかと問はれたから、私がそれを觀經に當てゝ見ると「光明遍照十方世界、念佛衆生攝取不捨」となると答へたことがある。禪宗の正偏回互を眞宗淨土宗で云へば本來我々は阿彌陀佛なんだ、その久遠實成の佛は宇宙の本體、而して苦界の衆生は皆現相である。此現相苦界の衆生が其本體たる彌陀の本願を信じ、名號を唱へると云ふことに依つて千差萬別せる一切衆生をして無差別平等なる本體に圓融させる。其所に至れば佛と衆生とは厘毫の差もないことになるが、唯差別がないと云ふばかりでは現はしやうがないから、假に本體と現相とを定める。その本體は何んなもかと認める上に付て、自分の掛けて居る眼鏡の度合に依つて、それ〴〵違ふではあらうけれども、一乘家と言はれて居る宗派の上では、皆悉く同じ法性法身を認めるのであるから、毫しも異議はあるまいと思ふ。併しそれを認める手段方法に、多少の相違あることは勿論である。或は題目或は念佛、或は念佛題目は方便だと言つて、禪宗の如き坐禪を專門にやつて居る者もある。さうして他を斥けて自分の宗旨が豪い、自分の宗旨でなければ成佛が出來ないなどゝ思つて居るのは、眞宗と云ふ家の中を知らずして、門の外で喧嘩をして居るやうなものであると私は常に話すことであるが、丁度此家へ入るには西の門からでなければ行けぬ、馬鹿なことを言へ東の門でなければならぬ、いや北じや南じやと大爭ひをやつても中へ入つて出會つて見れば、ア、矢張同じ處へ來るのであつたら、あんなに力瘤を入れて爭ふのではなかつたにと大笑ひをしようより外はない。一度妙用が現はれて見れば四方八面內外玲瓏で、方角などのあらう筈がない、球と云ふものに何所が眞ん中で何所が橫と云ふことはない、碎けば必ず個々別々橫も出來れば竪もあるが、球其物には差別はないやうなものである。其無差別平等の間に於て片々に執着すれば、偏見に陷ゐるのは言ふまでもないことである。然らば差別の儘が本體に契ふと云ふことにするには、何うするかと云ふ根本の問題になると、甚だ六ケしいやうであるが、私は之を極く平凡に廢惡、修善、濟衆の三つを以て說盡することが出來やうと思ふ。之を釋尊が御入滅の夕に臨んで「我滅後に於て當に波羅提木叉を尊重し珍敬すべし暗に明に遇ひ貧人の寶を得るが如し、當に知るべし此は則是れ汝等が大師なり我世に住すること一却するとも之に異なることなけん」と仰せられた。其波羅提木叉とは卽ち戒法のことである、其戒法は如何に澤山あらうとも、約めて言へば三聚淨戒に過ぎない。第一には攝律儀戒通俗の言葉で言へば廢惡、第二には攝善法戒卽ち修善、第三饒益有情戒卽ち濟衆である、是は自分の都合が宜いから行なふと言ふのではない自他平等に安穩快樂の處に到る道で其が甚盡佛の仕事となるので、其を御互に實行することが出來れば其物が卽佛である。その佛の本體と衆生の現相とが互に相感應して、平等の本體の現はれ其物から一切衆生を救ふと云ふ用らきの現はれて來たところそれが卽妙用で、之を或は法般解の三德とも言ひ、法報應の三身とも言ふのであるが、佛敎の大體を此の如くに觀察すれば、何宗にも背くところはないと信ずるのである。

右は故大内青巒氏が曾て傳道講習會に於て講演せられたるの大要を筆記したるもの

であるが、これを本講習錄に掲ぐる佛敎各宗の安心の初めに置き、次卷より天台、眞言、禪淨土、眞宗、日蓮等各宗の大家に請ふて、其安心を掲ぐるの總論とする。（編者識）

科外講義

航空機の平和的價値

航空局次長
陸軍少將　畑　英太郎

航空機の軍事上偉大なる價値あることは、過去の歐洲大戰役の經驗より、一般に確認せられたるところで、今や我帝國に於ても國防上、航空軍備の擴張は喫緊の重要問題として、朝野共に其の意見一致し、漸次發展の氣運に向つて來たのは、誠に國家の爲慶賀すべきことである。過般高知縣の僻陬なる香美郡山南村なる、二八會が會員の零碎なる金員を日々積立て、陸海軍の航空機費に獻金したしとて其旨當局に願出たなど、航空機の爲めに國民一般の愛國的熱誠を表現せられるのは實に欣快に堪へない次第である。然れとも此の航空機の平和的即ち經濟的方面に利用する意味より發達せしむるの必要を論することは、未た一般に餘り白熱化するに至つて居らぬのは、我帝國の文明を向上せしむる點に於て、將た又帝國今日の國際的地位より考へて、何となく物足らぬ感がするのである。是畢竟此の機が今日比較的高價なるのみならず、其の使用期限即ち機の生命が短小なると、我國內の製造力極めて微々として振はさること、其の他多數同胞の內には飛行機は危險性のものであると云ふ觀念が、深く腦裡に刻まれ居る爲であらうと思はれる。尤も我帝國には今に民間に公開せられたる設備完全な飛行場もなく、又航空路の施設もないから、如何に飛行したくも不可能であるとの聲もあるが、此の聲は未だ一部の飛行家とか、航空知識のある人々に限られて、一般的輿論とはなつて居ない樣に思はれる。凡そ國家の大なる施設は輿論の喚起がなくてはならぬ、如何に一部の人士や、若干の當局者が奮闘しても、それは不可能である。我輩は此の際平和的見地より大に輿論の喚起に力めたいのであるから、航空機が軍事上以外には、如何なる價値を有するかに關し、聊か卑見を述べようと思ふ。

航空機の平和的利用を現時の歐米事情より考察するに、其の用途は概ね左の方面である。

一　運輸機關に利用し、貨物旅客の輸送殊に郵便輸送に利用す。

二　警察用としては犯人逮捕、犯人護送、火災地、騷擾地の偵察に利用す。

三　税關勤務に利用し、國境を監視す。

四　河川港灣船渠市街等の改修、及構築其の他鐵道の敷設等の爲、地中よりする測量又は空圖の調製に利用す。

五　天文竝氣象の研究に利用す。

六　其の他廣漠たる土地の林業、又は牧場の監視等に利用するもあり。

右諸項の内、第一の運輸機關としての航空機は、如何なる價値があるか、現時の歐米は如何なる狀態にあるかを說くに先ち、先づ地上のそれを觀察すると、現時各文明國の運輸通信機關は、陸上運輸に鐵道四通八達し、以て國内の距離を短縮し、其の他快速なる自働車、爽快なる電車等を以て之を補綴し、又海洋には壯麗快速なる大船巨舶の數を增加し、安全に各國の交通を便ならしめて居る、之を我帝國に稽ふるも、明治初年の狀態と今日とを比較するに、實に左表の示す如くである。

船舶噸數	明治十五年	四二、一〇七噸	大正八年	二九九三、〇〇〇噸	約七十倍
鐵道哩數	同年	一七四哩	同年	八〇一四哩	約四十五倍
電線延長里數	同年	三五七里	同年	四八、九二二里	約百三十七倍

右の如き交通機關、異狀なる發達と同時に、我國の財政、貿易、會社資本等、國力の發展を比較すれば左の如くである。

帝國ノ歲計	明治十五年	七三、五〇八、〇〇〇圓	大正八年	一、〇六四、一九〇、〇〇〇圓	約十四倍
貿易輸出入	同 廿七年	一三八、三三二、〇八七圓	同年	四、二七二、三三二、四九七圓	約三十倍
會社資本	同 十五年	一二五、〇〇〇、〇〇〇圓	同年	五、四六二、〇〇〇、〇〇〇圓	約四十三倍

以上の兩方面を合せ考ふるときは、實に交通機關の發達と國力增進とは、相互的に多大の關係あることが明瞭である。　斯の如く交通機關の發達が一國の發展に大なる關係があるとせば、他の文明國が今や鋭意其の發達に努めつつある、空中運輸機關たる航空機に於ても、我國獨り之を閑却する譯にはいかないのである。　昨年末迄の歐米の斯界を見ると、米國遞信省直營の航空郵便路は次の樣であつた。

華盛頓──紐育

紐育──市俄古

市俄古──「ミルオーキ」──「セントポール」
市俄古──「セントルイス」
市俄古──「オマハ」
「オマハ」──「セントルイス」
紐育──「桑港」

右の航空路中華盛頓──紐育間の千九百十八年に於ける、郵便飛行の狀況は左表の如くであつた。

飛行可能回數	一、四三五回
飛行實施回數	一、三八七回
實施回數百分率	九四%
霧中の飛行回數	五一一回
快晴日の飛行	九一八回
飛行距離(延哩數)	一六〇、〇六六哩

米國に於ける航空郵便は、遞信省の直營のみならず國內諸地の郵便輸送を、民間

航空會社にも請負はしめておるので、其の全線は左の如くである。

「キーウエスト」――「ハバナ」

「ピトブルグ」――「コロンバス」――「シンシナテー」――「インデアナー」――「ポリース」

「セントルイス」

紐育――「ハリスバーク」――「ピッバーク」――「フォルトウエーヤー」――市俄古。

紐育――華盛頓――「コロンビヤ」――「アトランク」

そして航空郵便の成績は頗る良好で、而も事故が極めて少ない爲か、一般の航空機に對する信用は益々昂上しつつある景況である。

飜て歐洲方面を見ると、英國に於ける航空郵便は主として佛、和、白間に實施せられありて、其の主要なる航空路は次の如くである。

倫敦――巴里

倫敦――「ブラッセル」

倫敦――「アムステルダム」

此の最後の航空路は「アムステルダム」――「ブレーメン」――「ハンブルグ」――「コッ

ペンハーゲン」線と連繫して居るが「アムステルダム」――「ブレーメン」間は和蘭航空機「ブレーメン」――「ハンブルグ」間は獨逸航空機「ハンブルグ」――「コッペンハーゲン」間は丁抹飛行機を以て、郵便飛行を實施して居る。

其他國内郵便路も若干試みつゝあるも、鐵道網完全なる爲か大たる價値がないようである。然れども一昨千九百十九年九月の鐵道同盟罷業のあつた際は、倫敦より「バーミンガム」「マンチエスター」「ブリストル」「グラスゴー」間の郵便物は、飛行機を利用して大成功を收めたのである。それから佛國に於ける航空郵便は、主として政府事業であるが、其の主なる航空路は次の如くである。

巴里――「ボルドー」

巴里――「ブレスト」

巴里――「ボルドー」――「ツール」

「ツール」――「ジブラルタル」を經て「モロッコ」の「ラバット」に至る。

巴里――里昂

巴里――「マルセーユ」

「マルセーユ」――――「ニース」
「ニース」より「コルシカ」「サルヂニア」兩島間
巴　里――倫　敦
巴　里――「ブラッセル」
「アルゼリー」――「モロッコ」

以上の外伊太利獨逸共各航空路を施設し北歐の天地は一大航空路網に掩覆せられんとし、諸國の交通は一層迅速繁劇の度を加へ、航空機の多寡は實に一國空中權の勢力に至大なる關係を及ぼさんとして居るのである。

今千九百十九年八月より千九百二十年十一月三十日に至る、英國の空中輸送に依る輸出入貨物の總金額の概要を擧げて見ると次の如くであつた。

一　該期間に於ける輸入總額六八五、〇五四磅輸出總額三四四、八七六磅。

二　千九百二十年十月及十一月に於ける搭載貨物の總價額は、千九百十九年の同月に於けるものの四倍にして、輸入に於て四四、〇七七磅より一七二、三三二磅に增加し、輸出に於て二二、九八七磅より一〇九、八三一磅に增加す。

三　主要輸送貨物

毛皮、寶石、活動寫眞用「フイルム」被服、香水、機械の部品。

四　輸入品の大部は佛國品にして、一九二〇年十月輸入貨物代九六、〇七六磅、十一月に於て六七、〇七五磅、其の主要品種は婦人服、帽子、靴下、羽毛、寶石等。

斯の如く空中貨物輸送の情勢は益々好況で、年々一般の信用を昂め利用を増加しつつあるのである。

今や東亞の天地も亦航空の氣運、漸く曙光を認めんとするに至つて、支那民國は將に北京――上海間の空路を開拓し航空輸送を開始せんとしておる、斯の如く航空發展の警鐘は、日々に吾人の耳朶を刺戟して居るのであるが、我同胞たるものゝ之を聞いて果して如何なる感があるであらうか。彼の消極論者の說くが如く「英米、佛伊等は各々比隣に文明國を有し、交通機關の整備は一刻の閑却を許さゞるも、我帝國は東は大洋を以て米國に隔絕し、西は萎靡振はざる大國ありて、今急遽航空交通を勃興せしむるの要なかるべし、殊に航空路の完備は、元來狹少なる國土の貴重なる耕作地を減少し、其不利大なるべし」との論は誠に一理なきにあらずであるが併し乍ら我島帝國の使命は、此狹少なる樂園に晏如として、武陵桃源の夢を貪るの時期ではない、苟も亞細亞文明の開拓者であり、將た東亞の關鍵を握り亞細亞人種の先覺者として、大なる使命を果たさんとする大日本人としては、彼の消極論者の言に聞く可きではあるまいと思ふ。今や經濟戰爭の序幕は開かれた、大に同胞の斯界に對する覺醒を大呼しなければならない時である、殊に一般航空の發展は一朝有事の日に當り、航空軍の一大豫備たるべく、補充の策源となるのであるから國防上より之を見るも決して等閑に附す可きではない。殷鑑は彼の米國が參戰當時如何に一般航空の寡弱なりし爲、航空軍備に至大の苦痛を嘗めたるかに見るも明かである。思ふて爰に至る、春花秋月、國民徒に泰平を謳ふの時、益々其の感を深くせざるを得ない、敢て一言する所以である。

教化資料（其一）

歴代の御詔勅

神武天皇　帝宅經營の詔

己未の年三月命を下したまひて曰く、我れ東征してより玆に六年なり。賴ひに皇天の威を以て、凶徒は戮に就きぬ。邊土未だ淸からず、餘妖尙は梗れたりと雖も、而かも中洲の地に復た風塵なし。誠に宜しく皇都を恢め廓きて大壯を規り摹るべし。而るを今は運、此屯蒙に屬ひて、民心朴素なり。巢に棲み穴に住みて、習俗惟れ常とす。夫れ大人《ひじり》の別《のり》を立つるや、義は必らず時に隨ふ。苟くも民に利あらば何ぞ聖の造《わざ》に妨げんや。且當さに山林を披き拂ひ、宮室を經《をさ》め營りて、恭みて寶の位に臨み、以て元《おほむたから》　元を鎭むべし。上は則ち乾靈《あめのかみ》が國を授けたまひたるの德に答へ、下は則ち皇孫が正を養ひたまひたるの心を弘めん。然る後に六合を兼ねて以て都を開き、八紘《あめのした》を掩ひて宇《いへ》となさんこと、亦可ならずや。夫《か》の畝傍《うねひ》山の東南、橿原の地は蓋し國の墺區《もなか》か。之に治《みやこつけ》るべし』

崇神天皇　大運奉承の聖勅

天皇即位四年十月廿三日詔し給はく、『惟ふに我が皇祖諸々の天皇等、宸極に光臨し給へるは、豈一身の爲めならんや。蓋し人神を司牧して、天下を經綸し給ふ所以なり。故に能く世に玄功を聞きて、時に至德を流《し》き給へり。今朕は大運を奉承して、黎元を愛育す。何ぞ正に皇祖に聿遵《のべしたが》ひて、永く無窮の祚を保たざらんや。其れ群卿百僚、爾の忠貞を竭くし、並に天下を安んせんこと、亦可ならずや』

淳仁天皇　調脚救恤の詔

天平寶字三年勅して曰く、『頃ろ聞く、三冬の間市邊に餓人多しと。其由を尋問するに、皆云ふ、諸國の調脚郷に還るを得ず、或は病に因て憂苦し或は粮なくして飢寒すと。朕竊かに茲を念ひ情深く矜愍す。宜しく國の大小に隨ひ公廨を割出し以て常平倉となし、時の貴賤に逐《したが》ひ糴糶して利を取り普ねく還脚の飢苦を救ふべし。直ちに外國の民を霑ほすのみに非ず、兼ねて京中の穀價を調《とゝの》へん。其れ東海、東山、北陸三道は、左ノ平準署之を掌れ山陰、山陽、南海、西海の四道は、右ノ平準署之を掌れ』

成務天皇　地方首長設置の詔勅

天皇即位四年二月、勅して曰く、『我先皇は聰明神武にして、籙に膺り圖を受け給ひ、天に順がひ人を治め、賊を撥ひ正に反して德は覆燾に侔しく、道は造化に協ひたまへり。是を以て普天率土も王臣たらざるなく、氣を稟け靈を懷けたるは各々其所を得たり。今朕は寶祚を嗣踐して夙夜に兢惕す。然れども黎元は蠢爾として荒める心を悛めず。是れ國郡に君長なく、縣邑に首渠なければなり、今より以後國郡に長を立て、縣邑に首を置き、即ち當國の幹ろなる者を取りて、其國郡の首長に任じ是を以て中區の藩屛とせん』

仁德天皇　炊煙遠望の詔

四年二月、天皇群臣に詔して曰く、『朕高臺に登りて遠きを望むに、烟氣城中に起らず。意ふに百姓既に貧しくして、家に炊くものなきが爲めか。朕聞くに、古へ聖王の世、人人詠德の聲をなし、家家康哉の歌ありと。今朕が億兆に臨むこと茲に三年、而かも頌聲起らず、炊烟轉た疎なり。即ち五穀登らずして百姓窮乏せることを知る。畿甸の內尙ほ給せざるものあり、況んや畿外諸國に於てをや』

繼體天皇　勸農の詔

詔を下し百僚に諭して曰く、『朕聞く一夫耕さゞれば天下或は其飢を受くることあり。一婦織らざれば天下或は其寒さ受くることありと。故に歴代の帝王躬ら耕して、農業を勸まし、后妃は手づから桑をとりて桑序を勉め給ひぬ。況んや群寮より萬族に及ぶまで、農績を廢棄して殷富に至るべけんや。有司普ねく天下に告げて朕が懷を識らしめよ』

宣化天皇　穀粮收藏の詔

即位元年夏五月辛丑朔、詔して曰く、『食は天下の本なり。黄金萬貫ありと雖も飢を療すべからず白玉千箱何ぞ冷ごゆるを救はんや。夫れ筑紫は、遐邇の朝屈する所去來の關門となる。是を以て海表の國は、海水を候して以て來り賓し、天雲を望みて貢を奉ること胎中帝より朕が身に洎べり。宜しく穀粮を收藏蓄積して遙かに凶年に備へ、以て厚く良客を饗すべし。國を安くするの方此に過ぐるなし。故に朕、阿蘇仍君を遣はして、河内國茨田郡屯倉穀を運ばしむ。大臣蘇我稻目宿禰は、尾張連を遣はして、尾張屯倉の穀を運ばしめよ物部大連麁鹿火は、宜しく新家連を遣はして、新家屯倉の穀を運ばしむべし。阿倍臣は伊賀臣を遣はして、伊賀國屯倉の穀を運ばしむべし』

孝德天皇　鐘匱の設置の詔

『若し憂訴の人、伴ノ造あらば其伴ノ造先づ勘當して奏せよ。尊長《ひとこのかみ》あらば其尊長先づ勘當して奏せよ若し其伴ノ造、尊長にして訴ふる所を審かにせずんば牒《ふみ》を收めて匱に納れよ。其罪を以て之を罪せん其收牒者は、昧旦牒を執つて、内裏に奏せよ。朕は年月を題《しる》して、便ち群卿に示さん。或は懈怠して理らず、或は阿黨して訴を曲ぐることあらば、以て鐘を撞くべし。是によりて鐘を懸け、匱を朝に置く。天下の民、咸な朕が意を知れよ』

元明天皇　通貨の奬用の詔

和銅六年三月壬子詔すらく、『諸國の地、江山遐阻にして、負擔の輩久しく行役に苦しみ、資粮を具備して納貢の恒數を闕き、重負を減損して路に飢うるものゝ少からざるを恐る。宜しく各々一囊の錢を持ち當爐の給と作さば、永く勞費を省き往還を得べし。宜しく國郡司等をして、富豪の家に募り米を路側に置て、其賣買に任せしめよ。一年の内に米一百石以上を賣るものは、名を以て奏聞せよ。又田を賣買するに錢を以て價となす。若し他の物を以て價と爲さば、田並に其物共に官に沒せん。或は糺して告ぐる者あらば、則ち告ぐる人に給せん。賣り及買ふ人は、並に違敕の罪を科せん。郡司檢校を加へずして十事以上を違はゞ卽ち見任を解かん。九事以下は考弟を量降せよ。國司は式部監察して違を計り考に附し或は錢を用ゐるに非ずと雖も、通商を情願する者は之を許せ』

元正天皇　農耕の勸勵と絍織の修工の詔

靈龜元年冬十月七日乙卯詔して曰く、『國家隆泰の要は、民の富に在り。民を富ますの本は、貨食を務むるにあり。故に男は農耕を勸め、女は絍織を修む。家に衣食の饒なるありて、人に廉恥の心を生ず。刑措の化爰に興り、太平の風致すべし。凡そ厥の吏民豈之を勗めざらんや。今諸國の百姓は未だ其術を盡さず惟だ水澤の種を趣《うなが》して、陸田の利を知らず。或は澇旱に遭へば更ち餘穀なく、秋稼若し罷めば多く饑饉を致す。惟れ百姓の懈懶して業を怠るのみならず、良に國司が敎導の存せざるに由るなり。宜しく百姓をして麥禾を兼種せしむべし。凡そ粟の物たるや支ふること久うして敗れず諸穀中に於て最も精とす。宜しく此狀を以て、遍く天下に告ぐべし力を耕種に盡し時候を失はしむること勿れ。自餘の雜穀は、力に任せて之を課せよ。若し百姓粟を輸し稲を轉ずるものあらば、之を聽せ』

元正天皇　百姓撫育の我

養老五年三月七日勅して曰く、『朕、四海に君臨して百姓を撫育す。家々貯積し、人々安樂ならむことを思欲す。頃者、旱澇相仍りて、農桑損あり遂に衣食足らずして饑害あるを致さしむ。言《こと》に茲を念へば良に惻隱を増す。今課役を減じ、用て産業を助く。其れ左右京及畿内五國は、今年の調を免じ、並に七道諸國も、亦今年の役を停めよ』と

孝謙天皇　孝經誦習の詔

天平寶字元年四月、天皇群臣を召し詔して曰く『前略其れ天下の百姓、成童の歳は則ち輕徭に入れ、既冠の年は便ち正役に當つ、其勞苦を愍み、用て懷に軫す。昔者先帝も亦此趣あり、猶ほ未だ施行せず。自今以後宜しく十八を以て中男となし廿二已上を正丁となすべし。古者民を治め國を安んずるは、必ず孝を以て理む。百行の本茲より先なるは莫し。宜しく天下に令し、家ごとに孝經一本を藏めて、精勤誦習し、倍々加發せしむべし。百姓の間孝行通人あつて、郷閭欽仰せば、宜しく所由の長官をして、具さに名を以て薦めしむべし其れ不孝不恭不友不順の者あらば宜しく陸奥國桃生、出羽國小勝雄勝に放配し、以て風俗を清しく亦邊防を捍がしむべし。別に高く潁川に臥し、跡を箕山に遁るゝ者あらば宜しく朕が代の巣許となし、禮を以て巡問し放ちて性を養はしむべし』

孝謙天皇　醫藥の量給の詔

天平寶字元年十月庚戌勅して曰く、『如聞《きくなら》く、諸國庸調の脚夫、事畢つて郷に還る時、路遠くして糧絶ゆと。又行旅の病人、親しく恤養するものなく、飢死を免れんと欲して、口を糊し生を假り、並に途中に辛苦して遂に横死を致すと。朕此を念

ふて、深く憫矜す增す。宜しく京國の官司に仰せて、粮食醫藥を量給し、勤めて檢校を加へ本鄕に達せしむべし。若し官人怠緩して行はざる者あらば、違敕の罪を課せん』

稱德天皇　勸農の詔

天皇の重祚し給ふや、其神護景雲元年四月癸卯を以て勅すらく『夫れ農は天下の本なり。吏は民の父母なり。農桑を勸課するに、常制あらしめよ比來諸國、頻年登らず、唯に天道の宜しきに乖ふのみに匪ず、抑も亦人事怠慢なればなり。宜しく天下に令して、農桑に勤事せしむべし。仍て國司の恪勤尤異なるもの一人、並に郡司及良民の中にて謹誠ある者。郡別に一人を擇差して、其事を專當せしめ、名を錄して申上せよ。先肅敬を以て境內驗ある神祇に禱祀し、次に、存心を以て部下百姓の產業を勸課せよ。若し其祈る所應あつて、催す所益あるを見ば則ち專當の人、別に褒賞を加へ

ん』

桓武天皇　富者利倍の弊と貧民正稅の貸與の詔

大同元年五月己巳勅すらく『今聞く頻年登《みの》らず民食惟れ乏しく、公稻を出擧すと雖も、而かも猶ほ阻飢多く、茲に因と私に民間に託し、更に乞貸を事とし、報償の時息利兼倍し、遂に富强の輩をして、膏粱餘あり、貧弊の家をして、糧糠にだも厭《あか》ざらしむと。宜しく正稅を貸して、彼の絕乏を濟ふべし。須らく使を差して、貧人を實錄し、保を結びて之に給すべし。若し亡《に》ぐる者あらば、保內をして塡めしむべし。其情愛憎に涉り、弱を退け强を進め、反未納を補塡し、兼ねて私債を收むる者は、發覺の日必ず重科に處せん。民の稍給するを待ちて、乃ち停止に從はん』

平城天皇　救療の宣詔

大同三年五月詔して曰く、『朕は寡昧を以て、虚く丕基を嗣ぎ、薄きを履んで傷むが如し。黔首の隱を是れ恤ふること、奔るを馭するの厲きが如し。紫宸の尊きは寧きにあらず、己に克つて治を思ひ精を勵まして政を施す。而かも仁は物に被むることなく、誠は未だ天を感せず。君臨してより咎徵のみ斯れ應ず。頃者は天下諸國、饑饉繁く興りて疫癘相尋ぎ多く天折を致す。朕の御德なる眚《わざわひ》は黎元に及べり。事を撫して躬を責め、惄焉として首を疚ましむ。或は恐る、政刑乖越して、上は靈心に夾《たが》ひ、漫汗に煩苛して、下は人の瘼《いたみ》を貽す。此れ皆朕の過なり。兆庶は何の辜かある。靜に言れ之を念ひて、寢食にも忘るゝことなし。詩に云はずや、民亦勞止《せう》。訖二可二小康一と。宜しく今年の調を免除すべし。國司をして親から鄕邑を巡り、醫藥營救せしめよ』

仁明天皇　奬儉の詔勅

承和七年六月十六日、勅し給はく、『哲后《ひじりきみ》は運を撫するに、寔に己を約めて、人に臨む。明王は昌を會むるに、必ず心を推して物を濟す。是を以て羲農は代を隔つるも、同じく勤勞を期し、勛帝堯華帝舜時を殊にして、共に愛育を均しうす。朕、祗みて景命に膺り、丕基を嗣ぎ守り、日に愼みて懷を塞ぎ、九重を以てするも自ら樂まず。夕に惕れて想を興し、常に億兆を以て憂となす。而かも政化未だ孚らずして、至誠達せず。去年陰陽幷び隔たりて、秋稼登らず。頃者、偏冗旬を淹うて、藝殖或は損す。聞くならく、諸國飢疫して、往々喪亡すと。朕の菲虛による。黎元何ぞ罪あらん。仰いで前烈を稽ふるに、德は是れ邪を除く。內諸れを心に求めて、抑々挹損すべし。其れ朕が服御の物、幷に常膳等は、宜しく省減すべし。左右馬寮の秣穀は、一切擁絕し、諸の作役にして、要すべからざるものは、事を量りて且つ停めよ』

文德天皇　勸農の詔

仁壽二年四月十三日己卯天皇勅して曰はく、『國に粟なくして治むべき者は、古より未だ聞かざるなり。然らば則ち王政の要、生民の本は唯だ農を務むるにあり。頃年諸國の告ぐる所、佃に堪へざるもの、其數多きに居るは、是れ國郡官司の地利に勸めずして、民命を重んせざるの致す所に由る是れ良吏を選擇し、黎元を委付する所以の意にあらず。凡そ田を治めて克く勤むれば則ち畝に三年を益し、少しく惰れば則ち損することも亦是の如し。其種ゑると少しく惰れば損する所尙ほ然り。況んや廢てゝ耕さざれば、其費更に甚し。一畝の田は一戸を食ましむ。一畝を耕さざれば一戸飢を受くべし。既に耕さざるの地多くして、何ぞ飢を受くるの人少なきあらんや。古へは州郡官長等、春出でゝ田に行き、若し耕さゞる者あらば、事を課田にし、穫れば公私之を半にす。古人地の利を至重すること、此の如し。宜しく諸道に下して、此情を曉すべし。國郡司等は、躬自から巡視して、池堰を修固し、耕農を催勸して、力むる者は之を褒錄し、懈るものは、督して之に趣かしむべし』と。

光孝天皇　常膳服御省約の詔

仁和元年乙巳、夏四月廿七日辛巳勅を下して曰く、『朕眇たる身を以て、猥りに鴻緖を承け、揆用の業に膺ること、奔るを馭するが若きあり。光啓の符を受けて、薄きを履むことを忘るゝことなし朕前王を綜覈し、彛制を捜羅して、唯だ宵衣是れ遑ひ、旰食是れ勉め、躬に慈儉を行ひて、人々富庶に臻らんことを思ふ。而かも運は澆季を承けて風頽れ、俗弊れ、庫藏は虛耗して、經用は殷繁なり。卿士群吏の祿稍を受くるもの旣に衆くして、親王、源氏の時服を賜はる者も亦多し。征入を計會するに、未だ其費に供せずして、見用を商折すること、殆んど其制に過ぐ。夫れ城中は、大寶にして、天下は至公なり。已に克ち懐を惕するも、未だ濟ず攸《ところ》を知らず。豈に百官其祿賜を闕きて、而かも一人（陛下自ら指し給へり）其羨溢を保つ者あらんや。宜しく朕の服御絹錦二色は、蹔らく省減に從ふこと、並に舊例に依るべし。庶くば、上を損するの誠を推して用て邦を經するの化を存せん。遐邇に布告して、朕が意を知らしめよ』

朱雀天皇　農桑勸奬の宣旨

承平四年夏、左京職に宜しく曰く、『生民の要業は、織絍を本と爲す。家給し人足るは、誠に此道に憑るなり。而して近代の民俗、桑を栽うるを勸めず、養蠶既に乏しくして、坐がら苦寒を受く。播殖の狀、諸國に下知して、宜しく京內に命じ、同《と》もに樹を種ゑしむべし。仍て須らく條毎に牒示すべし。兼ねて保長に命じ、所部を率勵して、豐殖を致さしめ、官人巡檢して、數々勸課を加へ使を遣はし實を覈し、若し懈怠あらば、保長を科責し、兼ねて職吏を罪せよ』

醍醐天皇　田宅壟斷の積弊禁遏の勅

延喜二年勅して曰く、『勅旨田、並諸院、諸官及五位已上のものが、百姓の田地宅地を買取り、又は閑地荒田を占むるは、民をして其業を失はしむるものなり。因りて以後、勅旨閑田は悉く停止し民をして耕作せしめ、其寺社の田地は各々公驗に任せて、本主に還與せよ、百姓若し田地舍宅を權貴に賣るものあらば、蔭贖と土浪とを辨せず、杖六十に決し、又買收するものあらば、違勅を以て之を論ぜん。但し以來相携へて庄家となり、契劵分明にして、國務に妨なきものは此限にあらず』

村上天皇　節約厲行の詔勅

天曆十年秋七月詔して曰く、『儉は德の本なり、明王は能く致す。惠は仁の源なり、聖主必ず施す朕寡薄を以て、洪基を謬守し、黄屋に居て驕らず丹符を役して自ら約す。而も化春風に非ず、澤時雨に殊なり。愼日の日空しく積み、有年の年逢ひ難し。況んや頃日甘澍降らず、苦旱久しく盛にして、園圃靑草の色を見ず、壠陌多く赤地の憂を含めるをや。夫れ德政は邪を防ぎ、善言は福を招く殷宗雊鼎の雉、昇耳の妖自ら消え、朕宋景退舍の星、守心の變異に非ず。其れ朕が服御の物並に常膳等、宜しく重ねて省減すべし。左右馬寮の秣穀一切權りに絶ち、諸々作役忿急なる者は、事を量りて且らく停むべし。又獄圄の中、恐くは寃者あらん。速に所司に命じて、申慮放出すべし。加之ならず、天下諸國水あるの處は、百姓をして灌漑せしむるに任じ、貧を先にし富を後にせん。高年の鰥寡孤獨、自ら存する能はざるものは、量りて賑贍を加へん。又五畿七道諸國、去る天曆五年以往、調庸未だ進めず、民身に在る者を免除せん。但東海東山山陽三道の驛戸田租は、三箇年を限りて殊に原免に從はん。若し丹誠感あり、蒼穹欺くなくんば、則ち霈澤を不日に降し、穀禾を如雲に望まん』と。

後醍醐天皇　救濟策の勅命

元德二年諸國凶歉にして京師の商賈は米穀を藏匿せり。是を以て市價益々騰踊し民大に困む。卽ち令して曰く『近者國土飢饉にして、八民流離す戸津大津比叡の牙商、進口の船を沮止し、詭謀以て益々飢餓を促す。甚だ憎むべきなり。宜しく禁戒を加へ、交名露顯の者は之を重罪に處すべし。山器臺を以て市場となし、賣買一に京師の法の如くすべし』

教化資料（其二）

○機械の發明と人間の力

機械の發明が産業界に多大の影響を與へて終に産業革命とまでなつたことは今更ら申すまでもないが、其の一例として示されたるものは洋服のカフス釦《ぼたん》の製作である。これまで一人で一個を造る間に機械で造ると一臺で四千六百も出來、其の機械の六臺までは一人で動かすことが出來るといふのだから、これまでコツ／＼一人がやつて居つた間、二萬七千六百個も出來るといふことになるのだから、とても機械力にはかなはないので、よし一臺と較べても四千六百分の一しか出來ない。さうして見ると一個宛造つて居つた職人の四千五百九十九人までは機械のために業を失ふといふことになる。彼等に業を失はすまいとすれば、勢ひ生産を多くすることになる。品物が多くなれば其の捌《は》け口を他に求めねばならぬ。此に於て海外貿易の隆盛となり、列國の經濟戰となるので、一方又其の原料の不足のために、之れを海外に求むる必要は殖民地の經營を促進し、こゝにも列國の競爭が起つて、終に現代の狀勢とまでなつたので、一つの機械の發明が世界に及ぼす影響は頗る大なるものがある。これのみならず、機械のために職を失うた連中は、機械の持ち主たる資本家に雇はれなければならぬこととなつて、資本家と勞働者の對抗となつた諸種の社會問題を惹き起し現代にいろ／＼な影響を與へて居るのである。

○貧困の原因

貧困の原因はいろ／＼あるが、大正八年度内務省の調査により百を滿數として其割合を見ると無職のため一人強、就業不規律なるため二人、四分主たる稼ぎ人の老衰又は疾病のため七人強、主たる稼ぎ人死亡のため一四人強、四人以上の小供を

〔12〕

有する多數家族のため二六人强、就業正しきも賃金僅少のため四七人强といふ割合であり、東京養育院が過去七年間を通じて入院したる三千百七十五人につき其の入院の原因を調査したるものによると、

痼疾又は遺傳病	四六一人
常習的浮浪人	三九二人
飲酒のため	三二四人
職務に疲弊	二三七人
浪費	二二七人
色情	二〇一人
慢心	一九八人
商業失敗	一七九人
種々の動機に失望の結果	一七九人
懶惰	一二五人
不幸	一二一人
賭博	一一七人
自信力の缺乏	一〇九人
失敗の結果	一〇六人
投機	七九人
不具	七三人
常習的犯罪	四六人

〇世界思想の混一

五年に亘る世界の戰爭は、丁度一つの大きな鍋に午蒡や胡羅蔔《にんじん》、芋や大根を入れて煮たやうなもので、獨逸とか佛蘭西とか露西亞とか英吉利とかをゴチャ〳〵一つ鍋で煮たものでありますから、大根にも午蒡の匂がつき、芋にも胡羅蔔の味がつくやうに、佛蘭西にも獨逸の匂がし、英吉利にも露西亞の味がついて、世界共通の思想となり、しまひにはあまり煮過ぎたものだからとろけてしまつた露西亞のやうな國が出來、煮えふくれた亞米利加のやうな國が出來たのであります。然らば此鍋はドンナ火で煮たのでありませう。曰く近代文明の業火であります。何とか近代文明の業火といふか、曰くあまりに物質に流れて精神を閑却し、あまりに個人主義に流れて協同の思想を失つたからであります。

○成金の出處

成り金といふ語は、もと將碁から出たので、將碁の歩《ぶ》は一つ宛前へしか進めぬ不自由なものでありますが、それが敵陣へ入ると金と成つて縱にも横にも動くことが出來るやうに、もと／＼値打のないものが。或る機會に金持になつたのを評するのですから、敵に取られてしまへば、もとの歩だけの働きしか出來ないやうなものであります。戰時中の成り金も今は歩ほどの値打もないやうになつて居るのか、そんじよそこらに充ち滿ちと居ります。

○勤儉と分數

二分の一より三分の一は小く、三分の一より四分の一より小い、此二分とか三分といふ分母は丁度慾望のやうなもので、此慾望を少くして消費を節約すれば一は一でも、四分の一が三分の一となり三分の一が二分の一となつて其の量を增す、これが儉である。併しどうしても儉約が出來ないとなれば、勤を以て生産と增がするの外はない、卽ち分母に同じくとも分子を增せば、其の量は增して四分の一より四分の二が大きく、四分の二より四分の三は大きい、これを勤といふ。つまりは儉によつて慾望たる分母を減ずるか、勤によつて生産の分子を增すかだが、若し分母を減ずと共に分子を增し、四分の一を三分の二とか、二分の二として行けば滿數に達することが出來る、これが勤儉の數理だ。

○時に關する童謠

時は金であるといふ。併し金は使つても亦儲けることが出來るが、時は一たび經てば又還らない時に關する敎訓は昔から澤山あるが、先船募集せられた童謠で一等に當選したのは左の通りで、いかにも面白く出來て居るから話しのたねにとこゝに揭げる。

お日さん、お日さん、いま何時。
影が一尺、いま一時。
一時になつたら何が鳴る。
町の工場の笛が鳴る。

お日さん、お日さん、いま何時。
影が三尺、まだ三時。
三時になつたら何が鳴る。
飴屋の太鼓が鳴つて來る。

お日さん、お日さん、いま何時。
影が六尺、もう六時。
六時になつたら何が鳴る。
山のお寺の鐘が鳴る。

鐘はゴンゴン幾つ鳴る。
鳥が森へかへるまで。
子供が家へ歸るまで。
鐘は休まず鳴るわいな。

（「時」に關する童謠一等當選）

○忠君和歌

勇士の名を振ふと慕《した》ふ歌　大伴家持

ますらをは名をし立つべし、後《のち》の世に聞きつぐ人も語りつぐがね。

述懐　源實朝

山はさけ海はあせなん世なりとも、君に二心我れあらめやも。

已が像かきたる上に　本居宣長

敷島の大和心を人問はゞ朝日に匂ふ山ざくら花。

寄天祝　橘千蔭

天の原よさしまつれる日の御神、照らさん限り國は動かじ。

題しらず　村田春海

治れる御世の守の梓弓《あつさゆみ》ひきなゆるべそもののふの道。

○　平田國臣

天津風《あまつかぜ》ふけよ錦の旗のてに、なびかぬ艸《くさ》はあらじとぞ思ふ。

○　　　　梅田雲濱

君が代を思ふ心の一筋に、我が身ありとは思はざりけり。

○　　　　素性法師

ふして思ひ起きて數ふる萬代は神ぞ知るらん我が君のため。

○照顧脚下

希臘哲學の祖といはれたターレス殊に天文學に精通して居つたが、或る夜家の外へ出て星を見ていろ〳〵と考へ、足を退くる拍子に後の壕へ落ちてズップリ耳まで浸つた、ターレスの家に養はれて居た老婆は之れを見て大に哂ひ、

『貴公は天上の事には明るいが脚下のことには暗い。』

といふたといふ話がある、或る人の句に『行きあたりそなたも雲雀見る人か』といふのがある、脚下を照顧せねばならぬ。

○カール十二世の沈勇

瑞典王カール十二世といふのは露西亞のペートル大帝と共に當時の二大英雄といはれた人で（西暦一千六百八十二年に生れ同一千七百十八年に崩御）で有名な人で、此人が敵軍の爲めにストラルスンドといふ所で圍まれた時、書記官に命じて手紙を書かして居つた、其時敵彈が屋根の上で破裂して王の居る近くに飛び來たので、書記は思はず筆を落した、王は落ちついて『どうした、何故手紙を書かぬ、』といはれた、書記は『陛下、敵彈が』王『然り敵彈來れり、されども敵彈と手紙と何の關係がある、速に書け』といふて少しも騷がなかつた。

○散亂麁動の心

六如上人のいはれた語に、座禪看經など心を靜めんとする時かへりて、樣々の忘想思慮うかぶも

のなり、これは即ち一分の散亂龜動の心靜まるによりてなりと予こゝにおもふ、日の明らかにさす所に塵埃のたつが見ゆるにたとふべし、常にも塵埃は、たてどもなり。日の光を待ちて殊更に立つにあらじ。

○盗人は私

さる田舎に貧しい後家の飼つて置いた家鴨を一羽盗つた者があつたが、盗人は誰とも分明らなかつた。寺の坊樣が色々と心配した結果に、村人を寺へ呼んで『皆の衆其處へ坐りなさい。』と云ふに一同直に坐つて『皆坐りました。』と答へた。坊樣ズッと見渡し。

『いや悉皆坐りわしない。家鴨を盗つた人が未だだ。』と云ふと、一人の男大きな聲で、

『へイ坐つて居ます』と答へたので、盗人が分明つた。

○徳川慶喜政權奉還の上表

臣慶喜、謹で皇國時達之沿革を考候に、昔し王綱紐を解て、相家權を執て、保平之亂、政權武門に移てより、祖宗に至り更に寵眷を蒙り、二百餘年子孫相受、臣其職を奉ずと雖も、政刑當を失ふ事不レ少、今日之形勢に至候も、畢竟薄德之所致、不レ堪ニ慙懼一候。況や當今外國之交際日に盛なるにより、愈權一途に出不申候而者、綱紀難レ立候間從來之舊習を改め、政權を朝廷に奉レ歸、廣く天下に公議を盡し、聖斷を仰ぎ、同心協力、共に皇國を保護仕候得ば、必ず海外萬國と可ニ並立一候。臣慶喜國家に所盡、是に不レ過と奉存候。乍去猶見込儀も有レ之候得者可ニ申聞一旨、諸侯へ相達置候。依レ之此段謹で奏聞仕候。以上。詢

十月十四日　　慶喜

地方資料

編者との協議の上、収録しないことになりました。
（不二出版）

雜　錄

□本誌發行の報一度び天下に傳はるや、講習希望の士翕然として集り、發行前旣に萬を以て算するの盛況を呈するに至つたのは、如何に本誌が時勢の要望に副ふの企であつたかを推知せられます。今や各種の大學敎育は一般人の前に開放せられんとするの趨勢にあるは、識者の等しく認めて居る處でありますが、併しながら本誌の如く社會敎化に最も密接不離の課目のみを選擇配列して、實際敎化に重要な智識を授くるものは絕無でありますから、例へ大學開放の實現に接しても尙未だ斯の目的を達することは出來ますまい、是れ本社が卒先して必要課目を選定し、範を歐米のユーニバーシチー、エキステンションに取つて、本講習錄を發行するに至つた所以であります。

□惟ふに刻下緊急解決に努力を要するのは、各種の社會問題であること、あらためて說く迄もありません、低級未開の社會を高級文化の社會に進め或は現在社會を更により文化の社會に導くことは總ての社會問題を解決する上に、最も重要なる地位を占むるものであつて、卽ち敎化と云ひ、改造と云ひ、開放と云ひ皆其目的とする所は同一である。何となれば假に社會敎化が充分に行はれたとしたならば、彼の勞働問題とか衞生問題とか婦人問題とか兒童問題とか住宅問題とか其他百般の問題は社會の進步に因る自然力を以て調節改善を期することが出來るからであります。現前各種の問題橫はり紛糾して解決難を叫ばるゝ所以のものは、社會の文化未だ完からざるに基因するを考慮しなければならないのであります。故に解決を要する社會問題の多いだけそれだけ一方に於ては社會敎化を必要とします。

□然らば社會敎化は如何にして其目的を達し得べきかと言ふことになりますが、社會を敎化するには二樣の方法がある、一は智識を普及して一般社會の文化を向上せしめると、一は宗教の力を以て一般社會を善導するとである、此二つの方法は一は學校に於て一は寺院殿堂に於て行はれつゝある所であるけれども、此兩者を合一按配して行ふ社會敎化機關の出現は、最も有意義にして而も之れが目的達成に最も有效なのは申す迄もありません乃ち本講習錄が現代社會に適合した所以であつて、同人の私に欣快措かない處であります。

口本講習錄は四月十日を以て發行の事に豫告したのでしたが、講義囑託の講師中種々の事故に制せられ或は執事遲延し或は執筆不可能の餘儀なきありなどして、遂に遲延に遲延を重ぬるの已むを得ざるに立至りました、講習員諸彥の多大なる期待に反したことを玆に多謝いたします。第二卷以下は既に準備完くなりましたから、斷じて期待に反することはありませぬ。

口從つて第一卷講義課目は豫告と多少の異動を免れませんでしたけれども、掲載の運に至らなかつた分の代りに、新課目を加へましたから、質に於ては決して豫告に遜色はありません。未掲の講義は講師執筆の都合つき次第收錄いたします。それから講義中には必ずしも一ヶ年連講のもののみではありませぬから、卷を逐ふて順次新課目を掲載して行きます。

口講師文學士赤神良讓先生の「社會問題と思想問題の」講義は、第一卷以下第十二卷に亘りますが、其內容は次の通りであります。

第一章　社會問題とは何ぞや
第二章　人口問題と植民問題及食糧問題
第三章　經濟問題と勞働問題及階級問題
第四章　人種問題と國際問題及國防問題
第五章　婦人問題と兒童問題及犯罪問題
第六章　都市問題と農村問題及國民保健問題
第七章　政治問題と宗教問題及思想問題
第八章　思想開展の問題と現代文明
第九章　哲學主義と科學主義
第十章　個人本位主義と社會本位主義
第十一章　世界主義と日本主義
第十二章　民本主義と國本主義

教化講習錄概要

□課目并に講師□

課目		講師
歐洲近代文藝思潮	文學博士	金子馬治先生
大戰後の世界現勢	ドクトル、オフ フイロソフイー	長瀬鳳輔先生
社會問題と思想問題	文學士	赤神良讓先生
社會教育	文學士	乘杉嘉壽先生
思想の變遷と流行語の研究	文學博士	藤岡勝二先生
兒童心理の應用		高島平三郎先生
經濟上の新智識		清水靜文先生
實用論理		境野黄洋先生
佛教文化の特徵	文學博士	椎尾辨匡先生
我國の政治と佛教	文學博士	村上專精先生
現代思想と佛教	ドクトル、オフ フイロローフイー	渡邊海旭先生
思想の表現の聽衆の心理		加藤咄堂先生
社會事業概稅	内務事務官	齊藤樹先生
自治民政と佛教		加藤咄堂先生
我國の文化と神道	帝室博物館祭祀神祇部主任	津田敬武先生
佛教各宗の安心		各宗諸大家

其他隨時課外講義として最近科學の進歩并に教化に適切なる講演を掲げ且つ毎巻教化資料を添ゆ

特典

□會員特典

會費三ヶ月分以上前納者に對しては質問券を送付し、講義科目に就き隨時質問の便を得せしむ。

□期間并に紙數

毎月一回(一日發行)、紙數二百餘頁、各科講義に長短ありと雖、全部十二冊を以て完結す

□本講習錄の五大特色

一、專門知識を通俗化し平易なる說述を以て民衆教化に好資料を提供するは本講習錄の特色なり。
一、布教傳道に從事する宗教家諸君に斷えず新なる教材話材を供給するは本講習錄の特色なり。
一、社會を教化し民衆を指導する人々に常に思潮の推移を知らしむるは本講習錄の特色なり。
一、各方面に於ける現代大家の執筆を請ひ讀者をして親しく其教を受くるの感あらしむるは本講習錄の特色なり。
一、質疑應答の欄を置き、讀者をして其難解の個所に對して隨意に質問せしむるも亦本講習錄の特色なり。

本講習錄購讀上の注意

△會費御送付の節は「新規」若くは「繼續」と御記入ありたし

△會員住所氏名は間違を生じ易きが故に最も明瞭に記載されたし

會費	
一ヶ月分	金壹圓
三ヶ月分	金貳圓九十錢
六ヶ月分	金五圓五拾錢
一ヶ年分	金拾圓五拾錢

△會費は前金のこと、送金は振替にて新修養社へ御拂込を乞ふ、集金郵便を差出す時は手數料金拾錢を申受く。

大正十年五月廿八日印刷
大正十年六月一日發行

編輯兼發行人 東京府豐多摩郡代々幡村代々木百八番地 加藤熊一郎

印刷人 東京市神田區三崎町三丁目一番地 百目木智璉

印刷所 東京市神田區三丁目一番地 株式會社共榮舍

發行所 東京市麻布區飯倉町五丁目四拾四番地 新修養社
電話芝一二七四番
振替東京八二六四番

この部分は、原本の状態により収録できませんでした。
（不二出版）

現代知識 敎化講習録

第二巻

現代智識 **教化講習錄**（第二卷目次）

思想の變遷と流行語の研究……（一―一六）……文學博士 藤岡勝二

歐洲近代文藝思潮……（一七―三二）……文學博士 金子馬治

大戰後の世界現勢……（三三―四八）……ドクトル・オブ・フイロソフイー 長瀬鳳輔

社會問題と思想問題……（一七―三二）……帝國大學助手 文學士 赤神良讓

社會事業概說……（一七―三二）……內務省事務官 齋藤樹

社會教育……（一七―三二）……文部省社會教育課長 文學士 乘杉嘉壽

我國の政治と佛教……（一七―三二）……文學博士 村上專精

日本の文化と神道……（一七―三二）……帝室博物館祭祀神祇部主任 津田敬武

經濟學說と實際問題……（一―一六）……慶應義塾大學教授 清水靜文

思想の表現と聽衆の心理……（一七―三二）……加藤咄堂

課外講義 虎列刺病の話……（一―一五）……警視廳技師 井口乘海

教化資料……（一六―二六）……地方資料……（二七―三二）……雜錄……（三二）……

思想の變遷と流行語の研究

文學博士　藤岡勝二

前おき

思想が變遷する源は、精神の內部にあることは、勿論であるが、精神は、外部に向つても、働くから、思想の變遷する緣は外にもあるとせざるを得ない。殊に、人は社會に生きて、他の人と交つていく間に、大きに、その影響を受けていく。而して、他の人と交はるには、言語が主要な具となつてゐる。その上、自分の思想をこしらへ、組合せ、働かせて、いくのに、また、言語の助けを藉りてゐることが、頗る多い。故に我も使ひ、人も使ふ言語が、どれ位、わが思想に與つて力あるものとなつてゐるか、まことに微妙至極なものであるといはねばならぬ。この點から見て、思想の變遷を考へるのに、言語のことを考へることが、甚だ大切であるのである。

(2) ——前　お　き——

社會に流行する語は、それ〳〵故あつて流行するので、心理上から、社會上から、成行を説くことが出來る。而して、その心理上の事由、社會上の因緣は、やがて思想の變遷と、密接な關係がある。依て、言語の方からも、思想の變遷を覗ふことが出來、思想の方からも、言語の流行廢滅を論ずることが出來る。

今は、主として、言語のことをいつて、それと、思想との關係を説いて見ようと思ふのである。

それには、極めて、常識的なことではあるが、一般通理に屬することから初める必要がある。その故は、言語は、誰も、持ち合せのもので、よく、人が寄合ふ場合などに、少からず、言語に就ての話しが出る位であるが、その割合に、これをよく考へて見た人は、多くはない樣であつて、從て、この趣味のある研究を、學的にやつたところを、隨分聞きのがしてゐられる樣であるからである。さりとて、今ば専門的なことは避けたいから、至つて、あたり前のことを述べるのである。

(一)　言葉と觀念

言葉と云ふと、「まことにおめでたうございます」などゝ、並べ立てたものも、言葉であるし、「松」「時」「おまへさん」と、離ればなれのものも、言葉である。前の方の意味では、「言葉が通じない」とか、「言葉よりも行《おこなひ》」とかいふ。後の方の意味では、「何といふ言葉を用ゐようか」とか、「この言葉はどういふ字で寫すか」とか言ふ。

今こゝで用ゐる意味は、第二の方に限つておきたい。それには、これを「語」と稱しておく方が、まぎれがない。故に、この話の內では、「語」といふ。誤解のないやうに、あらかじめ、このことをことわつておく。

語は、音の形を以て、人の口から耳へ傳つていく。而して、これを言つた人と、聽いた人と、兩方がこれに依て同樣な觀念を浮べる。そこに意味が通じる。意味が通じる時、意識の內で、他の觀念とさまざまな聯絡をする。否、その聯絡があつて、明白に通じるといふことになるのである。故に、語が生きてゐるには、觀念が生きてゐねばならぬ。觀念が生きてゐれば、その語は用をなすのである。

ところが、觀念は人の生活に於ける種々の經驗から出來るものであるし、語も亦語としての使用經驗に於て、生命があるのであるから、觀念も、語も、人生經驗の結果として、人が有するものである。

經驗は記憶せられる。卽ち、觀念も語も記憶にのこるから、その人に於て互に聯合する。土工に常に從事してゐる人は、土工の事をよく經驗する、その經驗と、その仕事に伴ふ語とは聯合する。語の意味も用ゐ樣も、かういふ風に聯合がしつくりいつてゐる處に於て、最も明かである。その反對に、土工に慣れてゐない人の、土工用の語は、慣れてゐる人に於てよりは、意味が充實してはゐない、用ゐ方も或は屆かぬところがあり得るのである。

これが卽ち觀念の明かさと語との關係であつて、兩方がしつくり合ふか合はぬかの起るところである。しかし、觀念は觀念として、經驗から生じもし、養はれてもいく。語は語として、その使用によつて、自在な處を得る。兩者は別々の道をとつていくわけである。別々の道をとつていくものが、相携へるのは、どういふものかといふに、これ等は、本質上、別々であるとはいふものゝ、語は、それに配せられる觀念がなければ、意味を有しない、卽ち語たり得ないし、觀念は、語で締めておかないと、しつかりしないのみならず、それを働かせて、充分に考へることをすることがむづかしいからである。

例を以て示せば、「コシカ」といふのを聞いたところで、(露西亞語を知らない人なら)何のことかまるでわからない。わからなければ、蚊のブーンといふにもまして、意味をなさぬ。即ち何等の觀念ともかゝはりがない。それでは、語の語たる價値が(その人に於て)ない。それは「猫」のことだと知れば、「猫」といふ觀念とその「コシカ」とが係り合つて來る。實物の猫に就て得てゐる觀念と、「コシカ」といふ音とが聯結せられる。さうなれば、「コシカ」は語たり得る。語たり得た上に、ます〳〵使用を重ねると、いよ〳〵動かない關係が定まつて來る。國語での「ネコ」は、「ネコ」といふより外に何ともいひ換へることを許されないと信じきつてゐるほど、親密な關係がこの間に成立つてゐるのである。「ネエ」は、國語中の一語として、極めて有力な所以である。

次に、觀念の方からこれを見ると、實物の「猫」に就て日常經驗してどんなものであるか、どんなことをするものか、どこに他の動物と違つたところがあるか、人生とそれとどんな關係があるかなど、いろ〳〵知つてゐるとしたところで、内のと隣りのと違つてゐたり、その動作にもいろ〳〵あつたりして、なか〳〵複雜であるから、ど

（６）──言　葉　と　觀　念──

んな猫、いかなることをしてゐる猫にも、通じるものとして考へなければ、煩はしさに耐へないのみならず、却つて、一々の場合がはつきり考へられないことになる。そこで、精神力は、このどれにも通じる觀念を造る。これを概念といふ。

概念は、その名が示してゐる如く、概括把住せる念で、謂はゞ應用のきくもので、ある。それをなほこみ入つたことを考へる具としての算盤珠とするのである。しかし、かく把へておくには、卽ち、その概念を重寶なものとして、その働きを充分にさせる爲の準備をするには、適當な方法がなくてはならぬ。そこでたとへば、樣々の草花の種を、捨て一しよに引出しの中へ入れておいては、何が何だか亂れてしまふから、小袋にしわけて入れて、それ〲名を書き付けておく樣に、概念を札付きにしておくことが、起る。卽ち名といふ符牒をつける。それが語の形である。猫の場合ならば、「ネコ」といふ口音を以てする。これが、その概念に對する語であつて、これで、概念を締めておくのである。この上は、「ネコニコバン」などゝいふやうな考へも樂に運ばすことが出來る。

概念は概念として、生活經驗中に出來、語音は語音として、社會から得るが、大抵の場合、概念を構成する間に、語音も授けられる。朝には三毛猫を見、夕には黒猫を見て、その間に猫といふ概念を造つて來るが、三毛猫の時にも「ネコ」と聞き、黒猫の時にも「ネコ」といはれるので、こんなものがすべて猫であり、「ネコ」と稱せられると知る。依て、今全く新しい概念が生じたのに對して、何かそれに配する名を造らねばならぬといふやうなことは、哲學者や理學者など、何か或事に就て、所謂創造をする人に於ては格別、普通人では、まづ少いといつてよい。（會の名や生兒の名を付けたりする場合は、これとはいささか事情がちがふ。）

故に、概念と語とか聯絡する、その仕方は、當初はかなり骨の折れたものであつたにしろ、我等は、その聯絡して出來上つたものを、與へられ授けられたとして、覺えてそれを用ゐて、日常の話しを進めていくのである。

（二）語の消滅

語は、社會に生活してゐる人に絶えず用ゐられて、生命を保つていく。語が生きてゐるといふのは、社會上に用ゐられてゐることで、語が死んだといふのは、社會上に用ゐられなくなつたことである。語自らには生命はない。これを人が受け繼ぎ、傳へ用ゐていく間、人がこれに命をもたせてゐるのである。これは、丁度、服裝のやうであつて、「長袴が死んだ」などゝはいはないが、長袴が用ゐられなくなつたのはつまり長袴が死んだので、これに反して、フロツクコートは生きてゐるわけである。

全く姿をかくしてしまつた語の例をいへば、

「くかたち」　日本の、極めて古い時代に神前に熱湯を沸き立たせておいて、神に誓ひを立てゝ、手をその中へ入れて、火傷をするかせぬかで、その人の正邪を判じた、一種の裁判法である。　字で探湯と書いた。

「つきしろ」　月の出る前頃に、空がしらむことである。　字で月代と書いた。

「むなぐるま」　から車のことで、人の乘つてゐない車である。　字で空車と書いた。

「ひとだまひ」　道具や車を、從者の使ふものとして、あてがつた、その道具などのことであり、又、使用を許して給はるもの何でものことである。

「ふすべ」こぶ（瘤）のこと。　字で贅と書いた。

かやうな類は、日本語にも、隨分澤山ある。　これ等は過去の日本語である。

さう全く隱れ失せた語は、服裝の方の長袴が、藏の中に通常納められてあつて、演劇か何か特に昔のことを表す場合に、その形を持ち出す樣に、通常書物の中に、字に寫されて、保存せられてゐて、よく〳〵古い事を敍し、古い形を表さうとする時に、それを用ゐるに止まる。しかし、今用ゐたところで、一切の周圍の事情が、今は今であるから、畢竟、生氣のない、ぬけがらの形骸に過ぎない。卽ち「死んだ」といはれる所以である。

しかし、一般社會には廢れても、何かの場合、どこかの場所に、語が遺つていくことはある。あだかも、袴は、一般社會には、禮服としても、生きてはゐないが、或社會、或地方には、まだ、大禮用として、生きてゐ、フロックコートが、大戰以來、すべて輕便を喜ぶ結果、その次のモーニングコートに、聊か驅逐せられた觀があるものゝ、將來まだ禮服として、遺る運命をもつてゐるやうに、過去の語の中で、まだどこかに餘生を保つてゐるものがあり、現在將に勢力を落したやうに見える語も、まだ急には全く消え失せないで、一方に於て、たしかに行はれていくことがあるのである。

これが特殊用の語といふものである。これは、委しく見れば二種ある。一つはもとより、特殊用に限られてゐるもので、一つは、もう一般用であつたものが、特殊用となつたものである。

甲には、專門語などが入れられる。或學術とか或技藝とか、或社會とかに限り用ゐて來たものである。これをもう一段別けると、同一區域で、或職業、或身分、或階級の人の間に用ゐるものと、或地方に限つて用ゐるものと、二つになる。甲の方は、職人用語とか、軍隊用語とか、投機者用語とか、學生用語とか、昔しなら、雲助用語とか、町人用語とか、士分用語とか、大奥用語とか、御所用語とかいつた類のものである。乙の方は、讃岐の方言とか、越中の方言とかいつて、もとより、そこ限りのものである(方言といふ名稱には、尙注意すべきことがあるが、これは略する)。

もと一般用であつた語が、特殊用になるといふのは、こゝでは、だんだんと、使用範圍が狹くなつて、或社會や、或場所に殘つたものをいふのである。古い時代の語がかやうにして、案外、どこかに生を保つてゐる。一方、かやうな運命になつた語があると共に、一般用としては、別に他の語が代りになつてゐることも、甚だ多い。卽ち同樣の意味で、新しい方が一般用としてあり、舊い方が特殊用としてあるのである。

ところが、理論上おしつめていへば、もとより特殊用に限られてゐるとしてゐる語でも、そのもう一つ元を探れば、やはり、一般用の語をそのまま、又は形をかへて、轉用したか、或は、一般用の語を材料にして造つたものであるから、結局は、特殊用の語は、一般用の語から出てゐると、總體にいふことが出來るのである。その中一般用の語が、亡びることを免れて、特殊用となつて、どこかに(多少は形を變へても)殘つたその語を、今はいつたわけである(これも方言といふ中にある)。

かやうに、一般には亡びた形であつて、なほ、どこかに殘つてゐる語の例。

「どうし」(どぅはauである)。琉球語で、「友」といふ義である。古い「どち」即ち「友」の義のもの。

「とうじ」(刀自と書いたものに當る。とぅはtuである)。琉球語で、「妻」の義に用ゐる。

「かつたい」古く「かたゐ」と書いた語で、「乞食」、「ものもらひ」など、「卑しいもの」の義であり轉じて、「癩患者」の義、又は、甚だしく人を惡くいふときに用ゐる語となつた。これは又、畿内地方で、「癩患者」の義で殘つてゐる。

「ひがら」又は「ひんがら」「やぶにらみ」のことで、今は、關西ところどころに殘つてゐる。「ひんがらめ」ともいふ。

（三）　語の保存

言語は、上に言つた樣に、行はれなくなれば、單にさういふ言語があつたといふ記錄だけを遺して、人口からは消えてゆくものである。日常普通の話しの中に、生命を有しなくなる。しかし、人の世には、文字がある。文字がなければ、その人の絶えゆくに從つて、言語は全く消えてゆく。世界の民族の言語の中にはその樣な運命になつたものが過去以來いくらもある。或民族が有力な他民族に亡ぼされた爲に、その言語が（他民族に幾分でも移されない限り）あと方もなくなつた例は乏しくない。ところが、文字に、その言語を寫し遺しておけば、口頭の言語として傳はらないまでも、世を隔てゝ、これを見る人に、嘗て生きてゐた言語を知らせることが出來る。これを見るものが、その國語を用ゐる國人であれば――或特別な語を除いては、甚しい時代の隔りがない限り、又、餘程格別なものでない限り――何のことか、容易にわかる方が多いから、これに親しみを感じる。

しかも、語が記錄にのみ殘つて後の人が、文字に依て、これを知るといふのは文字そのものゝ目的通りになつてゐるのである。かやうにして、古い語も傳はつていく。たゞ書中の語として傳はるばかりでなく、それと同時に、消えずに生きてゐるまゝに傳へられる語が多數にある。野蠻未開の時に、文字がなくて、口から耳へのみ傳へていくのも、なか〳〵侮り難いことであつてホメロスの言葉の如き、印度の古辭の如き、この法で、傳はつたものではあるが、文字がなければ誦するものゝ外の日常言語は、とかく保存力が弱い。現に、文字を有しないアフリカ内地の土蠻の言語は、速かに變遷して、止ることがない。

文字で言語を寫す方法があれば、言語の衰亡變遷を遲からしめる。どこまでもこれをくひとめることは出來ないが、これを遲からしめるのは事實である。殊に敎育が進めば、それが言語の保存に及ぼすことは、甚だ大きい。

敎育の普及が、言語に及ぼす有樣の、なか〳〵大きいことを、こゝに列べて擧げることを止めて、語の保存に關して、これを言つて見る。そも〳〵敎育といつても、各種の敎育があり、その方法も幾多あるが、むかし「學問」といへば、本を讀むこととしてゐた通りに、又「書生」といふ名が既に示してゐる通りに、又、支那でも「讀書人」といふ語がある通りに、書を讀ませること、書が讀めるやうに仕立てることが敎育として重要なことになつてゐる。それには、文字を知らせることが、當然附いてゐる。

而して、文字は古今の語を寫すもので、たとへ、現代の言語が寫してあるものにしても、書である以上、古今の語が交つて來る。いはゞ、書には談話などよりは、廣い時代の語が用ゐられ易い。加之、書を讀ませる中には、古語の書を讀ませることもあるのであるから、書が讀めるやうになつてゐるものは、書が讀めないものよりは、現代差當りの用語以外のものも、文字を通じて知る。故に、敎育が普及すると、語を多く知るものが增して來る。その多くの語の中には、古いものも知られて來る。古いものを知つて來るから、これを用ゐもする。卽ち自分の語藏（自分が知つてゐて使へるだけの語の全數を指して語藏といふ）の中へ古語をも採り入れる。たゞ、日常の直接交際で、人の口から我が耳へ、我が耳から我が心へ送り込む語ばかりを守つてゐないで、書中から、自由に古いものを拾つて採る。さうして、その採擇の範圍が、廣ければ廣いほど、卽ち、いろ〳〵の書を讀むに從つて、いよ〳〵古いものも、變つたものも採り入れる。かゝる人が社會に多ければ、その類の語が、文書の上ばかりでなく、直接交際の口頭にも復た出るやうになる。從て、國語として見て、古語の生命の持續も出來、古語の復活も出來、本來、もはや口頭の語としては勢を失つて、文章上にのみ漸く存してゐる、所謂文語側のものも、口頭に行はれて來るのである。であるから、教育が普及すれば、所謂むづかしい語も、世に行はれるのである。明治初年頃の一般人の言語と、現代一般人の言語とを比べて見れば、この事實が、ありありとわかる。

かやうに、語の保存持續が、教育の力で出來る間に、また、文字が語の形を幾分取締ることが必ずある。一體、語は口頭で話されるまゝに任せておけば、なか〳〵變形するもので、その勢は、豫想以上である。「ござります」「ございます」「ございす」「ござんす」「ごせーます」「ごせーす」「がいます」「ごあす」「がいす」「がんす」「がす」「ごんす」「ごす」「げす」「す」のやうに、ひどく變形する。これは、口語として、免れ難いことで、強いて、これをくひ止めようとしても、目的を遂することが、出來るわけのものではない。とかく文字での寫し方の方が、語の走りゆく後を追つていかなければならぬ有樣である。

しかし、その間にも、文字で語を寫すことがあるところでは、このやうに奔放する勢を、幾分殺いでゐるので、その幾分取締つてゐる形が敎へられてゐれば、それに依るものは、甚しい走り方をしない。これは、敎育のある社會の人と、敎育のない社會の人と、その用ゐる同意義の同語の形に就て、異なるところが、屢々見出されるのでもわかる。又所謂文章中の文語が、割合に古い姿で讀まれて、それを好む人が、その形通りに言つてゐるのと、全く通俗の口語として使つてゐる語が、遂に文字では寫せないほどに、變形してゐるのとを比べてもわかる。その日暮しの貧民仲間の言葉が、恐ろしく手短かである事實は、更に、これをよく證明してゐるものである。かの所謂方言も亦こゝの證明に用ゐられる。

以上は、一の國語內でのことであるが、他國語中の語が、渡來して、先方ではなくなつて、こちらで保存せられてゐることもある。むかしの支那語が、先方では消えてゐるのに、日本語內には保存せられてゐる如きである。勿論、國がかはるから、語音上の變形は免れないが、むかうで消滅し去つたのに比べれば、うちらはよく保存してゐるのである。これにも、敎育の力は見逃すわけにはいかない。

斯くて古典文藝は、イタリーを出發點として、漸次ドイツ、フランス、イギリス、スペイン等に波及した。北歐の各地に文典學校《グラムマースクール》とかラテン語學校とかゞ建設されたは此の時代の事であつて宗教教育の外に初めて純粹の人文主義的教育が此の時代から初まつたのである。吾々はこゝに細かに北歐に於ける古文藝普及の經路を説明する要が無い。當時の先覺者が種々な困難と反抗とに打勝つて、徐々に人間の自然生活を敎へる古文學を各地に普及させたことを記憶すればよい。斯かる先覺者中最も有名な人だけを擧げれば、先づドイツにはラテン文學の熱心な復活者であつたアグリコーラ（Agricola 一四四三——一四八五）が有り、ギリシャ語に精通してイタリー人を驚かせたロイヒリン（Reuchlin 一四五五——一五二二）が有り、又當時の最も偉大な古典文學者としてフランス、イギリス、ドイツ等ヨーロッパ各地に最も廣く且深い影響を與へたオランダ出のエラスムス——第一近代人と稱へられた大エラスムス（Erasmus 一四六六——一五三六）等が出現した。此の外イギリスにはトーマス・モアー（Thomas More 一四七八——一五三六）アスカム（Ascham 一五一五——一五六八）等知名の文學者が出で、ドイツには有名なメランヒトン（Melanchthon 一四九七——一五六〇)が現はれて、近代ドイツの人文主義的教育制度——ギリシヤ、ラテンを基礎とする人文教育の基礎を確立するに至つたは著名な事實である。當時の英女王エリザベスは十六歳にしてラテン語及びギリシヤ語を語り、シセロやリヰーまでも讀み、兼ねて當時のイタリー及びフランス文學にさへ通じたと言はれる。

第三節　イタリーに於ける文藝復興

同じ文藝復興と言つても、南歐殊にイタリーに於ける文藝復興と、北歐佛英獨諸國に於ける文藝復興とは、國俗の相違に基づいて、彼れ此れ甚しく面目を異にしてゐた。即ちおほまかに言へば、イタリーに於ては嚴肅な道德的氣分が缺げて、いづれかといへば、無規律放縱にさへ見るほどの現世的な快樂追求的な感性的な耽美的傾向が著しかつた。北歐の嚴肅な道德的又は宗教的傾向に對して、南歐の輕快な動もすれば無節制とも見えるやうな放縱奔騰の傾向は、特にイタリーに於て著しかつた。勿論イタリーは、文藝復興の母國であつたから、直接ギリシヤ及ラテンの文藝に倣つて、中世紀的禁欲生活を捨てゝ、直に官能の自然生活に走らんとする傾向を示した。生活の形式に於て、すべて中世紀的傾向を捨て、何事に於ても、自然の欲望本能傾向を追はんとする傾向を示した。これを文藝や藝術の方面から言へば、中世紀に於ては、宗敎上の神秘とか敎祖キリストに關する奇蹟とか、すべて非人間的な事柄が詩や美術の對象と成つて、純粹人間に關する事は、寧ろ不純な事神聖をけがす事柄として排斥された。然るに十五世紀以後のイタリーに於ては、宗敎上の人間といふよりも、寧ろ自然の人間が藝術の主なる對象と成つた。あらゆる強烈な官能的欲望を備へた人間、快樂を追求し戀愛に耽り更に肉感的刺戟をさへ求めた人間が總ての藝術の對象と成つた。マドンナとか、キリストの弟子とか、敎祖の復活とか、あらゆる宗敎上の人物や事件やが藝術の對象であつた場合でも、此の場合のマドンナやキリストやは、たゞ超自然的な又は非自然的なものではなく、寧ろ自然の人物又は現實の事實として取扱はれ描き出された。藝術壇に於ても、此の時代に於て、初めて人間が發見されたのであつた。

(イ)イタリー藝術の特徴　第十五世紀から十六世紀へかけて、短い時期ではあつたが、イタリーの藝術壇は、一時に百花の咲亂れたやうな絢爛の光景を呈した。

當時のイタリー藝術の特徴は、簡單に言へば、眼もくらむばかりの光彩陸離たるあやそのものであつた。北歐の藝術に見るやうな峻嚴な宗教的傾向とか、深い神秘的な思想とか、すべて其の種類の深さは、イタリーには缺げてゐた。深い思想や傾向やが缺げてゐた代りに、總て感性的に香ばしいもの美々しいもの派手なもの濃厚を極めたもの、光彩陸離目を奪ふやうなものは、イタリー藝術が最も得意とした本領であつた。殊に最も鮮明に視覺に訴へられる造形的特徴はイタリー藝術の根本特徴であつて、此の點に於ては、到底他民族の追從を許さなかつた。すべてを畫模樣にして眺めること、最も鮮明に事物を摑むこと、五色のあらゆる色どりを最も濃厚に最も鮮やかに織り出すこと、これ等がイタリー人に根本的な傾向であつた。斯やうな特徴を備へてゐたゝめ、イタリーの文藝復興期に於ては、古典文學や哲學やが盛に持囃されたに拘らず、文學とか詩とか哲學とかいふ方面は、さまでの發達を示さずして、主として繪畫、彫刻、建築方面の造形美術が異常な開發を遂げた。イタリーはどこまでも畫の國であり彫刻の國であつた。そこにまたイタリー人の本領が存した。

（ロ）イタリー文學　文學の方面に關しては、こゝに精しく叙述する要が無い。新興イタリー文學は既に十三世紀末の大文豪ダンテ（Dante 一二六五――一三二一）に始まつたと言はれる。ダンテは中世紀のスコラ哲學の精神を歌つた者であるから、其の題材もまた宗教的なもの靈的なものに限られたが、然かも彼れが歌つた高い靈的な戀愛の歌には、永遠な人間性の精髓に觸れる精神が籠つてゐたところから、直に近代文藝の先驅とも言はれた。前に記した十四世紀末のボッカチオは文藝復興期に先だつて、早く既に新代の傾向を代表した。快活な官能的な享樂的な彼れは、道德とか宗敎とかには無頓着に、官能的な人間性の自然の發露をば飾らず詐らず其のまゝに歌ひ且記述した。彼れは有らゆる愉快なもの美しいものを追求して已まなかつた。彼れが有名な小話集『デカメロン』（Decameron）は、人生に有りふれた戀や狂氣や詐欺や劃策や、すべて可笑しいこと悲しむべきこと憐むべきことを、そのまゝ理想化せずに描き出したもので、ダンテが『神曲』に對して、まさに人間の曲卽ち『人曲』と批評された。彼れはダンテのやうな理想家ではなかつたのである。

さもあれ文藝復興期の代表的文藝家といへば、普通には彼の『オルナンドー、フューリオソー』(Ornando Furioso)の作者アリオスト(Ariosto 一四七四——一五三三)が指さゝれる。彼れは確に英佛等の作家にまで影響を與へた時の流行兒であつたが必しもダンテのやうな高い理想を持つたでもなく、又シエクスピヤのやうな多面的な詩人でもなかつた。彼れはどこまでも「藝術のための藝術」派の詩人であつて、すべてを畫のやうに美しく細かに而も鮮やかに描出すが其の本領であつた。言葉によつて美しい畫を書くこと、それが彼れの本領であつた。深い情熱は無くとも、細かに官能的に活きんことゝ人物や事件を寫し出す、そこに彼れの長所が有つた、と言はれる。眞の深い宗教的情熱を缺いだかぎり、彼れは遂にミケランジェロの高さに登ることが出來なかつたのである。

更に思想方面(散文又は論文)から當代のイタリーを最もよく代表した者は、彼の有名な『君主論』の著者マキアヱリ(Machlavelli 一四六九——一五二七)であつた。此の『君主論』は、苟も一國の君主たる者は、其の國の發達及繁榮のためには、瑣々たる道德などに頓着なく、如何なる手段をも用ふることが出來ると主張したもので、所謂目的のためには手段を選ばずと豪語した著述である。然かも正しく此の著述の意義を理解するためには此の著述は、文藝復興期のイタリーの風潮を代表したもので、其の長短兩面を赤裸々に代表したものであることを明らかにしなければならぬ。道德的精神の頽廢は、明らかに當代の風潮で、マキアヹリはまさしく此の頽廢的氣分を代表した。彼れは瑣々たる道德等は顧ず、一意古代ローマ帝國の壯嚴や、古代ギリシャの偉大さを追憶して、フローレンスを中心とする當時のイタリーをば如何なる手段を盡しても、古への壯嚴さに返へさばやと熱望した愛國者であつた。こゝにルネサンスの氣分が最も活き活きと動いてゐた。單にこれのみでない、彼れは當時のイタリーを見すぼらしい狀態に陷れたものは、ひとへに永い中世紀のキリスト敎であつたと觀た。自然の人間生活を殺したものは、實に中世紀の宗敎であると主張した。こゝにもルネサンスの精神が活潑であつたは明白である。

(ハ)イタリー藝術　イタリーの文藝復興は、嚴密には新らしい藝術――繪畫彫刻建築等の勃興であつた。此等新藝術の勃興のために、イタリーの文藝復興期は、廣い世界文化史の上に永遠の尊い意義を備へてゐる。中世紀の宗敎的な非自然的な繪畫や彫刻から、近代の自然的な人間的な繪畫や彫刻に進むまでには、其の間に可なり永い間の變遷が有つた。第十三世紀頃から十五世紀に至るまで、殆ど無數の彫刻家や畫家が輩出して、熱心に自然の美就中人體の美を研究した。あらゆる技巧方面から、あらゆる解剖的方面から、熱心に人體美の本質が研究された。斯くて十五世紀の終りから十六世紀へかけて、イタリー藝術の黄金時代が現はれた。ヰンチ、ラファエル、アンジェロ、コレギオ、サルトオ、ティティアン等の天才が陸續輩出して、文化史上不朽の名作を後世に殘すに至つた。吾々はこゝでは、單にルネサンスの思潮といふ方面から、簡單に此等の天才の傾向を瞥見するに留める。

イタリーの文藝復興的精神は、最も顯著な形に於て稀有な天才リオナルド、ダ、ヰンチ(Lionardo da Vinci 一四五二——一五一九)によつて代表された。彼れが文化史上稀な多方面的天才であつたことは、先づ文藝復興の擴大的な豐富な精神を最もよく象徵してゐた。卽ち彼れはすべての方面に於て一流の天才を示した彫刻家であり畫家であり又建築家でもあつて、同時にまた工藝上戰術上の諸機械の發明や、樂器の發明にまでも異常な才能を示した快男兒であつた。啻に藝術的並びに實際的方面ばかりでない、數學力學其の他、自然科學上非凡な才能を有し、單に此の方面のみにても異常な天才を備へてゐたと言はれる。若しそれヸンチが根本精神はといへば自然に對する最も敬虔な態度であつたと答へられる。古文學よりは直接に自然が彼れに取つての崇拜の的であつた。彼れに取つては、自然はたゞ雜然たる機械的現象ではなくして、實に無限の眞理と神秘とを包藏した最も貴むべき寶庫であつた。否、自然は彼れに取つては、直に無限の神そのものであつた。繪畫にせよ、彫刻にせよ、文學にせよ、學術にせよ、自然を其のまゝ師とすれば、吾々は直に無限の寶庫に進入することが出來ると。これが自然に對するヸンチの情熱であつた。綿密に確實に經驗的事實を積み重ねるといふ科學的精神も、既にヸンチによつて立派に實現されたと言はれる。

更にまた生れながらの畫家と稱へられたラファエル(Raphael 一四八三――一五二〇)は最も圓滿な形に於てイタリーのルネサンスを代表した天才であつた。彼れの人格が花の如く美しく優さしく、至純にして全然人生の罪惡を知らなかつたと稱へられたやうに、彼れの藝術は最も完全に彼れの人格に一致したものであつた。

如何なる對象にむかつても困難といふことを知らず、直にすべてを美はしく圓滿に描き出したといふがラファエルの天才であつた。彼れには純な宗敎的精神が有つた。然かもそれがギリシャの異敎的精神とさへも完全に融和して、そこに至純至潔な自然的なルネサンス的藝術が現はれた。何等の不自然も何等の細工も無く、たゞ自然のまゝに美しく優さしく而も氣高く描き出されたがラファエルの藝術であつた。

斯やうな至純なラファエルに比較すれば、寧ろ多少北歐的とさへも感ぜられるミケランジェロ(Michaelangelo 一四七五——一五六四)は、壯嚴な嚴肅な高く且深いルネサンスの一面を代表した偉大な藝術家であつた。イタリー式な輕快な絢爛な趣とは異なり、例へばギリシャのエスキロスや、前代のダンテやの如く、高く深い內容又は精神を宿したが、此の大藝術家の特徵であつた。彼れがイタリーのエスキロスと呼ばれ、又非常に深くダンテに私淑したことは、決して偶然でなかつた。彼れは或意味から言へば不幸な藝術家であつた。自己の好む所に從つて、自由に自己を發揮する自由をば、可なりに妨げられた不幸な藝術家であつた。彼れの靈魂の奧には一種深い悲哀の精神が、到底拔くべからざるさまに強い根據を据えてゐた。當時のイタリー人の道德的墮落は、彼れの精神に最も深刻な暗影をなげてゐた。時の殉敎者サボナロラの深刻な罪業觀——當時のイタリー人を罪業に墮落したと宣言した精神は、アンジェロに最も深い感動を與へた。斯くして彼れは最も峻嚴な嚴格な基調の上に立つた最も眞面目な藝術家であつた。彼れが殘した幾多の繪畫には、壯嚴偉大な精神が直に人に迫る概が有る。然かも若し單に嚴格一方であつたならば、アンジェロは恐らく偉大な藝術を大成することが出來なかつたかも知れない。峻嚴な精神と併せて、彼れはまた最も優さしい最もデリケートな微妙な特徵を備へてゐた。此の徵妙な特徵が無かつたならば、彼れは決して彼れの藝術を大成することが出來なかつたであらう。斯くして最も優美な精神と、最も峻嚴な傾向と相合し、而も此の稀有な特徵が天地の創造といふ如き大規模な詩想に發揮されたさまは、どこまでも壯嚴なルネサンス的精神を代表したものと見られる。彼れが畫家は須べからく先づ偉大な人格の所有者でなければならないと喝破したは、早く旣に最近代藝術の特徵を豫言したとも觀られる。

最後にこゝで記憶さるべきはヱネチア(ヱニス)派の天才畫家ティティアン(Titian 一四七七——一五七六)である。由來ヱネチア派は絢爛たる色彩の美と濃厚な感能的特調とを以て有名であつたが、ティティアンはまさに此のヱネチア派の特徴を代表した天才であつた。彼れは必しも高い宗敎的精神を持たなかつたが、其の得意な色彩の美とはでな官能的刺戟とを以て、すべての物を美しく優さしく寫さなければ已まなかつた。彼れが畫いたマドンナは、どこまでも人間としてのマドンナであつた。

(二)附スペイン文藝　　強烈な武勇と頑強な宗敎的精神とを備へてゐた、スペインは、彼等の壓抑者であつたムーア人を追放し、更に世界的に領土を擴げて、女王エサベラ時代には、一時國運隆盛の勢に達した。斯の時イタリーから文藝復興の氣運が傳達されたのであるから、勢ひ新文藝新思想は勃興せざるを得なかつた。吾々はこゝで精しくスペイン文藝を觀察する餘地を持たない。たゞ有名な文學者セルヴンテス(Cervantes 一五四七——一六一六)や劇作家ロープ、デ、ヱガ(Lope de Vega 一五六二——一六三五)等の名を記載すればよい。元來スペインと言へば、軍事的にも宗敎的にも頑瞑と思はれるくらゐ激烈頑强な一般的傾向を有し、これに東洋又はアラビヤ人から受けたワイルドな感性的な强烈な傾向が加味されて、一般には可なり荒唐奇怪な風潮さへも著しかつた。斯やうな中世的な奇異な風潮に反抗して、どこまでも普通な自然な有りのまゝの精神を進めて行かうとしたがセルヴンテスで、彼れが有名な作『ドン、キホテ』(Don Quixote)に於て中世的遺物が遺憾なく驅逐されたやうに、彼れはスペイン文藝をルネサンスの新らしい方面へ導いたと言はれる。又ロープ、デ、ヱガは、必しも大なる精神を備へた詩人ではなかつたが、文藝復興の新氣運に乘じて、自然の生活を寫し出した新らしい劇を創造したことに於て著名であつた。彼れの名聲は當時北歐諸國にも高かつた。

第四節　北歐諸國に於ける文藝復興

直接イタリーから輸入された古典文學の復興が佛獨英諸國に普及したことは前段既に概說した。此の古典文學普及と並んで、佛獨英各國にはそれ〴〵特殊な新興的氣運が動いた。イタリーのに比較して、北歐の文藝復興が一般に莊重にして道德的乃至宗敎的氣分に富んでゐたことは、これも前段に既に略說した。北歐諸國のうちフランスは、イタリーに最も直接な關係を備へてゐたゞけ、北歐に於ては文藝復興の中心で、大體の傾向もまた最も多くイタリーに似よつてゐた。これに反してドイツには、古典文藝が復活されたに拘らず、イタリー風な輕快な新興的傾向はまだ起こらなかつた。此の國に於ては、自由な文藝の代りに、主として宗敎的方面に於て、一大新興的氣運が動いた。卽ちルーターによつて指導された宗敎改革これである。宗敎改革は、單にドイツのみならず、北歐全體に波及したのであるから、此の點から言へば、北歐のルネサンスは著しく宗敎的であつて、宗敎改革は直にルネサンス的精神の一發現であつたとも觀られる。殊にドイツに於ては、一般の傾向はまだ甚しく中世的であつて、宗敎改革が殆ど唯一のルネサンスであつたとも言へる。宗敎改革そのものに全力が傾注されて、他の文化方面にはまだ何等特殊な發達を示さなかつたのである。故に主として文藝方面から、北歐諸國中最も異彩を放つたものは英國であつて、英國に發達した文藝のために、北歐は初めて大なるルネサンス的精神をエンジョイし得たと言はれる。事實エリザベス時代の英文學は、イタリーの藝術と並んで、文藝復興期を飾る歐洲文化の偉觀——近代文化の最初の光明であつた。

（イ）フランスの文藝　古典文藝が熱心に取入れられ、自然のまゝの人間の感情を歌つた叙情詩が勃興し、更にフランス語の文體をば整つたラテン語の形式によつて根本的に訂正し刷新した等の事實を外にしては、此の國には特に目だつたほどの著しい出來事は無かつた。然かもイタリーの文藝復興は直接こゝに傳播し新興のルネサンス的風潮は忽ちこれまでの中世紀式傾向を破壞した。近代フランスの精神は確に此の當時に發生した。ラテン系の民族であつたゝめ、フランスが最も親密に古典文藝殊に古代ラテン文藝と關係し、其の整つた精神を直に自己のものとなす、といふ長所を持つてゐた。形式に於て整頓した最も典雅な趣を備へた近代フランス文藝は、重に此の當時から徐々發達したのであつた。

イタリーのアリオストオや、イギリスのシェークスピヤや、スペインのセルヴンテスと並んで、フランス當代の文豪と稱へられたは、彼の「笑の思想家」と名づけられたフランソア、ラブレー（François Rabelais　一四八三――一五五三）であつた。彼れが文藝の特色は、主として快活なユーモアに存した。彼れは最初中世紀式寺院に於て教育され、其の不自然にして非世間的な束縛や壓制やに驚きあきれ、慨然として八間に自然な快活な生活を主張し肯定するに至つた。彼れは事ごとに干からびた中世紀の禁欲的傾向を嘲笑し、あらゆる不自然にして非社交的な生活を罵倒し反對に快活なルネサンス的な傾向や生活やを高調した。涙は決して人生の眞相ではなく、笑こそは其の精髓であり本體であると主張した。彼れの有名な作『ガルガシュチユアとパンタグルール』(Gargantua et Pantagruel)は、形式こそ中世紀式なファンタススチックなものであつたが、あらゆる中世紀的傾向を嘲笑したところに、當代の新興的精神が現はれてゐた。況や此の作は、後のルソーの『エミイル』と並べ稱せられた自然本位の積極的な教育精神が宿されてゐたに於てをや。

自由思索家として、又近代のエッセイスト(評論家)の最初の人として、フランスの後期文藝復興期の傾向を代表したモンテイヌ(Montaigne 一五三三——一五九二)に就いては、特に精しくこゝに叙説する要が無い。彼れが如何に深く自然を尊崇し、又如何にすべてを自然の法則に從つて處置しようとしたかは、彼れの論文によつて今日まで既に廣く世間に知られた事實である。普通に彼れは懷疑家と言はれるが、嚴格な意味に於ての懷疑家ではなく、實は大自然の無限の奧妙不可思議に對しを容れて同年アルゼシラスに列國會議を開らき摩洛哥問題に關して協議するを約した。

斯かる獨帝の餘りに突飛な而かも他を見縊すぎたる行動が佛國は勿論英露その他の反感を助長したのは理の當然であるが、是れぞ今次の戰亂を誘致せる素因の一であらねばならぬ。

斯くてアルゼシラス會議の開らかるゝや三國同盟の一員たる伊國の如き迄も佛國側の主張に贊成したので獨逸は殆んど孤立の地位に陷いつた。

すると又一九〇七年既に佛國と握手したる英國は更に又露國と波斯、阿富業斯坦及び西藏に關して妥協的協商を遂げ此迄久しく兩國間に蟠まれる一切の紛爭を一掃して了まつた。斯くの如くにして世人の所謂「三國協商」なるものゝ成立を見るに至つた次第であるが、又一方伊太利はトリポリス問題に關して佛國と妥協せし以來佛國に對する反感も自然消滅し、却つて同盟國たる墺匈國とは由來アドリア海並に巴爾幹問題に關して利害の一致を缺いで居た所からして漸やく三國同盟に對して不滿を懷くもの多く、特に英國とは本來親善の間であつたので、三國協商側に接近するの傾向を示した。

斯くて英國エドウアード七世の「獨逸包圍政策」は着々として成功し獨逸は次第に孤立無援の苦境に陷いり唯一の友國としては墺匈國のみと爲るに至つた。茲に於て一九〇八年墺匈國がボスニヤ、ヘルツエゴヴイナ二州(即ち曾て伯林條約に據りて土耳其よりその占領權を獲取したる地方)の併合を宣言するや、獨逸は極力之を支持して露佛英等の抗議を斥ぞけしめた。而かして叉塞爾維が自己の勢力範圍として認めて居たる右二州が墺匈國の爲めに奪取せられたるを深かく憤ふり露國の援助を求めて墺匈國に敵抗したるに獨帝は露帝に親電を發して之を威嚇しその手を控かへせしめた、此の結果墺匈國は遂にその目的を達するを得たのであるが、之が爲に塞國の深かき怨恨を買ひ今次亂戰の直接原因たるサラエヴオ事件を釀成せしめたのである。

その後一九一一年佛國が摩洛哥の反亂に乘じて兵をその首府フエツスに進め之を占領するや、獨逸は之を以て條約違反なりと稱し直ちに軍艦パンデル號を摩國の西岸アガヂール港に派し示威運動を行ふた。然るに此の時英國は決然起ちて佛國を支援し而かも極めて强頑の態度を示したので、獨逸政府は形勢の己れに不利なるを見て餘儀なく讓步し佛領コンゴーの一部割取を以て甘んじた。すると之を聽きたる獨逸國民の多くは大に政府の腑甲斐なきを憤慨し帝國議會の一大問題と爲つた程で、今次大戰の禍因は既に此の時に胚胎したのである。

尙此の外に大戰の原因として擧ぐべきものは、歐洲列强の軍備競爭であるが、一體此の競爭は一八八六年に佛國がブーランゼー將軍の提案に基づきて陸軍の平時定員をば五十萬餘に增加したのが抑もの始まりであつた。その當時獨逸の平時定員は四十二萬七千であつたが、ビスマルクは之に對して七年計畫の下に四萬一千を增加し、次で一八九三年宰相カプリヴイー伯が更に之を增加して、平時定員を四十七萬九千とした、而して伯は之れと同時に服役年限三ヶ年をば減縮して二ヶ年と爲したが、此の結果徵兵たるべき個人の負擔を輕減すると共に軍事敎育を受くべき人員は却つて非常に增加し、隨つて戰時人員も著るしく增加する事となつた。然るに佛國は人口が比較的に少ない上にその增加率が每年減少する一方であつたので到底長く獨逸と斯かる競爭を持續することが出來なくなつた。是れぞ一八九六年に佛國が露國と二國同盟を締結するに至つた所以であつて、即ち佛國は獨逸との軍備競爭に敗れたるを自覺したからである。

その後獨逸は一八九九年に向ふ六ケ年を期して常備軍を四十九萬五千とし更に一九〇五年に至り五十萬五千に增加した。而してその擴張の理由として佛國の戰時人員が尙獨逸に超過して居るばかりでなく佛國が更に三年兵役を改めて二年兵役と爲す以上尙一層優勢となるに至るべき事を指摘した。すると忽ちその影響をば佛國に及ぼし佛國元老院は一九〇五年の春新陸軍法案を可決し、代議院が後備軍の每年點呼召集の日數を輕減せしめんとする諸修正をも一切削除して了まつた。斯くて佛國は一八八六年以來漸次陸軍を擴張し來たのであるが遂に平時定員を五十四萬五千に戰時人員を四百萬に增加した。一方獨逸は同年間に於て戰時人員を約五百四十萬に增加し、その編制にしても又裝備にしても佛國に優るも決して劣る所なく、特に人員に於ては遙かに優勢を示すに至つたとは言ふもの丶、佛國が獨逸の優勢を打破する爲めに露國との軍事同盟を結んで居る以上獨逸としては不安を感ぜざるを得ない、故に一九〇九年に至り著るしく陸軍費を增加して軍備の擴張を圖つた。

越へて一九一一年アガデール事件の起るや獨逸は佛國に對して攻勢的に出んとした。然るに英國が決然起ちて佛國を援助したので、獨逸は尙兵力の不足なるを悟つて手を控へた。此の結果翌一九一二年更に陸軍擴張案を議會に提出した。すると此の時偶ま巴爾幹戰爭起り半島の形勢が全く一變し獨逸の東漸政策は之が爲めに待命的打擊を蒙むつたので、翌一九一三年更に平時定員を八十七萬に增加し戰時人員を五百四十萬と爲すの新陸軍法案を提出した。

獨逸に此の擧あるを探知せる佛國は直ちに同年三月高等軍事參議會を開き三年兵役を復興し、戰闘員を增加するに決議し、獨逸の前記新法案が六月三十日を以て議會を通過するに先だち佛國首相は五月十五日議會に告ぐるに本年秋季二次兵役を終へたるものを留めて現役に置かんとするの旨を以てした。而かも佛國の新陸軍法案は七月十六日に至り議會を通過した。之より先き數週前白耳義も亦從來の兵制を變更して擧國皆兵主義を採るに決し、露國の如きは同年七月八日の議會に於て秘密會議を開らきて新陸軍豫算案を可決して服役年限を短縮して戰時の動員を著るしく大ならしめたのである。

斯くの如く歐洲列强は既に大戰前に於て軍備擴張の競爭に忙殺せられつゝあつたのであつて、ヘーグに於て開かれたる前後二回の萬國平和會議の如きも此の趨勢を抑止するの力なく世人をして歐洲の現狀は平和の爲めの武裝に非ずして武裝の爲めの平和に外ならぬと云ふ感を起さしめたのである。單に此の事實に徴しても今次の歐洲戰亂が偶然の結果で起つたのでは無く、幾多の國際的危機が既にサラエヴォ事件以前に於て深かく伏在して居たことが何人にも容易に推知し得らるゝであらう。

第二講

大戰と英獨關係

今次の大戰が一面に於て英獨の爭覇戰であつたことは否定することが出來ない。依りて有名なる佛國前外相ガブリエール・アノトー氏の著「歐洲戰亂史論」(一九一五年出版)は此の點に於て極めて公平に而かも詳細に論じて居るから、之を紹介することゝしやう。

一八七〇年の獨佛戰爭以來英國の獨逸に對して取りたる態度は一九〇一年エドウアード七世の卽位と共に一大變調を來たした。卽ち一八七〇年より一九〇〇年に至る第一期間に於ける英國外交政策は國際間の大問題に對して常に獨逸と和協共同の方針を維持し來つたのであるが、第二期に至りては漸くその進路をば露佛同盟との接近に取り或は英佛間の所謂「和親協商」と爲り或は英露間の中亞協約と爲り、斯くて三國協商を形成し、一九一二年には兩國參謀本部間に協定を遂げ遂に現戰亂の勃發するや共に獨逸に抵抗して起つに至つた。

最初の第一期間に於てはチヤンバレン氏長く獨逸に親しみ佛露を敵視するの政策を代表して居たが、「獨逸製品」との競爭以來漸やく獨逸に對する猜忌の念を加へたると同時にエドウアード七世の位に卽くに及び、その全治世間を通じて前記第二期政策を取るに至つた。されど此期間に於ても英國の計畫と決心とには常に多少曖昧の點が存在して居た。卽ち一派の自由黨員は勿論閣員中にも獨逸に同情を寄せて居たものが少くなかつた。

斯かる次第であつたので、三國協商は果して同盟的性質のものであるか、又戰亂勃發の際に於ける倫敦政府の佛露に對する同情的宣言が如何なる程度迄安心して可なるかゞ一疑問と爲つて居た。而かも此の疑問は英國宣戰の當時すらも尙分明でなかつた。然るに遂に英國が斷乎たる決心を爲すに至つて獨逸の外交は全たく失敗に歸した。尙之より少しく此の間の消息に就て說かう。

抑も英國が制海權を把握してその統治權を全世界に伸長せんとしたる以來、その帝國を保護する爲めに、飽迄も此の制海權を維持するを以てその政策の主たる目的と爲したるは自然の歸結である。要するに大不利顚《ブリテン》をして全世界との通商と又本島に需要品を供給するの方法とを平和的に發達せしむべき有ゆる條件を確保するの必要を有せしめたのである。

斯くて英國は一九〇一年頃迄最大の危險は佛露方面より來たるものと信じて居た。然るに一九〇一年以後に至り獨逸の日增しに發展し往く勢力が寧ろ一層危險多くして英國商業は勿論その制海權並に本國の安寧を脅かすものであると云ふことに始めて氣附いた。茲に於て英國の覺悟は全く一變し愈々と云ふ場合には他に卒先して獨逸に當たると云ふ決心を有するに至つた次第である。

一八七〇年の戰爭が第一に歐洲に及ぼしたる影響は何んであるかと云ふに、露國をして佛國の失敗は露國の傳統的政策にその代償を求むるの機會を與へしめたものと思惟せしめた事である。實にゴルチャコフこそ此の政策を採つた第一人者であつて彼れは歷山帝を誘して一八七七年の露土戰爭を惹起せしめたのである。依りて此の時英國は君府に對して大に危惧の念を懷だくに至つたが、墺地利も亦露國の巴爾幹に於ける野心に對して不安を感じた。斯くて英、墺兩國は獨逸の援護の下に相接近し、露國は戰爭の餘光末だ消へざるに伯林會議に於てビスマルクの慫慂を受けたる歐洲列國の爲めにその目的を阻止せられた。ビスマルクは此の政策の頭目であつたが、その實その製作者はビコンスフィールドであつた。彼れは所謂「平和と共に名譽」を齎らし意氣揚々として倫敦に歸へつた。英露確執の新事實は斯くの如くにして生れたが、獨逸は實に此の時滿足せる第三者であつた。

伯林會議に於て更に他の國際上に於ける一結果が現はれた。那は何事であるかと言ふと、英獨兩國が一八七五年の事件の結果である佛露の接近を妨げんが爲めに妥協して佛國にチユーニスを提供した事である。

佛國は此の時既に辛ろうじて獨佛戰爭の創痍から癒へたものゝ、大陸方面に於て獨逸の武力の爲めに封鎖せられたと同樣な形と爲つたので、その發展の路をば海外に求めた。而かも佛國は世界が決して何時までも無主物では居ないと云ふ事を悟つたからである。

精力絕倫なるレセップの創意に依つて成つた蘇西運河の開通は地中海方面に於ける佛國の運命に新たなる光明を投じた。然るに久しく運河開掘に反對して居たる英國の爲めにその後まんまと運河會社の株劵の半を買收せられたのでその歷史的勢力を恢復しやうと努めた。此の結果佛國は英國と埃及に於て相競爭するに至つた。

英國はその世界的連絡に對して露國の膨脹と地中海に於ける佛國の發展とを恐れたるも、獨逸は全然大陸的であり、特にその北方に偏して居るので、毫もその勢力を恐るゝに足らずと思惟し、奮然として專ぱら露佛に對する勢力の爭に投じた。

斯くて一八八二年より一九〇二年に至る年間は歐洲以外の土地征服の時代であつた。又同時に英國の帝國主義全盛の時期であつた。此の時歐洲には獨、墺、伊の三國同盟が成立したものゝ、そは英國の政策には別に何等の不安も與へなかつた。そこで英國は反つて墺地利をば共にスラーヴに對抗すべき盟邦なりと思惟し、一方伊太利を以て地中海及紅海に於ける佛國の發展に對する支據點なりと爲した。されば一八九一年に締結せられたる佛露同盟は大に英國の疑念を刺戟することゝ爲つた。

此の長き彷徨の幾變遷の間英國は常に獨逸に密接し屢しば之れが後援を請ふた。斯くて埃及問題に於て英國を援けたるも獨逸であつたが、一八九三年に英國と倶に東阿弗利加を分割したのも獨逸であつた。英國は同情的援助を以て獨逸殖民帝國の創設に便宜を與へ殖民地整理の際には又何等の價値もなき土地の交換物としてヘルゴランド島をば獨逸に割讓し今日では大に之を後悔して居る。

英國は獨逸と相談の上露國に對抗して殆んど同時に膠州灣と威海衛の占領を決定し、一九〇〇年には支那の運命を目的とする綜合案に賛成し、又之れと同時に伊太利を犧牲に供せしめて上部埃及と蘇丹とを奪收した。

英國は又對露政策として日本と同盟し以て奉天に於ける露國の慘敗を準備した。一方暹羅チユーニス、マダスカルの問題やコンゴー及ナイルの占領に依りて佛國と國交斷絕を見んとした事が一再にして已まなかつたが、遂にフアシヨダ問題より危機旦夕に迫まらんとしたが、兩國政府の限りなき自制により火事に至らずして已んだ。

英國が摩洛哥に佛國の正當なる國力の扶植を見るを恐れて摩洛哥の運命を獨逸に一任しやうとしたのは至大なる過失を犯さんとしたのである。一九〇〇年支那に關する英獨協商の成立後獨帝は聲明して云ふた「獨逸以外の最大チユートン(英國を云ふ)との協和は將來世界の市場に於ける兩國民の共通努力に取りて最も有力なる補助である」と。然るに此の政策は偶まトランスヴアール戰爭の爲めに意外なる障碍に遭遇した。开は外でもないが、チエンバレーンやセシル・ローヅの帝國主義は一八九九年に至り遂にトランスヴアールとの戰爭を誘致した。すると獨逸は此の機に乘じて强請的に英國と握手し之をして「光榮ある孤立」を捨て三國同盟の味方たることを餘儀なくせしめんと圖かつた。

そこで戰爭の起つたのは十月であつたが、その翌日卽ち十一月に維廉二世は宰相ビユーロー伯を隨へて倫敦を訪ふた。するとその二十七日に伯は先づ外務省に到りて突然英國が三國同盟に加入するや否やをソリスベリー卿に質問した。時にソリスベリーは彼に向つて英國は自國の利害と直接關係なき紛爭の渦中に投ずることが出來ぬと答へたのでビユーローは直ちに又チエンバレーンを訪問して之を說服しやうと思ひ「貴下は英國民主黨の首領である、されば英獨聯合の實現は貴下獨り克く之を行ふことが出來る」と告げた。然るにチエンバレーンも亦ソリスベリー卿と同一意見を有し、英國と三國同盟との合同を云爲するは全く無益である旨を答へた。そこでビユーローは尙執拗にも「少なくとも協商は可能なるや否や」と質したるに、之に對して別にチエンバレーンは否とは答へなかつた。斯くて協商に關して會談數刻に及んだが、チエンバレーンはそれより三日後にライスターに於て行ひたる英獨和親協約に就て贊同の意を述べた。然るにソリスベリー卿が彼れに偏僻なる意見を固執した爲めか、それとも第一回の談判の不調なりしに由るかは判然しないが、兎に角チェンバレーンの創意は英國に於ても獨逸に於ても極めて冷淡を以て迎へられた。そこで此の事件は之にてその發展を止めチェンバレーンは自分の意見を容易に斷念し得なかつたが、偶々エドウアードセ世の位に卽くに及びて始めて之を斷念した。

その後トランスヴアールの戰爭中獨帝の英國に對する態度は漸やく曖昧と爲つて來た。帝は此の機を利用して獨逸との同盟の價値を英國に感ぜしめんと欲した。然るに一方ゼームソン遠征の際獨帝はトランスヴアールの大統領クリューゲルに同情的親電を發したが、此の一事は南阿に一大反響を惹起せしめた。

（アノトー氏は獨帝が此の親電を發して獨逸は佛露と倶に起ちて英國の第一回の失敗を待ちて之に干渉し以てボア人を救ふべく大統領として信ぜしめたるの事實を叙し、此の獨帝の無節制なる言辭と輕佻なる行動とは英佛兩國の關係に痛歎すべき結果を及ぼしたりと說き、更にエドヴアード七世の政策に就て次の如くに論及した。）

エドウアード七世が王位に卽ける時卽ち一九〇一年一月二十二日王は十分に

熟考せる佛國との接近策をば深かく胸裡に祕めて居た。而して王は已に卽位前久しき間ビスマルク主義の政策に對して幾多の大なる疑惑を有して居たが、王の昵近者は一朝エドウアードの王位に卽くに至らば老朽、躊躇、病的なる英國に代りて活氣あり剛健にして且つ傲然たる英國の現出を見るであろうと信じて居た。されど是等の思想は王と國民との意見相一致せざる限り、英國政策の方針に對し眞の效果を與へることは出來なかつた。

本來英國政府は特に外交問題に對して輿論に支配せらるゝを常とするのであつて、其論の變じたる場合には內閣は何等かの方法を以て之に追隨せざるを得ないのであるが、此の時に至り英國の輿論は暗々裏に反獨感情を生じ來たつた。勿論トランスヴアール戰爭間獨逸の示せる曖昧なる態度が右の變調を助長したること大なりしに相違なきも、その原因は更に一層深き所に存じて居た。

獨逸はその膨脹主義を漸次强烈に示したる爲め英國との衝突をして早晩避くべからざるに至らしめたのであるが、第一に英國が獨逸に對して警戒するに至つたのは經濟的卽ち通商的利害問題であつた。乃ち一八九七年エドウイン、ウイルアムスの小册子に依りて開始せられた「獨逸製品」の論戰は獨逸の輸出が全世界は勿論英本國の市場に於ても著るしく發展せるに反して英國生産と通商とに幾分衰退の徵候ある事實を知らしめた。スタンレーも亦此の時某公會の席上に於て至大の反響を與へたる演說を爲したが、その際右の不安に就て次の如く言ふた。

「濠洲に於て吾人が二十パーセントの退步を爲せるに反して獨逸は四百パーセント以上の前進を爲した。喜望峰植民地に於て吾人の事業は最近十年間に百二十五パーセントの進步を示せるに相違なきも獨逸の貿易は實に之に十倍した。又加奈陀に於てさへも吾人は十一パーセントの低減を來たせるに獨逸は實に三百パーセントも增加した」云々。

たとへ這は稍々危險を誇張したるものであつて、その實英國はその後間もなく再び通商界の主權を握るに至つたとは言へ、獨逸が絕大なる進步を遂げたるは否定すべからざるの事實であつて、獨逸が果して世界經濟界の逐鹿戰に何處迄その步武を進めるかは人をして殆んど之を豫測し得ざらしめた。

之れと同時に英國の注意を惹きたるものがある。卽ち獨逸海軍の長足的進步決と云はざれば卽ち止む、云ふてそして社會學でなく社會學的でない時にはそれは一種の詐僞行爲である。昨年の末に某學會が東京の私立衞生會館に於いて、工學博士佐野利器君、法學博士渡邊鐵藏君の都市計畫に關する學術的講演をなすを名とし、而も細目に亘る內容を示して入場劵を賣り、當日入場して見れば佐野利器君に非ずして池田宏君出演し、渡邊鐵藏君は單に一技手でもなし得る、否却つて都市の平面圖を映寫してその其說明に苦んで「自分にも良く解りません」と云ふ說明を與へられた。

この樣なことは法學博士を煩す必要はない、一つ工手學校の生徒でも澤山である、そして何等曩に廣告したる內容の十分の一にも觸れないで何等の不德となさず(但し自分はその責任が博士にあるか學會にあるか知らない)聽衆も又何等不平を訴へなかつた、これは蠶卵紙の名を以て桑種紙を賣り、茶の名を以て柳の葉を賣る行爲と五十步百步ではないか、若しその實質が廣告のそれより優秀のものであるにせよ、鰊を求めて小判を與へられた猫は何と云ふか。これと同じく社會學に非ざるものを敎へて社會學となし、社會學の智識なくして社會學の名の下に似非なる一種の愚論を羅列するのも亦一種の不道徳である。無免許の醫師を取締ることを知つて國を治すべき學を知らずして常識を以て之を爲す者を取締らず、當局自から之をなしてその非を知らざる比々として皆然りである、これ又現代社會問題の一小目をなす價値が充分ある問題である。

要するに社會學は必要缺ぐ可からざる科學であり、その用とその使命とは重且大であり實理的示命を供する點に於ても鋭且精であるけれどもこれを學習し、その理論を意得するには必然大なる困難を突破せねばならぬ。

それ故に私がこの現今の大問題たる社會問題とその中にも一層至難なる思想問題の解決を企圖するのは寧ろ自分の力を知らざるの暴擧であるけれども、この暴擧を知つてこの暴擧を敢行し、社會學を學ぶ者として、先輩同學の成績を參酌して社會に對する責務の一端たりとも盡したい考ひである。以下章を追うて社會問題を説き後半より思想問題に就いて論究せねばならぬ。

第二章　人口問題と食糧問題及植民問題

第一節　人口問題

世俗に怖いもの、恐ろしいものを「地震、雷、火事、親爺」の四等級に分けて云つてゐるが、何故に親爺よりも火事が怖く、火事より雷が、雷より地震が恐ろしいのか？。それは親爺より火事が、火事より雷が、雷より地震が、より大なる不可抗力を有し、より短時間の豫告、或は何等の豫告をも爲さずして、吾人の生命に大なる威嚇を與へるからではあるまいか。

死は生きとし生ける者の免る可からざる運命であるけれども、尙死は生きとし生ける者に對して、大なる驚怖であり、死の訪れは誰にとつても驚愕に値する悲慘事である。

飜つて社會に就いてこの考察をすると、その社會の生命卽ち存立は、其社會の第一義的目的である。

此第一義的目的を達するには必ず、其社會の人口の持續或は增進を策せねばならぬ。人無くして社會なく、社會なくして國の有り得る筈はない。

再說すれば社會が存立するか、或は衰亡するかの問題は、その社會に對しては最大の問題である。この存立するか衰亡するかの最大原因をなし、最大要求をなすものは人口であつて、人口は必ず其多少によつて其國社會を規定し、其國社會の盛衰存立は一面人口の增減により、或は其他の社會的病弊による場合であつても、必ず先づその社會の大動脈たる人口に何等かの反應を表すものである。故に國を醫し、國の盛衰を診んとする者は、恒にこの脈を把つてゐなければならぬ。卽ち此意味に於いて、私は、人口の增減は國社會盛衰存亡のバロメーターであると斷言したのである。(日本社會學院年報第八年、拙論本邦死亡率の硏究二九九頁參照)

然るに一九二一年四月三十日發行のサーベー誌は「幼兒死亡率は社會福祉に對する科學的指數である」(The infant mortality rate is a Scientific index to Social welfare 一四八參照)と、矢張この人口の脈搏に重きを置いてゐる。

實に人口增大或は人口減少の趨勢は以つて、その國社會の將來を豫測し、その國社會の運命をトするに足る條件である。從つて人口の增減によつて、直接間接其國社會の發達が健態であるか、或は病態であるかを略推斷することが出來る。此意味に於いて實に人口問題は社會問題の中樞問題である。

人口問題は社會を組成する人の數の多少及これに附隨する事項に關する問題であるから、人口の多少を致すところの人口の增減、卽ち人口の量の問題と、人口の善惡、卽ち人口の質の問題と、往々今迄閑却せられてゐた、人口構成の問題とを含むでゐる。

人口問題の歷史に於いて第一に現れて來たものは、人口過殖の問題である。之に次いで必然起つて來たのは、人口制限の問題である。然しながら人口の增殖は一國社會として甚だ敬すべき喜ぶべき事であつて、これが社會の病弊となり社會的不安となるのは要するに相對的の問題で、その國社會の地積が狹小であるとか食が糧飲乏を來すとかによつて、食糧問題及植民問題を惹き起す原因となるに過ぎない。それ故に人口過殖の問題は、寧ろ玆に於いて論ずるよりも食糧問題或は植民問題の原因として考察した方が適當ではなかろうか?。これを單なる人口問題として取扱つて、この過殖を制限せんとする方策に出で、遂には反對に彼の最も恐る可き又悲しむべき民族的自殺卽ち人口減衰の大問題を誘引してはならぬ。吾人は寧ろ消極的にこの過殖問題を取扱ふことを止めて、積極的に食糧問題に於いて此解決を求めることにしたい。

然るに、近世の文明諸國に於ける出生率の低下は、人口學者のウォルフが論じてゐるやうに、マルサスの所論をして、一種の杞憂的學說とし、或は單に數學的遊戲として興味を惹くに止まるものとして了つた。約言すれば近世人口問題の中心點は人口過殖の問題よりも、寧ろ出生率減衰の問題に移つてゐる。

マルサスが人口論(An Essay on the Principle of Population as it affects the Yuture Improvement of Society, with remarks on the speculations of mr. Godwin m. Condorcet, and other writers)を出したのは、一七九八年であつて、恰も各種の自然科學及其應用の進步によつて經濟の發達を來し、隨つて人口の急激なる增大を伴ひつゝある時代であつた。若し彼がその後約四十年で佛蘭西の出生率が低下を始め、英吉利の出生率も亦七十年後に下り坂に向ひ各文明國の出生率も皆これと前後して低下の趨勢を示し、輓囘の見込の立たない現代に於いて、人口論を書いたならば、必ず、彼は反對に人口は減衰して遂に人類の絕滅する時期が遠からず來ると力說したに違ひない。

年度　出生率	日本	英國	獨國	佛國
一八四一—一八五〇		三二・六	三六・一	二七・二
一八五一—一八六〇		三四・二	三五・三	二六・二
一八六一—一八七〇		三五・四	三七・二	二六・一
一八七一—一八八〇	二四・二	三五・五	三九・一	二五・四
一八八一—一八九〇	二七・六	三二・五	三六・八	二三・九
一八九一—一九〇〇	三〇・二	三〇・〇	三六・一	二二・一
一九〇一—一九一〇	三二・七	二七・二	三二・九	二〇・七
一九〇一	三三・〇八	二八・〇	三五・七	二二・〇
一九〇二	三二・八六	二八・〇	三五・〇	二一・六
一九〇三	三一・九六	二八・〇	三三・八	二一・一
一九〇四	三〇・五九	二七・七	三四・一	二〇・九
一九〇五	三〇・五六	二七・一	三三・〇	二〇・六
一九〇六	二九・〇五	二七・〇	三二・一	二〇・五
一九〇七	三二・二二	二六・三	三二・二	一九・七
一九〇八	三三・七三	二六・六	三二・〇	二〇・二

一九〇九	三三・九四	二五・七	三一・〇	一九・五
一九一〇	三三・八六	二五・〇	二九・八	一九・六
一九一一	三四・〇八	二四・四	二八・六	一八・七
一九一二	三三・四四	二四・一	二八・三	一九・〇
一九一三	三三・三二	二四・一	二七・五	一八・八
一九一四	三三・八〇	二三・八		一八・〇
一九一五	三三・二〇	二一・九		一一・三
一九一六	三一・九〇	二〇・九		九・四
一九一七	三二・七〇	一七・八		一〇・四
一九一八	三二・二〇	一七・七		

本表は人口千に付き出生數の割合を示す（但し死產を含まず）

右記の表によると、佛國は既に一八四一—一八五〇年の平均二七・二より低下して、一九一六年の九・四に下り、戰前の一九一三年に於いても尙一八・八を示す有樣となつた。

英國は一八七一—一八八〇年の三五・五を分水嶺として、以後次第に降り、一九一八年には一七・七とまでなつてしまつた。次に獨國は一八七一―一八八〇年の三九・一より一九一三年の二七・五に低下してゐるのである。

我日本帝國の出生率も亦明治四十四年（一九一一年）の三四・〇八を以て極まり以後年々に減少して、一九一八年には三二・二〇となつた。即ち人口一千人に付き一・八八人だけ出生が減少した譯である、これを內地だけで考へても、大正七年に於いて、三四・〇八の出生率を有すると、三二・二〇の出生率を有とするでは一年間に七十六萬九千三百三十九人の差違を生ずるのである。

若し斯くの如くして日本の人口出生率が次第に低下して行く時は、こは日本社會の存立を危うする大問題である。勿論他にこの出生率の低下を牽制すべきものとして、死亡率低下の策があつて、自然增加率（出生率と死亡率との差）を維持し、或は增進を計る事も出來るけれども、出生率の低下は理論上コンマ以下となり、遂には零となり得るものであつて、よし斯く極端にならずとも此趨勢が長く續く時は自然增加率が零となり或は負《マイナス》となる場合が佛國の如く再參現れるやうになる恐れがある。

又歐洲の文明國は多くその死亡率に著しい低下を示してゐるけれども我日本にはこれといふ增大はなくとも、今の所では決して減少してゐない、のみならず他の文明國に比して高率である。

出生率の低下は半面に於いて國力の低下である。如何にして出生率の增大を計るかは、目下の大問題であると共に、百年の大計である、然るに我國に於いては恐らく斯くの如き國家、國民の前途を考ふるだけの高級政治家などは藥にしたくともない。空氣を吸ひ、木實を食つてアノ世の事を考へてゐたのは昔の仙人で、これは藥にならなくとも毒にもならなかつたが、死斯を吸い、砂利を食つて黨利に生きてゐる現今の低級にして且惡德なる政治家は寧ろ國を毒する者である。

先づこの出生率を高めるには、少くとも左の十項に亘つて精細なる研究を遂げその學理的示命に基いて適當なる立策とその實現とに努力せねばならぬ。

一　生活の保障を與へ、適當の時期に於いて結婚せしむること。

二　生活に幾分の餘裕を與へ、小兒養育に對して不安の念を抱かしめざること。

三　花柳病の絕滅を期すること。

四　淫賣は一面社會保安の上より、必要なるも、出生の上よりすれば大なる浪費であるから、何等かの方策を設けて適宜の制限を加へること。

五　避妊、墮胎等の弊風を根絶し、又その手續を一般に知らしめざること、及これに使用する藥品、器具の販賣を禁じ、特定の醫師を以つて、必要と認めたる者に販賣せしむること。

六　新マルサス主義、産兒制限を正當視し、科學的、文化的なりとする思想の曲解なることを宣傳し、産兒奬勵の法を講ずること。

七　性教育を適宜の形式手續によつて適當の時期に於いて青年男女に授け、生殖の意義を知らしめ、不自然なる惡習に墮ることを防止すること。

八　私生兒、庶子、結婚せざる母等の法律上の區別及名稱の廢止は他面に於いて風俗に及す影響も大であるけれども一考する必要のあること。

九　死産の減少を策すること。

十　營養と出生、飮酒の如き刺激性飮食物と出生、精神的刺激と出生、娯樂及夜更しと出生、勞働時間と出生勞働する時の姿勢と出生、睡眠時間と出生、奢侈及過儉及消極經濟と出生、財産制度及相續制度と出生、結婚法と出生、道德宗敎と出生、過住卽ち都市生活と出生、國土の狹小と出生等の關係を調査破究して學理の示す所に從つて整理或は奬勵すること等である。

次に人口減衰問題の第二大問題は死亡率問題である、今茲に二萬組の夫婦があつて、年々二分の出生率を有してゐるとすれば、出生兒の實數は四百人である、これが成長して滿二十歲に達するまでの死亡率を四割と計算すると百六十人の死亡者を出す譯であるから、殘存者は二百四十人である。

然るに若し年々一分五厘に出生率が低下してもこれと同時に死亡率を二割に減ずることが出來るならば、その殘存數は等しく二百四十人である。そして見ると經濟學の第一原理である最小量のエネルギーを消費して最大の效果を獲得することを主旨とすれば、前者より遙に後者が優れてゐる。何れにしても死亡率殊に幼兒死亡率の增加は其社會の未開、不文明の標徵であるから百方これが低下を策せねばならぬ。

從來本邦人の死亡を論じた學者は、往々年齡卽ち年齡の構成を考慮しないで單に平均命數或は平均死亡率を以て直ちに、その增減を速斷して居るけれども、これは時に大なる誤謬を生ずることがあるから、Becker《ベーカー》 Lexis《ルクサス》兩氏の創意に係る人口動態圖式表示法を應用して、或る一定年齡に達する者の數卽ち生存數及或る一ヶ年に生れ一定の年齡の範圍に亡死した八員卽ち死亡數を計算して、この生存數を以つて、死亡數を除し死亡率を計算して比較研究し、其趨勢を察する必要がある。

このベーカー、ルクサス兩氏の表示法を應用して、死亡率表を作成し、これを考察した結果、日本は歐洲文明國の如く低下の趨勢に向つて居らず、其最も大切なる幼兒死亡率の如きは寧ろ幾分增加の勢を示してゐる。これを如何にして低下せしむることが出來るか?。

第一は生活の安定及向上である。ハレー氏が米國アラコン市に於いて幼兒死亡率と收入の關係を研究して、次の結果に達してゐる。父が年四百五十弗以下の收入では其死亡率は一割一分七厘一毛であり、年一千二百五十弗以上の收入では僅に四分である。尙又ホワイトネー孃がニユーベッドフォード市に就いてこの研究を發表したが、これも亦年四百五十弗以下の收入では二割一厘九毛の死亡率で、年一千二百五十弗以上では、五分九厘九毛で、兩者の間に甚しい差異を示してゐる。これによつて見ても經濟狀態が大なる影響を死亡率に與へてゐることが明である。

第二は幼兒死因の研究に於いては、胃腸病が第一位を占めてゐるから、牛乳の監督、檢査、豐富なる供給、廉價等に關して、他面に於いては公設市場の國營及食糧品の廉價供給、善悪の檢査法に關して食糧法の制定及勵行を期すること。

第三は過住と死亡との間に大なる相關があるのに顧みて、住宅法、建築法、及適當なる政策を怠らず施すこと。

第四には國立病院及國立產院を設立して、社會は自己防衞の爲と自己保存の爲に努力すること。

第五は肺病、花柳病の絕滅を勉め、傳染病流行病の豫防を完全にし、下水、水道、糞尿塵、埃、公園地、運動場、公設浴場等の社會衞生的設備を怠らざること。

第六には里子監督及私生兒保護令を出すこと、ニユーサウスウィルスはこの法令によつて、一八九一年の二割七分六毛の私生兒死亡率より一九一九年の一割八毛に減じてゐる。

第七は育兒敎育及演習を家婦に普及し、家庭訪問看護婦の制を始むること。

第八は迷信的療[illegible]を廢止し、家庭訪問看護婦と醫師派出所と國立病院との連絡を簡易に取ること。 徒に某々慈善大病院の如く入院手續を餘りに煩雜ならしむるは、その爲に死に瀕するまで姑息の素人療治をなさしむる弊を生むのである。 この療養制度の警察制度に準じて、大小、緩急に應じ得るやうに勉むること。

第九は小兒を有し且つ健全なる發達をなさしめたる親は社會に對して大なる一種の貢獻をなす者であるから、適當なる名譽を以つて表彰すること。

第十は戰爭をなるべく制限すること。

次に論ずべきは人口の質の問題と人口構成の問題である。 人口の質の問題はその質の中、善なるものを益々善に、惡なるものは善に改良するか、或は絶滅するかの問題であつて、優生學(Eugenics)及優境學(Euthenics)は此問題に關係する科學である。 然し此問題は一面に於いて大に人種問題に關係するから、只だ此處に質の改良を計る爲に量の減少を犧牲にしてはならぬことを注意して、他は第四章に於いて述べることにする。

最後に人口構成の問題は一國の人口の含む男女の割合、老、壯、青、幼、或は老、成、少の割合の問題である。前者卽ち男女の組合は略同數を以て正形とする、男の多い社會はその氣風が荒くなり、女の多い時は淫風の盛になる傾向がある。

老、成、少は老年を頭とし、少年を底とする二等邊三角形をなすのが正形であるけれども、移民を出す社會は成年少く、瓢簞形をなし、反對に移民社會は少年、老年が少く、成年が多いから太鼓形をなしてゐる。又出生率の少く、死亡率の多い社會は老成年に比して少年が少い。これは皆變形であつて、堅實なる社會をなすには不適當である。この瓢簞形の矯正は獨逸が嘗つて取つた移出民制限政策であり、太鼓形の矯正は現今米國が腐心しつゝある移入民制限の政策である。

第二節　食糧問題

一國の人口は出生率を增加し、死亡率を減少して、益々人口を加へ、社會の健全なる發達を計らなければならぬ。然るに斯くする時は人口は無限に增加する傾向を以つてゐるけれども、これを養ふ可き食糧は主として、農產及び水產によるので

第一編　總論

第一章　社會事業の意義及範圍

往時の社會組織に在つて、其の當時の生活事情の要求に因り、當時の思想に基いて經營せられた救濟事業は、窮民救助其の他弱者に對する保護救濟を其の範圍としたのであつて、其の意義固より明確であつた。併し社會組織の根底に著しい變移があり、一般社會生活の不安といふ謂はゞ漫性的の社會的疾患の現はれた今日に於て、時代の要求に應ずる施設たるべき社會事業は、往時の救濟事業と其の範圍を一にするものでない。範圍は著しく擴充せられ、其の手段は全く科學的に組織化されやうとし、又等しく弱者に對する救濟であつても其の基礎觀念が全然一變して居る。此の社會事業の一般に亘つて其の意義及範圍を定めんとするには、自然新なる觀念を求むることが必要であつて、單に往時の救濟事業の槪念に何等かの添加的變更を加へるのみでは足りないのである。然るに勞働者問題に聯關する社會政策に就ては、其の固有の範圍卽ち經濟學上の主張としての意義が明確になつて居るばかりでなく、其の轉化した用法に於ける意義に至つても種々の研究に於て明にされて居るに拘らず、之に表裏の關係に立ち之を相交錯する一般社會事業に關しては、從來未だ其の範圍を明確にし、其の意義を明にする底の叙述を耳にして居らない。多くは依然として救濟事業の觀念を以て之を推し、又は社會政策の觀念を直ちに移して之を解して居るやに見受けられる。從つて今日尙ほ社會事業の意義及範圍は極めて漠然たるものがある樣であるが、是は在來の救濟事業と分配問題に聯關する社會政策と兩面に亘つて互に相交差する社會事業の一般に通ずる綜合的研究の公にされたものなきにも因るのであらう。我邦に於て社會事業の用語が一般に通じる樣になつたのがつい最近數年からであるばかりでなく、各種の著述に就て見ても歐米諸國に於て之に相當する用語は千九百十年頃から以降に初めて用ゐられて居るらしき事實に鑑みれば、夫れも無理のない所と思はれるのである。

惟うに社會事業は往時の救濟事業から一足飛びに展開し來つたと見るべきではない。制度の特性は其の時代に於ける社會組織を反映するものであつて、救濟事業は飽く迄も中世紀迄の生活事情に適應した社會制度であつたのである。社會組織の根底が一變し、社會生活の不安といふ一般的現象の現はれるに至つて、其の新なる社會的病患に對應するものとしては、最早や在來の救濟事業の機能を以て事足りることは出來ない。此に於て窮民に非ず弱者でもない勞働者其の他一般國民の福利を增進すべき施設が社會の要求する所となり、經濟學上の一主張たる社會政策論が一般政治上並社會上の指針として高唱されるに至つたのである。斯くの如くして國家公共團體に於ける社會行政の觀念が生れ、一般社會生活の充實安定の目的の爲にする行政として社會政策論に立脚する團體力の作用を意味するものとされたのである。而して社會行政が新社會組織に於ける社會生活の不安を除去し又は少くとも之を輕易ならしむべき團體活動と並に社會の一局部に集積せられた富の社會的利用を圖らんとする團體力の作用とを其の內容とすることの結果、在來の救濟事業に關する行政は當然社會行政中に總括されるに至つたのである。即ち在來の救濟行政と社會政策論に基づく新時代の行政とが社會行政として綜合されたのである。

元來國家の組織は人類社會の進歩發達を目的とし人類生活の向上充實の要求に基づくものである。此の意味に於ては國家一切の活動が社會的であると謂ふことを得るであらう。又行政は國家の利益を完うし國民の幸福を增進する爲に執行せらるゝ活動であつて、國民生活の充實安定が其の内容となつて居る。此の意味に於ては行政は凡て社會的であると謂ひ得るであらう。假に是等の點は暫く措くとしても、今日各部の行政は何れも皆大なり小なり社會政策論を加味して居るのであつて、此の意味に於ける社會的の行政は橫斷的に行政各部に共通であると謂ふことが出來やう。然らば特に社會行政なる觀念を以て何を指稱せんとするものであるか。一般的に謂へば國家社會に於ける總ての制度、總ての行政活動は標準國民を標準として樹てられ、執行せられる。社會政策論の加味と謂つてもそれは直ちに此の標準の低下を意味するものではない。從つて標準下の國民をして是等總ての制度に適應せしむるが爲には、特別なる扶掖誘導保護救濟の作用を必要とするに至る。此の意味に於て特に社會行政の觀念を他から區別せんとするのである。勿論社會行政の一項が行政法の分類中に擧げられた例はない樣であるけれども、以上の如き稍々廣汎な意味に於ての社會行政は既に早くから特別の用語となつて居ると思はれる。例へば今日の敎育制度は其の敎育を受け得べき狀態に在る標準國民の子弟が標準とされて居る。敎育制度の惠澤に浴し得るが爲には之に適應する丈けの精神的能力を必要とするばかりでなく、學費を支辨し得べき經濟力を備へなければならない。敎育の普及を圖るのは敎育行政主要の問題ではあるが、國民の凡てが以上の標準能力を備へる者でないから、爲に敎育制度の利用を爲し得ざる國民が遺されるといふ結果になる。義務敎育たる小學校の敎育ですら、小學校令の規定には貧困の爲の就學免除の途が置いてあつて、反面から謂ふならば貧困者の子弟は敎育を受けないでも宜いことを認めてある譯である。然し將來生活の自由を得、更に國家の進展に分擔を有すべき標準國民たらんが爲には、何人に取つても敎育の缺ぐべからざることは論なき所であり、普通敎育普及の行政作用は斯くの如き不幸の子弟なからしむる所迄徹底されなければならないのである。此に於て學用品給與、食事給與等の制度があり、又工場に於ける就業制限と義務敎育との間を聯關せしめ、或は工場內の敎育設備を强制する様なことになつたのである。低格兒童なり、病弱兒なり、或は盲聾啞等の不具兒童などに對する特殊の施設が講ぜられるに至つたのである。又例へば獨自の資力と信用とのみでは住宅を所有し得ざる程度の國民に對して一定の團體組織に依つて其の目的を遂げしめ、或は不時の不幸に對する保險制度の如きが樹てられるに至つたのである。斯くの如き範圍に於ける行政作用を總括して之を社會行政と觀念せんとするのである。

斯くして在來の救濟事業の外、此の社會行政の實施上に於ける具體的發現たる個々の施設が總括されて、此に新なる意味に於ける社會事業の觀念が生れ出たと見るのであるが、之を至當と信ずべき多くの理由があるのである。此の場合に於て私營社會事業が除外される結果になりはせぬかといふ疑が起るのであるが、私人と雖社會進化に分擔を有する個人として國家團體を背景とせない個人はなく、又行政方針の發現たる點に於てかゝる個人の經營する事業が圈外に立つの理由はないのであり、殊に又私營の事業と雖國家團體の助成監督を受くる點に於て社會行政の範圍に包含さるゝものである以上、私營事業も等しく社會事業の觀念に綜合されるといふことは固よりのことである。

以上の見地から、社會事業は往時の救濟事業に對して少くとも(一)其の範圍の擴充、(二)基礎觀念の推移、(三)其の手段の科學的組織化、及(四)其の組織の制度化といふことを觀念の要素として考慮に置くことを必要とする。而して社會事業の意義は之を「社會事業とは標準下の生活を營む各人の生活內容を精神的にも物質的にも充實せしめ、直接又は間接に之を標準生活に向上せしめんが爲に、不特定の人を對象として經營執行せられる公私の施設を謂ふ」と定めたならば大過なきを得やうと信ずるのである。以下順次是等の點に解說を加へて見やう。

(一)社會事業は不特定の人を對象とする施設でなければならない。養老院、施療病院、公設市場、給與事業、孤兒院、特殊學校、觀覽的娛樂設備、圖書館等の如き物的中心の施設たると、又各種委員制度、巡廻診療斑、隣保事業、社會事業職員の養成等の如き人的中心の施設たるとは固より之を問はない。併し少くとも一時臨機の施與の行爲は、直ちに之を以て社會事業なりとすることは出來ない。事業は行爲の連續であつて所謂施設に該當するのである。路傍の乞食に其の時限りの私惠を施し、又は祖先の忌日等に當つて一時の施與を以て窮民を賑はしたとしても、其の行爲直ちに社會事業ではないのである。又社會事業は不特定の人の爲に準備されたる施設でなければならない。扶養關係に立つ者又は隣保生活の關係に在る者の如き限られたる範圍の特殊の保護が直ちに社會とはならないのである。固より社會事業でないと謂ふことが之等の保護救濟を無用とし、價値を減ずるものではない。寧ろ社會事業は是等の基礎の上に、其の習俗と調和する範圍に於て、其の存在の意義を有するものである。唯だ臨機の施與や、豫定された範圍内に限る保護は、之を社會事業として着ることなく、本研究の外に立つといふに過ぎない。少くとも或る程度に一般的に開放され、繼續的に生活の保護改善を目的とする人的物的の設備に限局して、社會事業の觀念を定めるのである。社會事業は斯くの如く解することに依つて、初めて全般的に一連の系統を爲す組織的なる社會制度を爲すに至るのである。

(二)社會事業は公私の施設を含む。本來救濟事業は側隱の本能に基づく一時臨機の施與救濟に端を發し、社會生活の複雜漸く其の經常的事業たるを要求するに至つて初めて制度としての存在を見るに至つたのである。而して其の目的の範圍は窮民其の他弱者に對する保護救濟であり、其の社會的作用は骨肉相助、隣保相扶の習俗に對する補充的地位を占むるに止つて居つたのである。是れ當時の救濟事業が民間特志の事業として發達し、寧しろ社會に於ける團體力の作用として經營される事業が例外的の場合に止つた所以である。今日の社會政策論に基づく行政方針の發現たる社會事業は社會存立の本義に出發するもので、其の經營は寧しろ團體力の作用に俟つ方が原則と見られる。而も尚ほ隣保事業の如き人的中心の事業は私營事業たるを便宜とする。從つて沿革的に公益團體又は篤志の個人に依つて經營せられる事業と、竝に公の施設として經營せられることを不適當とし又は不便とする事業とは、等しく私營に委せられて居るのである。或る施設が一連の系統を爲す社會制度の一部を爲すが爲には必ずしも其の經營の主體が公の機關たることを必要とするものでない。制度と謂ふのは社會に於ける法の系統的組織であつて、一社會一時代に於ける生活の一大表圖である。元來社會は協同生活を形體とする。而して協同生活には法なきを得ない。其の社會力に依る强行を伴ふものと否とを問はず、一時代に於ける一社會の法は唯一なる社會意思の表現であつて、其の相互間に矛盾あることを得ない。法律と謂ひ、道德と謂ひ、風俗と謂ひ、習慣と謂ふ、何れも協同生活の法であつて、相互に一連の系統を爲し以て社會生活を規範するものである。之を概括する時名つけて社會の制度と謂ふのであつて、社會事業は又社會事業としての系統的組織を爲し、以て社會制度の一部を爲すのである。社會事業としての組織は其の範圍に於ける矛盾なき系統に立つのであり、而して公私何れの經營に屬するを問はず此の系統的組織の外に立つものはない筈である。是等公私の社會事業が如何なる關係に於て連絡統一を保つか、又殊更私營事業が如何なる關係に於て重要視さるべき意義を有するか等の問題は後章更に觸れる機會があることゝ思ふ。

(三)社會事業は標準での生活を營む者を對象とする。此處に所謂生活は固より物質生活のみを指すのでなく內容として精神生活を包含する。元來今日の社會に於ける各人の生活は全部が國民生活であり、國民生活は政治生活、經濟生活及社會生活(狹義)の三方面を有つて居る。而して單に生活と謂へば之等三方面を綜合し、精神生活並に物質生活の兩面に亘つて分裂なく之を觀念しなければならない。生活の内容に就て是等の何れの方面に存する實力の空虚又は不足でも、それは全生活の充實せざることゝなるのである。其の結果は其の個人を標準下の國民たらしめるに至る。其の個人は自己の責任に於て其の境涯よりの脱脚を圖らなければならないが、社會は亦之に協力せなければならないのである。經濟力に於て斯くの如き狀態に在る個人は卽ち生活保護事業又は生活改良事業の對象たる者であり、精神力に於て此の缺陷を有する個人は卽ち社會敎化事業の對象たる者である。其の程度如何に依つては、共に政治生活も制限を受け、社會生活も亦内容空疎となる。從つて今日の文化も味ひ得ないと謂ふことになるのである。往時の社會組織に於て隷屬的の生活を營んで居つた者の生活内容が如何に空疎のものであり、又當時の生活の保障が單に窮民たらしめないといふ程度に於て經濟生活のみに關したものであつたことも、以上生活の各方面を分析することに依つて明にされるのである。併しながら今日社會の全員が自己の責任に於て自由の生活を營む組織の下に於て、殊に社會共存の理想の下に於て、個人の完成は以上の何れの方面の生活内容も缺陷あるものであつてはならないのである。社會改造の前提たる個人の改造は何より先きに其の個人の生活を新時代に適應した人間らしい生活たらしむることを要件とする。即ち今日に於て所謂生活内容の充實と謂へば、少くとも或る程度の時間と財力との餘裕を有し所謂文化生活に觸れた生活でなければならない。是れ即ち標準生活であり、生活自由の實現である。而して國民生活の標準は少くとも此の程度の生活に存しなければならないのである。社會全員の生活を此の程度に向上せしむる爲に必要なる制度の備はるに依つて初めて國民の福利も增進され、文化の進步も望み得るのである。社會事業は社會に於ける他の凡百の制度と相竝んで各人を此の域に向上せしめ、又は此の程度の生活に堪え得る樣に備えしめることを目的とする。往時の救濟事業の對象たる人は窮民が其の全部であつた。併し時代の要求に應ずる社會制度としての社會事業は今や其の範圍が極めて擴充され、所謂窮民又は弱者に非ざる者迄を對象とすると見なければならない。或は生存的慾望を滿足する生活資料を獲ることを得ず、又は之を獲るの不確實なる者を窮民と稱し、辛うじて之を獲るが些の餘裕なき生活を營む者を貧民と爲す者がある。此の區別は固より相當の理があるが、社會事業の觀念を定むるに就ても尙ほ此の範圍を基礎とするに至つては稍々穩當を缺くものと思はれる。卽ち是等の人々を普通生活と區別する爲に其處に貧乏線なるものを劃し、社會事業は之等の者を貧乏線以上の生活に引上げんとする努力であると爲すのである。是は往時の救濟事業の觀念を以て今日の社會事業を律するものに外ならない。貧乏線の觀念は許され得るとしても、之を標準とする解釋では今日の社會生活に於ける一般的不安定を除去せんとする所謂生活改良施設を包括することは出來ない。居住保護、榮養保護等に關する制度なり、或は娛樂修養等に關する敎化的施設などを社會事業の圈外に置かんとするならば格別、然らざる限り貧乏線を以て事業の對象たる人と否との區別の標準とするのは採り難き解釋である。今日敎育の自由、職業の自由等所謂生活の自由が、地位の事實上の不平等又は精神力經濟力の事實上の差別に依つて、阻害されて居るばかりでなく、所謂所得の不確實と謂ふことが多數民衆に共通な社會的疾患となつて居る時代の要求としては現に窮民たり貧民たる者のみを對象とする事業ばかりで足るといふ譯には行かないのである。現に窮民たり貧民たる者でなくとも其の生活は必ずしも安定でなく、必ずしも充實しては居らない。此の意味に於て中流階級の生活に對する保護改良の施設も社會事業に包括されるのである。況んや物質生活に就ては何等の不安なき者であつても、社會教化事業の對象とならなければならぬ樣な人々も少くない。是れ卽ち精神生活物質生活の兩面に亘つて標準生活なるものを觀念し、而して社會事業は其の標準下の生活者を對象とすると謂ふ所以である。若し論者の說に倣ふならば、標準生活線なるものを劃して、社會事業の對象たるべき人の範圍を觀念せんとするのである。

然らば標準生活とは何ぞやといふ問題になるのであるが、之を計數的に表はすことは殆んど不能であると思ふ。精神生活に大した交渉を保たない貧乏線ですら之を計數的に表示するのは至難の業であつて、況んや玆に謂ふ標準生活線に就ては之を計數的にするのは無益の努力に終ると考へるのである。止むなく社會の運營統制に參畫し社會進化の分擔に堪え得る丈けの精神的竝經濟的能力を有する生活、卽ち文化的の生活を標準生活といふと謂ふ程度の概念的說明を以て滿足するの外はないのである。唯だ之を幾分理論的ならしめるものは慾望滿足の程度である。生存的慾望の滿足のみを繼續する狀態は卽ち最小限度の生活であつて、ヴイッシャーメの所謂貧民の保つ生活標準である。不慮の災厄其の他の不幸に遭遇すれば直ちに負債の苦痛に陷り又は他の救助に依つて生活する窮民たるに至るであらう。是等の生活の內容に於て、精神生活の程度如何は固より之を省みる餘裕がないが、物質生活の程度も亦單に露命をつなぐといふ狀態に過ぎない。生活といふより寧しろ生存と稱するが適當である。是が人間らしい生活でないことは勿論である。此の上に更に文化的慾望を滿足し得る餘裕ある生活にして、初めて今日の人間らしき生活となり、標準生活たり得るのである。文化的慾望は地位的慾望、向上的慾望、快樂的慾望、種の優越的保存の慾望、時代の文明に對する精神的慾望などをも包含する。從つて文化的の生活は(一)其の個人の社會に於ける地位身分に應ずる品位威嚴を保ち得る生活でなければならない。(二)老後又は不時の不幸に備ふる所あり、又は少くとも將來に對して自ら恃むあるの生活、卽ち不安定不確實に面せざる生活でなければならない。(三)活動力增進の爲に必要なる慾望の滿足に適應する能率的の生活でなければならない。(四)自己の修養開發の爲に必要なる機會を享受し、又奢侈に亘らざる程度の快樂を味う丈けの餘裕ある生活でなければならない。(五)子女に對して適當なる教育を施し得る生活でなければならない。(六)又更に奢侈的慾望と他の有用慾望とを區別し得るの能力を備へ、且つ社會の協同生活に對する個人の責務に目醒めたる個人として道德的並に社會的に相互尊重を値する生活でなければならないのである。斯くの如き文化的慾望を相當の程度に於て滿足することの出來る生活にして初めて今日の標準生活であり得ると思ふ。而して標準下の生活者に對しては社會は其の存立の本義から其の生活の充實向上に寄與すべき施設を講ぜなければならない。社會事業は正に此の目的を以て他の政治宗教道德法律風俗習慣等凡百の社會制度に對して補充的の地位に立つ施設であるのである。

要するに社會事業の對象たる人は、往時の救濟事業に於けるが如く所謂社會的弱者のみに限局されることなく、以上の意味に於て、人の精神的又は物質的能力に關し標準生活線以下に在る者の全體を包含すると解するのである。

養を主とし事業本位を避くべきことを示したのは之は全くその當を得たものであると信ずる。然るに今尙その弊が存せぬでもないのは甚だ遺憾とする。乃ち動もすれば此等の團體の仕事がお祭り騷ぎに終る傾きがある、形式流れの嫌がないでもない、元より此等の團體に於ては、團體的訓練を必要とするから多少はお祭り騷ぎの樣なことも必要であらうが、元來此の團體員たる青年は人生の修養上最も大切な時期にあるのであつて、然かも學校敎育を完全に受け得ない人達が多いのであるから、此等の人々に對しては、先づ第一に人としての修養乃ち現代文化の恩惠に浴すべき知識の修得や、品性の修養を目的とする廣義の補習敎育の恩澤に浴せしむるでなければ、團體の目的を達し得たとはいへぬ、團體の他の仕事の如きはたゞ此の根本目的たる補習敎育の附隨事業であつて、決して修養の手段として本末輕重を轉倒すべきでない。然るに今日やゝもすれば、主客を顚倒し、各個人の發憤努力に依るべき自己反省や自己內觀の修養が出來ず、只多數のものが附和雷同して、はではでしい行動をするだけでは何の效果があらう。我邦の如き僅かに六ケ年の義務敎育を以て多數國民の敎育が終り、補習敎育は未だ各自の任意といふ樣なことになつて居て、一般國民の教育がまだ〳〵不充分で到底今日の歐米先進國の國民教育に比べては、非常な懸隔があるのであるから此の種の團體に於ては廣義の補習教育乃ち實業補習學校や又圖書館巡回文庫の樣な自學自習的の修養機關やに依つて、不斷に修養をなさしむる樣に奬勵すべきであつて、之が此の團體の基本事業でなくてはならぬ、乃ち此の施設が完全に出來て居ないならば、此團體組織の意義の半ばを失つて居るものといふべきである。　明治神宮の御造營工事に奉仕することも大に意義あることであり、又自己の町村の神社佛閣乃至社會に奉仕することにも十分の意義があるけれども、其の根本たる自己の修養を措いて更に多勢を以てはで〳〵しい行動をのみ團體の行事であると心得て居るのは大に心得違ひであると信ずる。　特に思想、精神、知識、德操の上にまた東西を辨へぬものには夫れ相當の修養を要するのである。　これには特に確實なる知德の修養に努めしむることが何よりも肝要であつて、此點に於て教育者の力に待つことが頗る多い、とにかく我が社會教育の努力すべき一大要務である。

第六には職業指導のことである。

之は廣く國民に對して彼等をして適材を適所に置く樣に導き又その才幹を出來るだけ助長して其の活動能力の上に少しのすたりなく能率多き活動を遂げしむるに必要な修養の機を與へることである。此の仕事は學校の敎育の上から初まらねばならぬことであつて外國殊に米國で非常に發達して居るのである乃ち先づ學校敎育の上に此の精神に依つて子弟を敎育誘導し之に必要な手段を講じ更に學校を離れた實際生活に後れる一般國民の職業上に適切な指導を與へて行くのであつて我邦では只斷片的に之が行われて居るけれども、また我國の樣に學校敎育と連絡して社會民衆に對して此の施設が系統的に計畫施設せらるゝまでになつて居ない。乃ち近來更に失業者に職業を紹介し與へるといつた樣な無を有にするが如き物質的社會施設の意味でなく、其の才能を十分活用し助長する手段と機會とを與へる社會敎育的施設として行われる樣にしなくてはならぬ。乃ち外國の都市では市民の敎育機關として各種の學校を設け之に必要なる行政機關が設けられて居る中に、特に職業指導の部門が設けられて、多年子弟をして其の方向を誤らしめず、十分に其才能を發揮し且益々助長する機關を特設して居るのである、之は我邦の現狀に照して最も必要な施設で乃ち兒童の就學又は就職上の相談所を設け或は就職後の狀況調査並に各種の世話を爲しやる樣なことは更に失業者の就職紹介よりもどれだけ有意義であり、且必要であるかは今更辨ずるまでもないと思ふ。要之學校と連絡して子女の職業上の指導保護に必要な機關を設け適切な施設を講ずることは社會敎育的施設の一要務と信ずる。

第七には民衆娛樂の改善問題である。

我邦現代の社會生活に於て、將た家庭生活に於て健全なる娛樂に依る正當な人生の快樂を味ふに必要な準備や組織が出來て居らぬ所では、一層此の問題の大切なことがわかる。寧ろ今日の我邦娛樂界の實狀は、人生を純化するよりも墮落せしむるに效果があるともいへる。この方面の改善發達は特に敎育者經世家等の一日も看過すべからざることであつて、社會敎育の主要な施設として、民衆娛樂の純化改善を企圖することは甚だ當然であり又焦眉の急務と信ずる。

我邦に於ける所謂民衆娛樂の種別は、法令の上からは、演劇、寄席、觀物、活動寫眞の四種類に分類せられて居るが、之は取締上からの區別で、娛樂其の物の實質上から區別すると、其種類は多種多樣で一々枚擧の遑がない、就中寄席及觀物の內容に就て見ても、前者には講談あり、落語あり、義太夫あり、舞踊あり、奇術あり、後者には、オペラあり、茶番あり、音曲あり、手踊ありといつた風に種々雜多な物が其の中に盛られる。一體日本の娛樂の種別は形式方面は一見單純なものであるが、その內容は斯樣に複雜である。されば眞に「民衆」の二字を冠するに足る娛樂として、正しき撰擇をなすには可なり周到な注意を要することになる、今演劇、寄席、觀物の三者のみでも上流社會の趣味に投合する綜合藝術の劇もあれば、勞働者側の隨喜を博する浪花節もあり、或は青春男女の渴仰に値するオペラもあれば、老若婦女子の無關心に娛しむ玉乘りもある、又活動寫眞に就ても、その進步發達は著しく、料金、設備、フイルムの內容等中流以下の物もあれば、夫れ以上の區別もある、斯の如く我邦現下に於ける總ての娛樂は其の內容方式に於て甚しい懸隔がある。かくの如き複雜な娛樂に對する改善指導は、如何に之をなすべきかといふ問題は、自然に又甚だ複雜困難な問題でなくてはならぬ。又各地方民の智識の程度やその土地の沿革、職業經濟の關係等より自然にその好む娛樂が異つて居て、娛樂その物の分布が、甚だ複雜となつて居るから娯樂改善の實際問題は中々容易な事業ではない。

要するに國民の趣味の向上は、國民の道德並思想の向上と重大な關係を有するのである。換言すれば國民の趣味の問題は國民の道德の問題である。乃ち民衆娯樂の改善は卽ち社會進步の一大必要條件であつて、之が改善の指導は社會教育施設の好題目たることは、今更論ずるまでもない。とりわけ我邦の如き民衆娯樂の現狀が歐米の夫に比べて頗る幼稚低級な所では、徒に金と時間とを空費する娯樂のみで、その不用意な空虛の油斷に附け込みて、いろ〳〵の誘惑が跋扈する、國民の品性能率を高むる上にも娯樂問題は閑却されぬ。さうして趣味の少ない國民ほど憫むべきものはないのであるから、夙に學校教育に於ても、趣味の涵養に努めさせ、內外協力して民衆の趣味の向上を企圖すべきである。

第八には公衆體育の奬勵を擧げたい。

我國民の體力、體質、體格が、歐米先進の諸國民に比べて甚しく劣つて居る否支那人にも劣つて居ることは最早論ずるまでもない樣に思ふ。之は一面には我が國民生活に於ける衣食住の三方面の大々的改善を企圖するばかりでなく、個人や公衆の衞生に對する思想や慣習を改良發達せしめ又他面には更に積極的に國民に對する體育施設を工夫奬勵して、依て以て漸次に之が改善の氣運を促進するを要する。此の公衆體育の奬勵は、國民の思想や道德や更に知識の增進と共に特に現代國民に對する社會敎育上の重要なる項目である。殊に今日の樣な不健全な都市生活に於て一層此の感が深いのである。乃ち今日の都市生活に於ては、學校其の他の之に關係ある團體の施設以外に、公衆一般の體育を奬勵し且之に便宜を與ふる施設は殆ど皆無の狀態である。とりわけ都市に於ける靑少年に對する運動遊戲に充つべき小公園小運動場の設備の如きは最も急を要する事業であつて、彼の歐米各國に於けるが如く靑少年より一般成人に至るまで男女を通じて盛に體育趣味を持つ樣に各種の施設を奬勵するは目下の急務である、近來各地方とも次第に此の方面の注意が起つて來たけれども之は他の社會敎育施設と相俟つて益々奬勵すべきである。

第九には生活改善の運動である。

これは我が國民生活上最も重大な意義ある問題であつて、我が國民生活の實際に就て能く觀察し考慮したならば何人といへども、いろ〳〵の虚談や又不合理のことや又不經濟不衞生のことが多々あつて、結極日本人の生活は二重三重の生活で、實に繁雜を極め、意義の薄弱なものであることがわかる。斯の如き現代生活を改善してより意義ある生活を將來することは、又我社會敎育に對する重要題目でなくてはならぬ。卽ち吾等の生活を改善するの目標は先づ第一に吾等の生活をより道義的のものたらしむることにある。虚僞の生活を捨てゝ道德上の根據を持つた正しい生活に進めることである。第二は吾等の生活をより經濟的ならしむることである。卽ち最少の努力を以て最大の能率を擧げしむる生活に進めることである。第三には吾等の生活を合理的ならしむることであつて之は現代の科學を生活の上に遺憾なく適用して自覺ある生活に進めることである。斯樣に新な生活の樣式や方法を案出して、吾人の生活を改善し之を實現するには一般國民の知識を充分に進め又永い年月に依つて造り上げられた、今日の日常生活に對する因襲を破り、習慣を改むることが必要であるから中々容易なことではないのである。さりながら是等の弊害を除去して眞に意義ある生活を打立つることは、我國家並民族の將來に對して、正に現代國民の犧牲を拂ひ萬難を排して努力すべき必要條件でなくてはならぬ。

茲に於て此生活改善に必要な準備が開始されなくてはならぬ、乃ち此の問題に對する國民の知識德操の涵養や又之が實行上の手段方法を研究調査して之を示し以て其の改善の氣運を促進すべき施設が肝要である、是亦現代社會教育上一日も忽緖に附することの出來ない主要問題である。そこで、此の問題の主要點は次の四つとなる。乃ち第一は食物、第二は衣服、第三が住宅、第四が社交儀禮である。勿論是等の事項は相互に關係交涉があるので、その一方の改善を完全に實行するには、自然他の事項の改善が必要となつて來るが、之は、一時に改良するといふことは中々困難のことで、漸次その改善し得べきことは、他との關係を考應して進むべきであつて、他と直接の交涉なく直に實行し得ることは一時の不便を忍んでも之を實行せねばならぬ。そこでかくの如き重大問題は、餘程完全な研究機關を必要とするのであつて、未だ我邦には、之に對する完全な機關がないけれども、さしずめ生活改善同盟會の如き私設團體ではあるけれども、非常に地方に於ける參考となるべき、研究を發表して居るものは速に之を利用すべきである。

第十に擧ぐべきは特殊兒童の保護教育の問題である。

茲でいふ特殊兒童とは、頗る廣い意味で、乃ち精神上にか、身體上にか、又その兩方に缺陷ある兒童、或はかゝる缺陷がなくとも家貧にして就學が出來ぬ兒童等を指すのであつて、今少し具體的に申さば精神的に缺陷あるものとは、精神薄弱兒と申して精神の働きが鈍くて一般普通の兒童と、肩を並べて學問の出來ぬ子供であつて之が中々その數が少くないのである、又精神に缺陷あるものとして更に性格が他の普通兒童に比べて異たもので乃ち不良少年の大多數が之れで之も又教育上特殊兒童と申すべきである、次に身體的に缺陷あるものには、盲啞兒童の如き又はその他の身體に不具の箇所ある兒童で之も一般普通兒童と同樣に取扱ふことの出來ぬ子供である、次に身體にも精神にも何等の故障はないが家が貧困なるが爲めに學問の出來ぬ子供も少くないので、以上の樣な精神の働の鈍い所謂低能兒や、不良少年や乃至身體的に不具な兒童乃ち盲啞兒や其の他の不具兒は勿論貧困兒童等に對する保護教育は社會教育中甚だ主要の仕事であつて、現に諸外國では、かゝる特殊兒童の敎育保護は當然敎育の主要なる要務として普通の敎育事務と相並びて、之が行政は勿論その實際も一切敎育者の關係事務となつておるので、我邦の樣な敎育といへば學校と考へる單純なものでなく、是等の特殊兒童の敎育は全然普通の敎育と一所に敎育家の當然の仕事として取扱はれておるのである。

元來是等の特殊兒童なるものは種々の原因に就て生じて來るのであるが、主として社會そのものゝ制度や組織や乃至永い歷史沿革に現われたる缺陷の所産として現われたもので之が救濟は、一に社會そのものゝ責任であるが、更に社會は、かゝる兒童を速に救濟して、社會が是等より受くる損害をも豫め除去することも、社會それ自體の存在の爲めに必要なことでなくてはならぬ、して見れば、かゝる特殊兒童の保護敎育は、我社會敎育の重大なる仕事で且社會組織の上にも誠に必要な仕事でなくてはならぬ。然るに我邦では、その中の盲啞敎育並に貧困兒童の保護は、漸くその端緖が開かれたるに過ぎないで極めて不完全不整備の狀態にあるのみならず、低能兒劣等兒並性格異常兒病弱兒等の保護敎育に至つては、殆ど少しも手を下されて居ないと稱してよいのである、この方面は當然國民敎育として、力を致すべき社會政策的施設であるといわねばならぬ。方今幾多の社會問題が論議されて居るが、その問題を事前に豫防することは、それが發生した後に於て、之が解決の爲に努力するよりもその效が多大なことは申すまでもない、して見れば是等の貧困兒童や、精神薄弱兒や、性格異常兒等の如き特殊兒童に對しては保護敎育を幼少年の間より加へることは各種の社會問題、各種の犯罪等を事前に豫防するのみならず、積極的に社會の進運福祉に貢献することが如何に多大であらうか、切に我が國民が此點に留意するに至り、又敎育者が此に努力を惜まざるに至らむことを望まざるを得ないのである。我邦では現に感化事業が內務所管として存し、近頃又矯正院といふものを作つて、之に犯罪兒童を入れ矯正し樣との計畫がある樣であるが、何れも大切なことではあるが、それ前に之を敎養する方法手段が、我邦の敎育系統に一もないのは實に遺憾のことで、我邦で敎育といへば、更に普通の兒童に學校で敎育を授けることの樣に考へるが、之は大なる間違であつて、必らず、以上述べた樣な異常な身體や精神を有する子供に對する特別な手當を施す敎育が必要でしかも諸外國に立派に之を行つて居るのを見てもわかる通り當然我敎育系統の中に之を收めて、根本的に之を實行するの必要なことは、普通兒に對して義務教育を强制すると同樣の意味に於て必要である。

以上は、單に社會教育施設中の重なるものを擧げて、社會教育そのものゝ大體の概念を得るの一助を致したまでである、尙此の外にも托兒所其の他の方法に依る幼兒保育の改善を計るべき施設の如き、或は兒童相談所や、兒童遊園やの設備其の他の方法に依る兒童保護の施設の如き、或は義務教育を終へて更に高等の教育を受けんと欲して受け得ざる貧困の英才に對する育英事業の如き、或は善良なる讀物の刋行や之に對する奬勵の施設の如き或は讀書會を組織して一般の讀書に對する讀書趣味の養成を企圖するが如き、或は社會教育上の一大有力機關たる新聞の利用に關する計畫の如き實に今一々之を枚擧することは出來ぬ位であつて結極現代社會の情勢に鑑み又各地方の實情に照らしてその必要とし又適切なりと信ずるものを施設すべきであつて乃ち社會教育の內容と方法は時と共に變化し場合に應じて工夫せらるべきはこの教育其の物の性質上當然のことでなくてはならぬ、時々人が社會教育の範圍限界に就て質問せられるけれども私は常に以上述べた樣に千趣萬樣の活社會に對する敎育の內容と方法とはしかく單純に規定することは困難であつて、此敎育に當る人はその對象となるべき社會の要求すべき事項は、たまた現代社會に必要とする方面を省察して之に對する方策を廻らし施設すべきであると答へて居る。

五　社會敎育の目標

曩にも述べた樣に社會敎育は社會を形成せる總ての人に對し社會そのものの組織と精神との健全なる發達進步を遂げしむるに必要な知識や道德や趣味や其他一切の素質習慣の涵養訓練を主とする點に於てその特長を有するのである。勿論家庭の敎育に於てもはた學校敎育に於ても何れも國家社會の一員としての必要なる知識や道德や趣味や並に其の他の素質習慣の涵養に努めるけれども何れも之れは將來の準備としての敎育施設が主であつて社會敎育に於ては今現に社會的實際生活を營んで居る人達に對して社會そのものの健全なる發達に直接に貢献すべき精神と手段とを授けることに於て社會そのものに對して最も直接的な敎育といふべきである。此意味に於て現代の如き社會生活の益複雜となり濃厚となつて來た時代に於ては彼の家庭の敎育や學校の敎育に比べて甚だ實際的で且最も緊要なるを感ずるので只敎育といへば學校敎育とのみ心得て居た我邦の從來の敎育界の情勢は動もすれば未だ社會敎育の如何なる意味であるか、又如何なることをすればよいかすらも考へつかぬ樣な有樣であることは實に遺憾千萬である。蓋し我邦が長い長い年月の間絕海の孤島として全く外では他の國家や社會やはた民族と沒交涉の狀態で所謂武陵桃源の夢を結び又內では交通上の不便や小藩分立して所謂一藩一政の政治生活をなし實に狹少極る社會生活に加へて彼の家族制度の極端なる發達は全く親戚故舊はた一鄕一村の間にのみその社會生活が限られて自然に國民の社會生活に對する理解と之に對する訓練を受くるの機會が甚だ乏しく遂に今日の如き急激な社會生活の變化に遭遇して只呆然として雜然としてその歸趣を知らざる有樣であるといふべきである。此の秋に當つて我社會敎育の目標はいかなる點を目標とすべきかは直に明瞭であつて乃ち國民をして最も速に且最も正確に社會生活の意義を知らしめ且之に對する必要な素質の養成と習慣の涵養に努むべきである、乃ち社會生活に於ては同胞相互の依存扶助に依つて之が健全な發達を招徠すべきであつて乃ち公共犧牲の精神と共同依存の本義を會得せしめて此の精神本義の實現に適切な習慣と素質を養ふことが此の敎育の最も大なる目標であらねばならぬ、各般の社會敎育的の施設は遂に此の大目標に歸趣すべきであつて社會生活の健全と幸福とは一に此の敎育的努力に依つて招徠せられるのである。

只茲に一言を添へて置かねばならぬことは、社會敎育と社會的敎育との區別を明にしておくべき事である。我邦現代の社會生活に現れたる諸缺陷に鑑みて、社會敎育に於ては最も速に國民をして、社會生活の意義を領得せしめ、之に必要な訓練を與ふることを以て、急務中の急務とすべきであると述べたが、之は專ら現代社會敎育の目標とし且高調すべき要點を示したまでであつて、社會敎育の對象が個人なると家庭なるとはた團體及び一般社會たるとを問はず、其個人家庭團體及び社會の向上發展に資すべき一切の敎育的施設であつて、社會的敎育といへば敎育の方針が專ら社會を本位とする意味で、云はゞ敎育の主義方針上の一種類に屬するのである。然に社會敎育は敎育の主義ではなく敎育施設そのものである。

和寺といふ寺を造つて、その寺にお入りになつた。天皇の中に三十五代もおはしますであるから、皇后並に皇子方に於てはその多き事推して知るべきである。斯の如く皇室とは密接な關係があつたのであるから、唯の一代と雖も廢佛遊ばしたやうな天皇はない、此の事も亦外國に類の無いことである。これは何故さうなつたかと言へば、皇室に關係があると同時に、宗教の統一が出來て居つたからである、若し宗教の統一が出來て居なかつたならば、決して斯ういふ譯には行かぬ、例へば國に二つの違つた宗教があるとすれば、先帝が一つの違つた宗教を御採用になる、さうすると今度は反對の宗教が色々の手段を運らして皇太子を自分の方に引つけて、今度皇太子が天皇になつたならば、反對の宗教を蹴落すといふやうな事をやる。支那の歷史には最もそれが甚しい、宗教の軋轢が直ちに君主の廢立となつて來る。然るに日本はこれ迄廢佛の天皇がお出ましなさらなかつた源は何處にあるかと言へば、やはり宗教の統一が出來て居つたからである。旣に皇室がさうであるから、幕府に至つても鎌倉時代から室町時代、德川時代を通じてやはり其の通りである、時の將軍として天下の政治を執るべき人に廢佛家は一人も無い、やはり幕府でも有名な人は何々入道などと言つて居る。戰國時代になつても上杉謙信でも武田信玄でも或は北條早雲でも、實名よりも坊主名の方が通りが宜いやうになつて居る、あんなに坊主名が通り名になつて居る位であるから、戰爭はしないかといふと法衣を着てドン〱やつて居る。今日は法衣などは邪魔になつて學校へも着て行けぬと若い者は言つて居るが、戰爭に着て行つたらモツと邪魔だらうけれども當時は少しも邪魔にならなかつたと見える、邪魔どころではない、謙信や信玄のやうな豪傑は、それを寧ろ得意として居つた。

さういふ風に先づ日本佛教の開拓は、宗教家これを爲さずして爲政家がこれを爲した。其處で皇室の關係と共に政治と密接な關係が出來たことは、萬國無比の日本の歷史であるといふ事は、動かすべからざる事實であります。

第二期　奈良朝時代

第二期は奈良朝時代でありますが、推古朝の佛教と奈良朝佛教の中間、卽ち過渡時代には彼の大化の革新といふことがあつた。卽ち蘇我入鹿が鎌足の爲めに滅ぼされ、孝德天皇の御卽位となつて、玆に大化の革新といふ殆ど明治の御維新に似たやうな政治上の大變動があつた。此の變動は佛敎の方から見ると甚だ奇怪なことで、其の中心人物は卽ち藤原鎌足であるが、彼は中臣家の人である、中臣家といふものは佛敎が渡つた欽明天皇の時に、物部氏と一致して廢佛を唱へたその末孫である。であるから中臣家が政治の實權を執るやうになつたならば、祖先の怨恨だと言つて廢佛をやらなければならぬ筈である、所が鎌足公が政權を握ると一層佛敎を用ゆるやうになつた、此の時の詔勅文でも『書紀』に出て居る、長い詔勅文があるが、それを見ると孝德天皇は如何にも佛法御熱心で、宮中に十禪師といふものを創めて置かれ、それから留學生を支那にお送りになつて、大陸の凡ゆる文物を日本に輸入された、これは皆坊さんが行つて持つて來るのである。日本人の外國留學といふことは推古天皇卽ち聖德太子の時に始つて居る、實はそれより前に崇峻天皇の時に三人の尼が百濟國に行つた事がある、これが一番創始である、婦人は中々えらい、留學生の率先者である。今日は朝鮮ぐらゐと言はれるだらうけれども、あの時代の朝鮮は今日の歐羅巴に行くよりもえらかつた、中々身命を惜んで居るやうなことでは行けるものではない。此の三人が始めて百濟に行つて戒法を學んで來た、これが外國留學の創始にして、又日本に坊さんの出來た創始である。その後聖德太子が小野妹子を隋朝にお遣はしになつて、「日出る處の天子、日沒する處の天子に書を致す」といふ有名な國書を致された。今日日本が世界の一等國であるとか言つて居るけれども、支那との交涉でも馬鹿らしい事が多い、日本が支那にやられもすまいけれども、一等國の堂々たる日本が中々外交も思はしく行かぬ所が推古朝の時代には、日本ナンといふ國は殆ど名も知られない憫れむべきものであつた、これが隋朝に向つて堂々たる態度を取つて斯ういふ國書をやつた。隋の皇帝煬帝はこれを見て喜ばぬと『隋書』に書いてある、喜ばなかつたであらうけれどもそれは仕方が無いやはり向ふから使者をよこして居る。あの時は公然と留學生の關門をお開きになつて居る、さうして推古朝の時に留學生が行つて居る、京都の誓願寺の開山となつた惠隱法師は、卽ち推古朝の時に行つて居る。併し未ださう澤山には行かなかつたので、大化の革新までの間に百五十名といふ留學生が行つて居るだけである。それ迄の僧侶は朝鮮(三韓)から色々の藝術者や學者などが來て、色々の文明を輸入して居つたのであるが、今度は三韓ではなく、直接支那に出かけて行つて、さうして啻に佛教を研究するのみならず、總ての方面の文物を研究するといふことになつて來た。

これで大陸の文物を自由に輸入するといふ關門が開けたのであるが、此處が明治の時とは餘程違ふ、明治の時には佛教といふものは無關係であつた、外國留學と言つても今日でも文部省の留學生であらうが、各省の留學生でも、基督教を學んで來いと言つて行く人は一人も無い、基督教は殆ど他の文物に言はゞ附隨して來たものである。所が佛教はその當時に於ては他の文物に附隨して來たのではない、佛教が中心になつて百般の文物を輸入したといふことが、推古朝から大化の革新より奈良朝に至る迄の景況である。私は歷史の事には疎いけれども、歷史專門の人にお聽きになつても此の事實は間違はぬと信ずる。さういふ關門が開けてさうして時勢といふものは妙なもので、中臣家から出た鎌足公が蘇我家に數步優つた佛教家となつてしまつた。それで自分の長男を出家さして定慧と言つてその時留學して居る、大和の多武院の開山はそれである、多武院は藤原家の菩提所になつて居る。さういふ譯で非常な勢ひを以つて大陸の文物を輸入すると同時に、佛敎が興隆して、その餘勢益々進んだ結果が卽ち奈良朝の盛觀となつた。

奈良朝に來つて非常な盛觀になつた、その最も大なる事業は、御承知の通り日本國中六十六の國に六十六の國分寺が出來たことである。國分僧寺、國分尼寺、卽ち僧の寺と尼の寺と二つ宛出來た、その總本山ともいふべきものが奈良の東大寺で、その本尊として出來たのが卽ち大佛である。あの時代の經濟事情から考へるとあんな事の出來たのは實に不思議といふより外はない、非常な大事業である。是れに就ては色々評することもありませうけれども、その可否は別問題として、奈良佛敎の盛觀といふものは推古朝から大化の革新を經て、その理想が益々實現して來た、卽ち政敎一致の思想が實現したのである。奈良朝時代は政敎劃一でなく、全く政敎一致である、國分寺を造つても東大寺を造つても、唯だお寺が出來たと思うと間違ひである、政敎一致の思想であるから、國分寺をお造りになつたのも、大佛を御建立になつたのも、全く政治の事業である、政治家がそんな事に暇を費してと思ふが、あの時代はそれが政務である、何故かといふとこれは國家安穩の御祈禱の精神から出て居る。それは聖武天皇の時分から年々歳々さういふ御布令が出て、國家安穩、國利民福の爲めにはどうすれば宜いかといふと、佛教が榮えれば即ち四天王その他いろ〳〵の神々が國家を守つて呉れる、さういふ信仰から起つて金光明最勝王經、仁王護國般若經といふやうなお經を尊崇された。宮中の年中行事の最も嚴《やか》ましいのは即ち仁王會《ゑ》、最勝會《ゑ》、維摩會《ゑ》といふものであつた。是れはどういふ事かといふと仁王經といふお經を讀み、或は講釋して國家安全の御祈禱をする、それが宮中だけではいかぬといふので、諸國に皆お經を配布して讀ませるやうになつた、此の事は齊明天皇の時に始つたことで、百の高座(高座といふのは坊さんが上つて座る所)百の袈裟(僧侶の服、袈裟、法衣)を宮中に備へて、百の僧侶を宮中にお招きなさつて此の仁王經を讀み講釋をさせる、それが年々常例の御儀式となつて之れを仁王會といふ。それから最勝王經といふお經の講釋、又はそれを讀むのを最勝會といふ。斯くして是等のお經を諸國に配付された、その配付すると言つても、其の時代には今日のやうな印刷したお經は無いから、一々寫さんければならぬ、そのお經を寫すといふ事が中々えらい事業である。先づお經を寫す人間を撰ぶには人物試驗、體格試驗、精神試驗、それから書の試驗などをやつて、それ等の者が一堂に集つて、服裝を改めて精進潔齋しておお經を寫すのである。であるから古寫經といふものは、今日でも見れば見る程言ふに言はれぬ尊嚴の感じが起るのである、それは生命が加はつて居るからである、唯だ人に分かりさへすれば宜いといふやうな物ではない、熱烈なる信仰から現はれて居る。さういふ譯で朝廷に於ては非常な御物入であつたらうと思はれるが、それを寫して諸國に御配布になり、遂に後には諸國に寺を造ることになつた。その寺といふものは今日でいふと縣廳の代りといつても宜い、中學校の代りと見ても宜い、さうして其の總本山となつたのが奈良の東大寺、その本尊が大佛である。諸君も御覽になつたでせうが、私共あの大佛を見ると餘り「大佛々々」といつて評判が高いものであるから、そんなに大きいとは感じないけれども伊東工學博士（あの人は奈良の大佛研究で博士になつた人で、大佛の事に精しい）も、木像にしても今日でもあれ位の物は出來ないと言はれて居る。又經濟上から言つたならば、今日二萬噸や三萬噸の軍艦の二隻や三隻拵へるやうな小さい話ではない、さういふ大事業が議會の協賛も何もせんでも出來た、信仰の力といふものは實に不思議なものである。

さういふ事は宗敎の力であるが、又同時に政治である。それは誰が關係したかといふと、主として聖武天皇、光明皇后の御信仰であるけれども、こゝに參與した人がある、それは良辨僧正、行基菩薩である。他にもあつたけれども、此の事業に就て帷幄の裡に居つて天皇の顧問とでもいふか、色々の計畫をした人は良辨、天下を巡回して國民の信施を集めた人は行基である。行基といふ人は實に不思議な人で行基の名を聞けば一言の下にどんな事でも國民が殆ど手足の動く以上に働いたといふ、詰り奈良朝佛敎の榮えたのは、さういふえらい人が出たからである。それから玄昉僧正といふ人も中々えらい、この人は『書紀』の文を妙な讀方をして詰らぬ批難を蒙つて居るが、その事に就ては加藤誠實博士が能く辯明して居られる。兎に角此の時に一番えらい働きをした人は行基並に良辨の二高僧であつて、これが聖武天皇、光明皇后と相和して、あゝいふ奈良佛敎の盛觀を見ることが出來た。これは奈良の佛敎が榮えたのみならず、王朝が榮えた印である、王朝の榮えは卽ち佛敎の榮えである、又國民思想の協同一致力の盛んであつたといふ事も思ひやられる。

兎に角推古朝時代に於ける太子の理想が、大化の革新を經て大いに實現して來たのは此處に又いろ〱弊害もあるけれども、兎に角奈良の佛敎と見なければならぬのであります。

第三期　平安朝時代

次に平安朝でありますが、物盛んなる時には必ず種々の弊害の依つて生ずるといふ事は、社會萬事の上に於て免かるべからざる事である。佛敎も亦その規則に悖らずして、奈良朝の時代に非常に王朝の榮えると共に佛敎が榮えたが、此の時に又政治と共に佛敎の上に非常な弊害が生じた、その最も著しい事實は彼の弓削道鏡なる者が出て、政治に種々の弊を起すと共に、我が佛敎の上にも言ふべからざる弊が起つたのである。あの時代は政治の方は藤原家が盛んになると共に四家に分れて、兄弟牆に鬩ぐといふやうな譯で、互に朝權の爭をやつた、今日の殆ど政黨の軋轢と同じやうに、藤原家の中で軋轢して居る、その渦中に投じて政治を執る者は南家に附けば北家から、北家に附けば南家から憎まれるといふ譯で、玄昉といふやうな人はその爲めにやられたのである。さういふ風に内部には隨分言ふべからざる醜態があつたと見えるが、其處に弓削道鏡といふ者が出て來て非常な弊を生じた。奈良の佛教は要するに政治に依つて興つて、政治に依つて倒れたと言つても宜い、政教一致に依つて興つて政教一致に依つて非常な弊害が生じた、そこでどうしても政治の改革と共に佛教の改革をせんければならぬ時代になつた。それを觀てこの改革をせんとして御着手になつたのが元正天皇である、けれども元正天皇は意の如くその目的を達せられずして、遂に桓武天皇の御英斷になつたのである。

桓武天皇に依つて政治の改革と共に佛教の改革が出來たのであるが、その改革を遊ばす所のお對手になつた方は傳教大師である。傳教、弘法と言ひたいけれども、弘法は傳教とは少し時代が後れて居るので、年も若く朝廷の御信用を受けることも後であつた、弘法は桓武天皇よりも寧ろ嵯峨天皇に御近付き申した人であるから、桓武天皇を中心として誰も傳教、弘法といふけれども、事實考へて見ると實は傳教である。それで桓武天皇は此の事には餘程御苦心遊ばしたと考へるので、奈良の都を捨てゝ京都に遷られたのも、その一つはどうしても奈良では意の如く政治、宗敎の改革が出來なかつたらうと思ふ、といふのは奈良の七大寺なるものは宮中の側にあつて、さうしてあの時代は天皇の御隨意といふ事にもならぬ程の事情が出來て居つた。であるから思ひきつた英斷をなさるには、奈良の七大寺に離縁同樣の態度を取つてやらなければいかぬといふやうな御決心から、遷都遊ばしたのではあるまいかと思はれる。兎に角桓武天皇は非常な御決心を以つて京都に遷都遊ばした。又桓武天皇が佛敎の爲めにどれ程お盡し遊ばしたかと云ふ事は國史を讀んで見ると年々歲々詔勅が出て居るが、その詔勅に佛敎の事の出ないことはない、さうして學問上の事まで御干渉遊ばした。奈良の佛敎には卽ち六宗と言つて六つの宗旨があつた、此の奈良の六宗といふものは言はゞ支那宗とも云ふやうに、印度、支那で分れた宗旨を日本で研究して居つたに過ぎない、學問宗と言つて活きた宗旨ではない。その六つの宗旨の中の最も榮えたのは法相宗と三論宗であつた、それで詔勅を見ると、此の時代は法相に傾いて、三論の方を研究する人が少ないが、それはいかぬ、兩方同じ樣に研究しなければ、佛敎の眞意は得られぬぞよといふやうな御注意が、幾度となく下つて居る。さういふ風に佛教研究上に迄御注意遊ばした程であるから、僧侶の品性行跡に就ての御注意も非常なもので、色々御苦心遊ばして、僧侶の品性を直すには全體若い時に出家をするからいかんのだらう、もつと壯年三十歲以上にならなければ出家を許さぬことにしてはどうだらうとか、或は學問試驗をもつと嚴重にして、十分學力の有る者でなければ出家をさせぬやうにしたら宜からうといふやうなお考もあつて、餘程政治の改革と共に佛教界の改革にも御苦心遊ばしたといふ事は、詔勅を拜見すれば分かることである。

けれども又一方から見ると、モウ奈良の佛教は何と言つても仕方がない、其處で腐るものは腐らして置いて、此處に新しいものを造るより外はないと云ふお考へで、傳教大師の後援者とならせられたのではあるまいかとも思はれる。傳教は桓武天皇の政治の御改革の餘程御輔けを申したやうであると同時に、又傳教の事業を桓武天皇が大いに資けられたといふ事も思はれる。例せば傳教は叡山の麓の阪本といふ所に生れて十三歲の時に近江の國分寺に出家をして、行表といふ坊さんの弟子になられた、行表といふ人は奈良の興福寺の坊さんで、法相宗の人である。

であるから傳教は二十歳にして奈良の興福寺に行つて正規の得度修行をして、本當の坊さんになつた。(僧侶となると云ふ事は、あの時代には中々難かしかつた、今日は何でもない事に思うて居るけれども、あの時代は中々僧侶の試驗は今日の檢定試驗を受けるよりも難かしかつた。)傳教はさういふ風に法相宗の坊さんの弟子になつて、興福寺で得度して興福寺に僧籍を置かれたけれども、自分は興福寺に居らぬ、十九歳の年に叡山に登つた、叡山は古來人が登つたことがないと言れる程の山である、今日はさうでもないけれども、あの時分は未だ開けないから、千年以前のことは今日から到底想像すべからずである。織田信長の桶峽間の合戰といふから、どんなに深山かと行つて見ると今日は平坦の地である、けれどもその當時は相當茂つて居つたらうと思ふ。傳教が叡山に登られた時分にも、如何にも人間の容易に登らぬ所であると云ふやうな深山であつたらうが、傳教は此處に登つて或は本を讀み、或は坐禪をして居つたが、二十二歳の時に叡山に於て一乘止觀院、今日いふ根本中堂の寺が出來た。それを二十八歳の時に改築して、遂にその時の延曆といふ年號を寺號にして入佛供養、今日いふ學校の落成式みたやうな譯で御供養を勸められた、その時には奈良から時の僧綱、それから僧正とか僧都とかいふ僧官にある坊さんを澤山招待し、尙ほ桓武天皇が御臨幸遊ばした。これは實に吾々の想像もつかぬ所である、今日一學院を拵へると言つても、斯ういふ東京の市街に拵へるのでも容易ではない、況んやついぞ人の登つたことのないといふ山の上に寺を造り、さうして時の天皇の御臨幸を仰ぐといふことは、啻ならぬ事である。これには何か裏面に深き事情があつて傳敎と桓武天皇の間に斷るに斷られん事情があつたに違ひない、改革をやるには斯ういふ人物でなければいかぬといふ御眼識があらせられたか、兎に角桓武天皇の御信仰があつたればこそ、叡山といふ山は開けたに違ひないのである。

さういふ風にして叡山は傳敎二十八歲の時に開けて、それから數年後に法華十講と言つて、今日でいふならば法華經の十回講演といふものを叡山の山の上に開いた（それが霜月講と言つて今日まで繼續して居る天臺宗唯一の事業である、朝廷から勅使が年々歲々立つた、今でも宮中から滋賀縣の知事に命じて勅使が下る）これが傳敎の立敎開宗であるが、これが大流行になつて、叡山で一遍やつた所が、今度は和氣廣世が京都の高雄寺に傳敎大師を招待して法華經の講釋をやつた。何しろ其の時分には法華經の講釋、天臺宗の講釋といふことは非常な新知識である、今日でいふと西洋の誰も讀んだ事の無いやうな哲學の書物でも讀んで、東京で講演をやるやうな譯で、書生さん方が皆吾も〳〵と爭うて行くやうに、傳敎が法華經の講釋を叡山でやつた時には非常に好評《もて》た。其處でその機に乘じて傳敎は自分が愈々新佛敎として天臺宗といふ宗旨を、叡山を根據地として開くに就ては、今まで研究はしたけれどもこれは自研究である、どうしても支那に行つて一つ傳授といふものを受けて來なければ、人の信用を得ることが出來ないといふので、支那に入唐し今日でいふ外國留學を朝廷に請願した。所が桓武天皇は留學としてはお許しがなく、還《げん》學《がく》生《せい》として許された、還學生といふのは向ふに行つて名師に會つて或る傳授を受けて來るだけで、向ふに留つて學問をするのではない。それは桓武天皇が政治宗敎の顧問として、傳敎に離れる事をお厭ひ遊ばした爲めに、還學生として始めてお許しになつた。其處で傳敎は延暦二十三年支那に至つて翌年歸つて來て、さうして大規模を以つて叡山の峰に九院十六院と言つていろ〳〵の物を造來る。それのみでない、現に支那には多くの寶物が遺つて居るのである。斯樣な鏡は支那で何頃出來たかといふと、漢代乃至六朝頃であつて凡そ二千年乃至千四百年程前である。當時我國に於ては鏡について如何やうに考へられて居たか明かでないが、其圖象の多くが支那の神話や神仙談に關係して居たものと考へられるから支那では單に裝飾といふやうな輕いものでなく、鏡の靈威靈妙な功德を表示したもので、道敎思想とも深い關係のあつたことゝ思ふ、又模樣の中に銘文のある鏡もあるが其銘文の意味にも神仙談に關係の深い文句がある。例へば富貴安樂長生子孫繁榮賢者高顯取者大吉等の文句がある。此外支那では色々の哲學的思想が附隨して居つたやうであるが人家に大鏡を懸けて邪魅を辟けるといふ樣な俗間の信仰もあつた。然し我國に於ては支那に於けると同樣の思想が鏡と關聯して人心を動かしつゝあつたか何かはもとより明かでないが、鏡は邪魅を辟くる靈威あるものであるといふ信仰などはあつたものと見え常陸風土記には此に關する記載がある。又離別に臨んで鏡を與へるといふ風もあつたものと見え肥前國風土記には宣化天皇の時大伴狹手彥がさる美人と別れる時に鏡を與へたといふ話が記載されて居る。

然し此に三種神器として最重要な意義は平常身邊の飾として用ひ給ふた玉、御姿を寫し給ふた鏡と更に武力の標象である劒を授け給ふた點に、卽ち現御神《ウツツミカミ》の靈《ミタマ》代《シロ》として授け給ひし所に主要な意義があるのである。更に言替へると天孫降臨に關する傳說の本質的のものは祖先崇拜の思想であつて、天照大神が天孫に御鏡を授け給ふて此鏡は專ら我魂として吾が前を拜《イツ》くが如く伊都岐《イツキ》奉れと詔せられた此言葉に對する信仰こそ眞に天孫降臨に關する傳說の神髓である。國家的宗敎としての神道は此信仰につながつて居るのである。コムトは其著實證哲學《ポジチイブポリチイ》に於て理性よりも行爲よりも、又何よりも愛の力が最も重きをなさなければ人類の調和も統一も得ることは出來ないと言つて居るが、我國家の偉大なる歷史を持つて居る國民の調和と統一の力は實に此皇祖に對する愛慕の信仰から生れて居るのである。

第二節　大和民族の創造と神道

前節に於て吾人は神道の最も重ずべき信仰は天孫の降臨に對する國家的信仰

にあるべきことを説明したのであるが、此信仰によつて統一された日本《ヤマト》民族は如何なる内容を持つて居る民族であるか。此民族と神道の成立は如何なる關係に於てあるか。本節は此等の問題について研究を進めたいと思ふのである。

さて吾々日本人は皆天孫民族で皇孫に從つて此國土に天降《アモリ》來つた神々の裔《スヱ》であると信じて居る。然しながら天孫民族の此地に來るや先住民族を悉く亡ぼして彼等と入り代つたのでは無く其先住の民族を同化融合したのである。故に其先住民族の如何なる民族であつたかと言ふ事の研究は我が民族の系圖を明かにする譯であるから何人にも興味ある問題であらうと思ふ。然しながら此は一朝一夕に解決される問題ではない。此問題は各方面から研究すべき必要がある。即ち歴史的、人類學的、言語學的、及び考古學的研究の結果を綜合して判斷すべきものであるけれども、今日は未だ何れの方面にも徹底的研究が出來て居ないからして信頼するに足るべき結論を聞くことは出來ない。今日多少我が學會の注意を引きつゝある研究は考古學的研究と人類學的研究であるが、未だ決定的研究を得て居らない。故に大體論として何人も心得置くべきことを少しく述べて置く。

抑人類が其爪や手や齒以外に道具の使用を知らなかつた時代を經過したる後に、石で作つた武器や日常の道具を使用して彼等の生活狀態を發展せしめた時代が現はれ、次に銅製の道具を使用する時代が來り、最後に鐵器を使用する時代に達したのである。即ち人類學又は考古學上に於ては、文化の系統を此等の三時代に大別して石器時代、銅器時代及び鐵器時代と稱して說明するのである。石器時代といふのは、石を以て利器原料の主要なるものとなす時期で、要するに人類の搖籃時代である。そこで我國にも此石器時代があつたのである。而して此時代の遺跡は現に到る所に發見される。郊外の田圃を散策する時などに少しく注意するならば、耕地の一隅或は畔のほとりに貝殼が層をなして露出して居ることがある。かやうな遺蹟を貝塚といふのである。此貝塚は石器時代の民族が食用に供した貝殼を捨てた場所であるが、此中から彼等が日常使用した土器や石器や或は土偶のやうな物が發見されるのである。而して土器には色々の模樣のあるものと模樣の無いのとがある。さて其模樣は現今のアイヌ模樣に系統を引いて居るものであるから、此模樣ある土器は、アイヌ人の祖先が石器時代に使用したものと考へられて居る。此説は大體に於て學者間の定説となつて居る。次に模樣の無い土器（但し稀には模樣のあるのもあるが前者と全く異つて居る）を遺した人種は如何なる人種であつたか。此點は何人も明かになすことは出來ないが、アイヌ人種以外の或人種の遺したものであると言ふことは何れの學者も認めて居るのである。而して彼等は廣く全土に蔓延して居つた人種であつたやうに考へられて居る。要するに此等の土民は金屬製の道具の使用を知らなかつた原始民族であつたが、そこへ金屬器の使用を知つて居つた高等民族が渡來して先住の土民を同化したものと思はれる。其融合した時代は何頃であつたか。それは明瞭に判らないが彼等の遺した遺物卽ち古墳墓から發掘される刀劍や、甲冑や、馬具や、銅鏡や、身邊の裝飾品などは金銀銅鐵寶石類を自由に應用して鍍金をしたり、彫刻を爲したものである。此等の遺物を硏究して歸納すると其實際に使用された時代の中心は凡そ垂仁天皇の頃から六七百年間に亙つて居たと考へられる。而して此等の遺物を石器時代のものと比較するならば其文化の如何に發達して居つたかゞ一目して瞭然するのである。然し其の始めには石器と金屬器とが併用された時代があつたのである。それが時代の進むにつれて次第に石器の使用が廢たれ、全く金屬器のみを使用する時代が現出されたのである。さて我國では石器時代に續いて銅器時代と鐵器時代が同時に始まつて居るのである。

然らば天孫の降臨された時代は全く金屬器の使用を知らなかつた時代であつたであらうか、或は又金石併用の時代であつたであらうか。それは判らないが、縱へ金屬器について多少の智識を持つて居つたにしても、未だ幼稚な域を脱して居なかつたであらうと察せられる。天孫民族は此幼稚な土民を如何にして同化したであらうか。既に一言したやうに我が日本《ヤマト》民族は我が國土に於て創造された民族である。即ち我が國へ渡來した民族であると言ふ意味に於ける天孫民族とも異い、又勿論先住民族の何れとも異ひ、新らたに創造された民族であると言はねばならぬ。さて其同化されるや始めは先づ血族的關係から融合されたものと察せられるのである。恐れ多いことではあるが、我が皇室の御先祖にてまします天《テン》孫《ソン》瓊々杵《ニニギノ》尊の日向に降臨ましますや其地の國津神《クニツカミ》であつた大山祇神《オホヤマツミノカミ》の女木花開《コノハナサク》耶《ヤ》姫《ヒメ》を后妃となされた。又彥火火出見尊《ヒコホホデミノミコト》、鸕鷀草葺不合尊《ウガヤフキアヘズノミコト》なども國津神の女を妃となされたと傳へられて居る。皇祖皇宗の御上に於かせられて既にかやうに血族的同化融合が行はれて居るのであるから一般民衆の上に於ては盛に此生理的の同化が行はれたことであらうと思ふ。

次いで神武天皇即位以後有史時代に入つてからも此民族の同化作用は行はれたのである。我が上古の政治組織は云ふまでもなく氏族制度であるが、元來此制度は神代から皇室を中心として各氏族が世襲の職を以て帝國に仕へた歴史を持つて居るのである。故に其の氏族制度の亂された時は、人民の生活狀態が攪亂されるのである。それであるから此を正さゞれば人民を安堵せしむることが出來ない。允恭天皇の時に姓氏の混亂を正された詔が出たのもこれが故であう。要するに氏族制度は當時の經濟組織であるから其組織を破壞せんとすれば、自からそこに利益の衝突が起るのである。故に氏族の系統を修正することは、結局經濟組織の修正に過ぎなかつたことゝ信ぜられる。されば氏族制度は民族の生理的同化に對しては、別に著しい障害であつたとは思へない。のみならず吾人の考へでは、此制度があつたからして却つて眞の同化融合が行はれたのであらうと思ふ。

今假りに此制度の無つた場合を假定して逆に考へて見ると、此生理的同化作用は或はより盛に行はれたかも知れぬが、皇室を中心とした民族の同化は望まれなかつたであらうと思ふ。如何となれは其の區別があるから其所に特殊の權利榮譽及び幸福の觀念がある。加之、區別を爲して居る所の障壁が絶對に排他的でなく、よく同化し得るものは此環內に編入することを必ずしも拒まないといふ方針である時には、其同化を願ふべきは人情の自然であるからである。

日本民族はかくの如くにして此國土に於て創造されたのであるが、此日本民族を內容とする我が國體の基礎はもとより神武天皇の時に奠められたのであるけれども立派に完成されたのは崇神垂仁兩朝の間にあると思ふ。前節に述べた天孫降臨に對する國家的信仰の確立、卽ち神道の成立も亦實に此間に完成されたのである。

さて我が國體の成立した當時天皇の稜威の及んで居つた範圍は五畿內を中心として東は伊勢、尾張、西は播磨附近に達して居つたことゝ信ぜられる。かくの如く我々日本《ヤマト》民族は當初から其宗家とまします皇室を中心として政治上にも社會的にも、將た又思想の上にも統一されたのみならず、各氏族が生理的にも融合した結果創造された所の國民であるから我等は互に其始祖を同ふする同胞であるといふ自覺に到達したのである。故に各自が主觀的に其祖先を天孫民族なりと考へるのは當然である。要するに神道は我が國民各自が皇室及び其祖先に對する崇敬心から成つて居る所の國家的の祭祀である。さて斯の如くにして我が國體の完成された後に於ては如何なる外來思想に接觸するも其本質は永久に變化する事はないのである。卽ち我が國體に同化し得るもののみを攝取して日本《ヤマト》民族と爲す事が出來るのである。これ我が國家が其の獨特なる起原を持ち有機組織を完成して其の營養に資すべきものを選擇して同化する機能を有するに至つたからである。

國家成立の起原についてヲッペンハイム Oppenheim の如きは獨立國の起原は勝利によつてのみ確定すると言ひ、又ルソウ Rouss'au の如きは民約による國家起原說を唱道したのである。更に遡つて歐洲中世の思想では國家の起原を神の意思にありと考へたのである。卽ち此思想は神聖世界を創建して人類を一の法律と一の政府の下に置くことを理想となすもので、其結果、羅馬法王の動かす總べての戰爭又は征服を正しい理由あるものとして説明したのである。さて國家の成立には、領土と住民と其統治權の主體とが具備しなければならぬのであるが其起原については各國それ〳〵特殊の歴史を持つて居るものである。故に國家の起原を一定の法則に照らして其國家の成立が適法なりや否やを論議するは不合理であらうと思ふ。唯こゝに注意すべき點は、國家の起原と其國家の組織との關係が合理的であるか否かと言ふことであらう。而して國體の優劣は其起原と歴史をついて判斷するが最も合理的方法であらうと思ふ。故に我が國體の起原と歴史萬國の其等と比較研究するならば、我が國體の偉大なる所以、又此と同時に我國體の有難味が十二分に理解されるのである。而して我が國體の起原と其の歴史は神道と密接離るべからざる關係があるのである。

第三節　天神地祇の祭祀と神社の起原

吾人は前節に於て天孫降臨の傳説に對する我が國民の崇敬心が神道の中心信仰である所以を力説したのである。従つて天照大神は神道の最大神であることを明かにしたのである。然しながら太古から我が神社の祭神は天照大神の外に種々異つた祭神があるのである。そこで此等多數の神社の祭神と天照大神との間には如何なる關係があつたか。其を正當に理解することは重要な研究であるのである。然しながら此研究に入るに先たち一般宗敎に關する概念と、我が國に於ける原始宗敎思想について其の梗槪を述ぶべき必要がある。

すべて事物を解り易く系統を立てゝ說明せんとするには多くの材料を分類して組織する必要があるのである。そこで宗敎を研究する場合にも色々な分類を試みる必要がある。

十七八世紀から十九世紀の初葉にかけて歐米の哲學者や神學者は、其の哲學的或は神學的ドグマによる假說或は標準に從つて總ての宗敎を分類したのであるが、彼等は基督敎以外を邪敎と見做し、基督敎以外の宗敎は人類墮落の結果であると極言し、總て基督敎以外の宗敎は人間に有害無益な宗敎であるから排斥しなければならぬと言ふことを主義として世界の宗敎を分類したのである。然しかゝる分類法は、學問上はもとより實際上の問題としても害にこそなれ決して有益なる方法ではない。

今日學術的價値ある分類としては先づ心理學に基く主觀的分類卽ち內面的特徵による分類。或は民族的關係及び歷史的相互關係の影響及び經過に從ふ分類法などもあるが、此他研究の目的によつてそれぞれ特殊なる分類を試みる必要があるのである。差當り吾人の今研究しつゝある問題と最も關係の深い分類法は宗敎の外部的特徵による分類であらうと思ふ。然し此分類にも色々の方法があるが、大體崇拜されるもの丶性質に從つた分類が參考になるであらうと考へる。

さて此分類法に於ては崇拜の對象を八別して拜物敎、自然拜崇、シャマン敎、多靈《アニミ》敎《ズム》、多神敎、二神敎《デュアリズム》、一神敎《モノシーズム》及び一元論となすことが出來る。

拜物敎は英語では Fetichism といふのであるが、文化の最も低い野蠻民族の有する宗敎狀態である。卽ち石や、骨や、貝や、木片や、武器などを或點に於て人間以上の力あるものと信じて崇拜するのである。ジョン、ルボック John Lnbbock は此種の信仰は自己の希望を神々に强要することが出來るものであると想像する時代に行はれるものであると言つて居る。拜物敎は現今尙中央亞弗利加や南米の黑人間に、或は又濠洲の土人や其他の野蠻人の間にも盛に行はれて居る宗敎である。

第二に自然崇拜と言ふのは、山嶽や、岩や、水や、河や、森や、動物や、又より高き形式に於ては天や太陽や、月などを宗敎的對象となすもので拜物敎よりも進步して居る文化を有する民族の間に行はれる宗敎狀態である。此種の宗敎思想は今日尙到る所に發見されるが、亞細亞の東北に住する土人、北亞米利加の黑人、南洋ポリネシア土人の一部などに於ては殊に盛である。

第三に擧げたシャマン敎の神は種々異つた性質を備へて居る。卽ち拜物敎的、自然崇拜的及び多神敎的方面があるが其神に近づく方法は魔術的形式や、咒文によるのである。斯くして神を壓服し得るものと信じて居る。若し適當に此方法を行ふことが出來れば祈願者の要求が達せられると信ずる。要するに此宗敎狀態に於ては神は人間よりは遙かに偉大な力を有するもので其性質も人間とは異つて居る。而して其神の所在も人間社界とは遙かに隔つて居り、此神に近づき得るものはシャマンのみであると信ずるのである。玆にシャマンといふのは、人間と神との間を取り持つ所の行者をいふのである。シャマン敎は亞細亞の北部、北米及び南洋などに行はれて居るのである。第四の多靈敎卽ち Animism と言ふのは祖先の精靈を崇拜するのである。此宗敎思想の特徵は死者の精靈が生存者に對して善き事或は惡しき事を爲す力を持つて居るからして其精靈を鎭めたり或は祀つたりするのである。此宗敎思想は何れの人種の宗敎にも混入して居る要素である。第五に多神敎と言ふのは、一神敎以下の一般の宗敎に適用し得べき名稱であるが、自然物其物を神と考へるのではなく、其の自然物の中に潛在して居る精靈或は其の自然物から獨立して居る精靈を神として崇拜するのである。故に多神敎は野蠻人と文明人の中間程度にある民族の宗敎と見らるべきものである。第六に二神敎卽ち Dualism と言ふのは、慈悲の神と惡の神の二神を崇拜する敎である。其宗敎的形式は善惡の思想を自然の最高原因に照して說明せんとするものである。主として波斯人や中世のマネス敎徒のうちに發見される宗敎思想である。第七に一神敎卽ち Monotheism と言ふのは、全智全能なる唯一の神を信じ萬物は卽ち此神に支配され統一されつゝ終局の目的に向つて進みつゝあると云ふ信仰である。此種の宗敎は卽ち文明國の宗敎と認められて居るのである。最後の一元論は宗教として分類するは少しく無理で、寧ろ全く哲學的考察であるけれども宗教と關係する所が深いから茲に一言するが、此論は萬有は唯一無二で、唯外見に於て色々な形に現はれて居るのである。創造力も指導する力も又他の智力もすべて萬有のうちに永久潛在して居るのである。物質も精神も其性質に相違はないと論ずるのである。一元論の思想は古代に於ては印度のウパニシャドやヴェーダ哲學に又支那では老子の哲學に、又ギリシャではエリア學派の哲學に現はれて居る。近世ではブルノー Bruno エックハルト Eckhardt や又ベーム Böhme 等神祕派の學者の說に現はれ、其他に於てはフィフテやシエリングやヘーゲルや或は又スピノーザ等の學說にも現はれたのである。

已上述ぶる所の分類も甚だ不完全で、何れの國民の宗教と雖も其何れにも當て嵌めることは出來ないけれども、我が古代の宗教思想が人類一般の宗教思想上の見地から觀察して大體如何なる地位を占めて居るかを考察する爲めには參考すべき價値があるであらう。

さて我が上古には如何なる宗教思想があつたであらうか以下此方面に研究を

進める。然し吾人は既に第一節に於て天孫降臨の傳説に對する信仰の景背的思想として死後靈の存在に對する信仰について説べたのであるから其他の方面について考察せんと思ふ。

先づ我が石器時代の遺物中に宗教的意義を有する遺物として考ふべき主なるものは土偶と石棒である。土偶は大概粗製で高さは普通五六寸内外であるが稀には一尺位のもある。男女老幼の區別も認められる。目、鼻、口等自然に近いのもあるし、又異様なる目鼻のあるもの、又往々木兎《ミミヅク》或は稀には猫に似たものもある。此等の土偶其物は直接崇拜の對象であつたか或は後世の繪馬に祈願者自身の肖像を畫いて神前に掲げたやうに彼等の信仰して居つた或神に彼等の肖像として奉納したものではなからうか、此等の點については未だ定説を得ないのである。

次に石棒といふのは、丸味のある棒で、其の兩端或は一端に頭のあるものが多い。大なるは長三四尺小なるは一尺にも達しない。此石棒の用途は明かではないが、宗教的崇拜物であつたと考へられる。蓋し石を崇拜する思想は多くの民族が其低級な文化を持つて居つた時代に行はれた思想であるのみならず我國に於ても

經濟學說と實際問題

慶應義塾大學部教授　淸水靜文

緖言

經濟の事は隨分八釜敷い開闢以來の大問題の一である。併しそれが一箇の科學として研究されるやうになつたのは僅々百五十年ばかりの事で極めて新らしい。倫理や法律に關する研究は古代から行はれて居るのに經濟に付ての學問的研究が非常に後れたのには少くとも二つの原因がある。第一に倫理や法律は善惡を標準とするのに、經濟は損得を標準とする。これが抑兩者の發達に前後遲速のある所以である。個人の發育上から見ても善惡の考が前に現はれ、損得の考が後れて發達する。人を毆打しては善くない。人の家に放火しては惡い位の事は幼稚なる未成年者にもよく分つてをる。併し此品物は今賣つた方が得である、何處で買はなければ損であると云ふやうな經濟問題は成年者でも容易に判斷が出來ぬ。人間の集合體から成つてをる社會も亦矢張り其通りで未開時代にも可なり面倒な法律や倫理の規則がある。法律で云へば、今から四千二百年程前に早や巴比倫にはハムラビの法典がある。其條文は三百條足らずであるが、中々面白い奇拔なものもある。例へば技師を雇ひ家を建築したるに、手落の爲め壞れ、主人が死ねば技師を殺し、子供が死ねば技師の子供を殺すと云ふ條文がある。此時代には此位な事をせなければ、秩序を保つ事が不可能であつたらう。印度のマヌの法典と來ては隨分各方面に亘つて綿密に規定せられ、其條文が總計二千六百八十五ケ條から成立つてをる。此法典は巴比倫の分より千四百年後卽ち今から二千八百年前に編纂せられたもので、現代でも參考になるやうな事が澤山ある。今日の歐洲の法律の淵源である羅馬法を見ても支那の周禮、唐の六典、乃至我國の大寶令を調べてみても、非常に發達してゐたことが分る。又倫理の方面では、佛敎、耶蘇敎、儒敎等何れの內にも、實に驚くばかりの立派な倫理思想が現はれてをる。然るに經濟に關する學說は、それ程發達してゐない。アリストテレスの經濟學なども頗る簡單で且つ杜撰である。以來農工商等に關する斷片的の著述はあれども、國民經濟學として研究されたる纏りたるものは一つも無い。中世時代を歷て十八世紀の中葉に至つたが、十六世紀より十八世紀に亘る約二百年間、歐洲に行はれたる重商主義の反動として現はれたる自由思想及産業革命等の氣運に促されて著はされたのがアダム、スミスの國富論で、此時は丁度亞米利加の獨立戰爭の起りと同年の千七百七十六年に當る。史學上から云へば種々の說はあらうが、まあ此年を以て國民經濟學が誕生したものと見るのが相當であらう。爾來幾多の研鑽を經て今日に至つたのである。

偖上に述べたる樣に、倫理や法律は數千年前に發生してをるのに、經濟學の誕生のみが、斯く後れたのは、損得の考より善惡の考が先に發達する自然の順序に基くもので、各國の法律に於て、刑事上の能力を民事上の能力より早く發達するものと認めてをるのも之が爲である。經濟學の硏究が法律倫理の研究より後れたる他の一つの原因は、經濟組織の變化である。農業が國民經濟の主要部分を占めて居る時代に於ては、大部分の國民は自己の耕作物を衣食してをるので、其生産の規模が至て小さい。併し乍ら商工業が發達するに連れて、生産は益大仕掛となり、交易の範圍は次第に擴張せられ、僅かに數人の徒弟を使用せる從來の家內工業は、數百人數千人の職工を一箇所にて使用する工場に變化し、都市を中心として附近の村落との間に交易の行はるゝ都市經濟時代、若くば主として大名の領域內に交易の行はるゝ領域經濟の時代は變じて、交易の範圍一國より外國に及ぶに至り、昔の農本位の時代とは異りて萬事複雜を極め、到底常識判斷のみにては間に合はなくなつた。重箱や杓子を拵ふるには、目寸法にて事足れども、長き鐵橋を架し、大戰艦を造るには、是非共高等なる物理數學を應用せなければならぬ如く、經濟の關係組織が複雜となり、其範圍が弘まるに隨うて、以前の常識判斷にては到底其眞相を知るに由なく、遂に條理を立て科學的に研究せなければ仕方がなくなつた。此必要に逼られて自然に經濟學が生れて來たのである。歐米で此產業革命が起つたのは、丁度十八世紀の中葉以後であるが、此革命と共に經濟學が呱々の聲を揚げたのである。法律や倫理は人が社會を成し國を建つれば必ず其間に發生するものであるから、古代より相應に研究されたものである。併し經濟問題は事實としては人類開闢の始より存在し、狭き範圍、斷片的には種々工夫せられ研究せられたが、國民經濟學としては商工業が發達した後に研究せらるゝやうになつたのである。

經濟と云ふ語は經世濟民を約したもので、治國平天下と同意味である。今日の所謂政治、法律、經濟、倫理、及冠婚葬祭等の習慣、換言すれば、治國の要道一切を包容してをる。だから其範圍は非常に廣い。此點から云へば西洋の經濟と云ふ語も同樣である。西洋では希臘語の Oikos nomos 卽ち「家の法」、今日の家政學とも云ふべき言語が結合して Economics 卽ち經濟學となつたのである。家を治める法であるから、其範圍こそ異なれ、其內容に至ては、經世濟民と同樣衣食住の家計より冠婚葬祭、世間との交際、奴隷の使用、賣買に關する方法、遺產分配等荷くも一家の成立に必要なる總てを包容してゐた。ところが世運進步し、萬事複雜となるに連れ、政治は政治、法律は法律、倫理は倫理と云ふやうに、各別に研究せらるゝに至り、Economics も經濟學も亦共に其意味が極く狹く限定せらるゝに至つた。我國に於て經濟と云ふ語を此の狹き意味に用ゐるやうになつたのは、開港後の事で、西洋語の譯語として用ゐたのが始である。

經濟學は人間社會の現象を研究する學問の一であつて、其最も緣故の近いものは法律學と倫理學である。民法商法の大部分が經濟に密接の關係あることはよく人の知るところである。倫理も亦經濟と離るべからざる關係を有し、生産、交換、分配、消費の各方面に亘りて廣き深き影響を及ぼすものである。其他社會學、史學、人類學、統計學、純文學、美學、宗敎等の緣故あるは勿論、一方には自然科學卽ち理化學、博物學、地質學、他方には無形の科學卽ち數學、論理學、心理學、哲學等が、前後左右より經濟學の上に複雜なる影響と變化とを與ふるのである。換言すれば經濟學は遠近親疎種々の科學の環境内に在りて、不斷の淘汰を受けつゝあるから、常に進化の道程にあることを忘れてはならぬ。研究の對象たる經濟事情の變化より起る學理の變化の外に、前述の如く、諸種の科學の影響を受けて變動するから、經濟學の研究は實に六ケ敷く、普通學の素養が充分で且つ常識に富む者でなければ是に當ることはできぬ。本講話にては理論、政策、歷史、現狀等を取混ぜ其一斑を述べてみやうと思ふ。

第一講　總論

人は空腹を感ずれば食物を思ひ、冷氣に觸るれば衣服を需め、衣食足れば車馬を望み、別莊を設け、庭を造るのが普通である。此要求があつてこそ、活動し努力し人類も存續し、物質文明も進展する次第である。物質文明が進歩してこそ、精神文明も發達する譯であつて、物質文明と精神文明とは互に相倚り相助け、原因となり結果となつて進歩するのが順當である。十八世紀の中葉以來產業の大革命と共に、物質文明が偏長して其餘弊が各方面に現はれて來たので、往々物質文明を呪ふ聲を聞くやうになつた精神文明の唱道者中には、動もすれば、物質文明の總てを否認する者もあるが、これも間違つて居ると思ふ。人間が精神と肉體から成立つて居る如く、文明も亦有形無形の兩要素から成立せなければならぬ。併し一方に餘り偏傾するのはよくない。若し理想を云ふならば、我國は歐米列强と互格の競爭ができるのみでなく、物質文明に於ても、一頭地を拔く位まで努力し、工夫して進歩せしむると共に、精神文明をして一層長足の進歩をなさしめ、物質文明よりも常に一歩前にある位進めねばならぬ。斯くの如く両文明の配合が出來た曉でなければ、世界の平和は望まれない。法律を如何に改めやうとも、制度を如何に變へやうとも、大した效能のあらう筈がない。それは兎もあれ、人間社會に於ける一切活動の根源は、此人間の小さな腦の內に宿つて居る希望である。言換ふれば、希望があるから、活動が起り、活動があるから向上し進歩する。而して此人間界に於ける一切の現象の原動力たる希望の事を慾望と名ける。

第一、慾望。今簡單に定義を下してみれば

「慾望とは不足の感と、之を充さんとの願より成る心的作用を云ふ」

ことになる。卽ち

慾望＝(不足の感)＋(充さんとの願)

であるが、不足の感も亦大別して二つとなすことが出來る。一は生命を保持するに必要缺ぐべからざる物に對する缺乏の感であつて、他の一つは無くとも生存には差支はないが、有れば便宜である。生活を美化することが出來ると云ふ物に對する不足の感である。此方は有つても〳〵足らないと感ずる延長性に富める心的作用の結果に外ならぬ。假りに前者を「生存的不足の感」と名づけ、後者を「文明的不足の感」と名けておく。偕此不足の感と之を充したいと思ふ願とを合せたものを慾望と稱する。

慾望は見方によりて種々に類別することができる。或は衣食住に對するものゝ如き「肉體的慾望」と、學問宗敎に對するものゝ如き「精神的慾望」とに別ち、或は自己一身の爲のみを思ふ「個人的慾望」と、社會一般の爲を思ふ「社會的慾望」とに別ち、或は目前の事のみを圖る「現在的慾望」と、將來の事を圖る「未來的慾望」とに別ち、或は生命保存に必要なる「生存的慾望」と、文明の生活に必要なる「文明的慾望」とに別ち、或は生存に必要なる物に對する「自然的慾望」と、身分相應な物に對する「應分的慾望」と、身分不相應な物に對する「奢侈的慾望」とに別つ等、其類別枚擧するに遑がない位であるが、其目的物の性質より類別すれば

一、物質的慾望　二、非物質的慾望

の二つとなすことができる。而して物質的慾望は常に必ず經濟學上の對象となるものであるから、一派の經濟學者は特に之を稱して經濟的慾望と名づけ、或は略

して單に慾望と云ふてをる。而して此慾望の對象となる物を財と云ひ、財を有形物に限つてをるが、併し他の一派の學者は、雇人の勞力の如き、學者の講演の如き、音樂家の音樂の如き、無形の勤勞や、物權、債權等の如き、人又は物に對する關係迄をも無形財と稱して、財の內に容れてをる。卽ち物質的慾望の外に、非物質的慾望の或物をも加へて、經濟的慾望と命名した。而して經濟學上にては、經濟的慾望を省略して單に慾望と云ふてをる。

第二、財。人の慾望を充す性質を有する物を財と云ふのであるが、經濟財の範圍に付ては從來種々の八釜敷き議論がある。先づ廣き意味の慾望の對象たる財を大別して內界財と外界財とに區別する。內界財とは健康、手足、健全なる腦等、皆身體內にあるもので、總て慾望の對象となるものであるが、是は經濟上の財と云ふ譯にはゆかぬ。何となれば、若し人を構成する各部分を財とすれば、卽ち

手＝經濟財、足＝濟經財、心力＝經濟財等とすれば、

人＝手＋足＋頭＋胴＋心力、であるから、

人＝經濟財＋經濟財＋經濟財＋經濟財

即ち、人＝經濟財となる。然るに經濟財は、人の慾望を充す性質を有する物であるから、人の代に經濟財を入れ替ふれば、經濟財は經濟財の慾望を充す性質を有する物となり、無意義な事と成つて仕舞ふ。人と貨物とを一緒にしてならぬ事は、奴隷制度廢止以來の動かすべからざる原則である。人は經濟的慾望の主體であつて、客體たる經濟財(貨物)よりも尊い物である。故に內界財は經濟財の內に容るゝことはできぬ。外界財は之を自由財と不自由財との二つに分つ。自由財とは、普通の場所に於ける空氣、水邊に於ける水の如く、自在に取得消費の出來る物を云へど、不自由財は取得するに勞費を要する物を云ふ。何人も無制限に自在に、取得して勝手に慾望を充すことを得る物は、經濟問題の對象とする必要を認めない。併し取得に勞費を要し、制限されたる財は、大部分經濟學上にて取扱はるゝ財となるのである。不自由財は、又之を有形財と、無形財とに分つことができる。日月の如きは有形にして、人の慾望を充す性質を有し、人の身體外にありて、闇夜や雨天には、如何に渴望しても見られぬと云ふ不自由はあるが、他を排して之を占有することは不可能である。占有のできない物は、經濟上財として取扱ふ譯にはゆかぬ。又無形財中にても、人の勞力は財なりと云ふ説と、財にあらずと云ふ説と兩樣ある。併し先般取極められた國際勞働法規中には「勞力は單に商品又は賣買の目的物として取扱はれざるべきこと」と云ふ一般原則が揭げられてある。其理由は、勞力は人體に卽するが故に、慾望の客體たる貨物よりも貴い。勞力を强要するには、人の自由をも拘束せなければならぬ。故に商品同樣に見做してはならぬと云ふ意味である。こは人體が經濟財でないと云ふ人權の延長とも見るべきものであらう。如何にも尤である。去り乍ら、同じ無形の勞力であるが、牛馬の勞働は經濟財と見ねばならぬ。又電氣、X光線、見世物の如く、單に波動にて傳はる無形の勢力も、人の慾望を充し得る限り、占有し得る以上は經濟財の內に入れて然るべきである。又所謂權利財も、雇傭契約に於けるが如く、勞務に服するが爲に、自由を拘束せざる限り、經濟財と見るを至當とすべく、版權、特許權、商號、商標等の如きは其例である。以上述べたる所を表にて示せば次のやうになる。

内界財

- 財
  - 外界財
    - 自由財
    - 不自由財
      - 有形財
        - 享樂財
        - 生產財
      - 無形財
        - 自然力（電氣、牛馬の勞力等）
        - 權利財
        - 人の勞力
  - （有形財・無形財の享樂財、生產財、自然力、權利財を括つて）經濟財

表に掲げたる不自由財中「人の勞力」を除ける殘は、皆是れ經濟財である。而して享樂財とは直接に慾望充足の用に供せらるべき財であつて、米、麥、住宅、薪炭等の如き物を云ふが、生產財とは是と異り、享樂財を生產するに使用せらるゝ鋤、鍬、工場等の如きものである。今經濟財の性質を再記すれば

一、人の慾望を充す性質を有すること

二、人體外にあること

三、人の占有し得ること

四、自由に得られぬ事

五、人體に卽する勞力にあらざること

以上五つの性質を具備する物は、其有形たると、無形たるとを問はず、皆之を經濟財と名づけ、以下便宜上、經濟財を略して單に財と稱し、人の慾望を充す財の性質を效用と云ふことに極めて置く。

第三、經濟行爲。　經濟行爲とは經濟主義に基く經濟的慾望充足行爲である。心に慾望が起れば、其慾望を充す爲に活動が現はれる。　漁人が魚を釣りに行くのは、經濟行爲であるが、官吏が日曜に漁に行くのは、經濟行爲でない。　何となれば、漁を渡世にしてをる者は、勞費と漁獲高とを比較して、相當の儲がなければ、釣には行かぬが、漁人でない者は、縱令ひ損が行うと釣れなからうと出て行く。　これは始から利益を豫期してゐないからである。　漁人は最小の勞費を以て、最大の效果を收めんとする經濟主義によりて行動するから、損が行けば見合せる。　又書物を讀む時は經濟主義には依るが、單に娯樂か研究の爲に讀むのであつて、經濟的慾望を充足する爲の目的を持つてゐないから、是は經濟行爲ではない。

第四、經濟。　數多の經濟行爲が、秩序立つた統一せる一體をなして、繼續してをる場合を經濟と云ふのであるから、秩序なき切れ〳〵の經濟行爲が、雜然と集つた丈では經濟と云ふことはできぬ。農夫が土地を耕やし、種子を蒔き、肥料を施し、收穫をするのは經濟であるが、學生が、運動の爲に一度畦を切り、子供が遊戯に種子を蒔くが如きは經濟でない。秩序ある數多の經濟行爲が、繼續して繰返さるゝ場合でなければ經濟とは云はぬ。

第五、經濟組織。慾望を起す人を經濟主體と云ひ、經濟行爲をなす者を經濟行爲者と名づけ兩者を合せたる者を經濟單位と稱へる。即ち

經濟單位＝(經濟主體)＋(經濟行爲者)

經濟主體は一人のこともあれば、二人若くは二人以上のこともある。一人の場合には之を「單一經濟」と名づけ、二人若くは二人以上の時は「共同經濟」と名ける。爰に主體と云ふのは、自然人のことで法人ではない。主體が一人であれば、其使用人が幾人ゐても「單一經濟」と云ふから、家族なき獨身の雇主が、數多の雇人を使用して業務に從事して居る場合には、之を「單一經濟」と云ふ。去り乍ら「共同經濟」は自然人たる主體が二人若くば二人以上の場合であるから、普通の「家族經濟」「市町村經濟」「國家經濟」「組合經濟」「會社經濟」等は、皆「共同經濟」に屬する。古代の家族中にて見るが如く、

家長一人が絶對的支配權を有し、他の者は皆使用人同樣の地位にある時は、其經濟を「單一經濟」と云ふべきも、今日普通の家族に於けるが如く、父子夫妻共同生活を營む場合には、其經濟を「共同經濟」と云ふ方が正當である。

經濟は又「公經濟」と「私經濟」との二つに分つことができる。「公經濟」とは經濟主體が公法人なる場合の經濟であつて、國家市町村等の經濟は是に屬する。是に反して「私經濟」は私人若くば私法人の營む經濟であるから、商事會社や產業組合の經濟、及一私人の「單一經濟」等は是に屬する。右に述べたる「單一經濟」「共同經濟」「公經濟」「私經濟」は、何れも各其經濟主體と經濟行爲者とを合せて、一箇の經濟單位をなすものである。故に經濟單位は、一人にて經濟主體と經濟行爲者とを兼ねたる、家族なき獨身者の小經濟單位より、幾多の經濟主體と幾多の經濟行爲とを有する大經濟單位に至るまで、無數に存在してをる譯である。而して此等大小數多の經濟單位が、相集り、分業と交易との作用によりて、永續的の一團となつてをるものを經濟組織と名ける。

第六、國民經濟。 經濟組織は國內より海外に弘がり、全世界を被ふて居るが、國の內

二

税の具合等をも視察せねばなりません。

産業の状態　これは最も自然地理に影響いたしまするもので、平原には農業が行はれ山間には林業や鑛業、海岸には漁業といふ風でありますが、これら自然物を相手といたしまするものゝ中でも、植物を相手といたします農業に從事いたします地方は比較的に質朴でありますが、動物殊に海産物を相手とする漁業家は冒險の氣風に富むと共に投機的の精神が盛んであり、鑛物を採掘いたしまする坑夫連中には棄鉢《すてはち》の氣風があると申すやうに産業の種類によつて、土地の氣風が異り、自然物に加工をいたします工業地には自ら勞働者が多く所謂勞働問題などに鋭感であり、人を相手として賣買を事とする商業地は機敏であるが輕薄の風があるといふやうに職業によつて異るのです(此事は尚ほ後に職業と聽衆の場合に説きますが)これらも充分に視察せねばなりませんが、更に其の産業の振不振は土地の人氣に多大の影響を與へるものでありますから此點をも考察してかゝらねばなりません。不景氣の場合には人氣が沈んで居りますから落付いた話にも耳を傾けますが、好景氣の場合には一般に上辷《うはすべり》になつて容易に眞面目な話に耳を傾けるものではありません。

三

宗教の狀態　宗教と申しましても、日本に行はれて居るのは神道並に佛教、それに少しの基督教があるのですが、基督教は九州の或る部分に行はるゝ天主教を除いては主として都會に少數の信徒を有して居るに過ぎませんので、神道と申しましても宗教としては備前を中心として黑住、金光、大和を中心として天理教の行はれて居る外は、宗教神道でなく、神社崇拜で、これは地方〳〵に氏神があり、鎭守がありますので、其の敬神の模樣は土地の人情に多大の影響を有し、此風の盛んな所は質實であり、此風の衰へて居る所は輕佻でありますが、それよりも多くの關係を有するのは佛教で、これは布教を施して居りますから自から感化の力が加はつて其宗派の異同が少からず地方精神に影響して居ります。　私は觀察の便宜上、日本の佛教を、祈禱（天臺、眞言、日蓮、禪（臨濟、曹洞、黃蘗）並に念佛（淨土、眞宗、時宗）といたし更に前二者を一括して現世的、後の念佛を未來的とし、さて日本に於ける分布を見ますると關東地方は現世的で、關西地方は未來的佛教が盛んでありますし、山間地方には現世教、平原地方には未來教が盛んな傾向を持つて居りまして、これらが知らず識らず其地方精神に影響して居ります。

四

○○○○
文化の程度　これは主として教育の普及に見るべきで就學兒童の多少や小學校の設備、補習教育の完不完を以てトすべきでありますが、更に其地方に高等なる學校の存在すると否とは地方人士の精神に影響を與へること少なくないのでありまして小學校以上の學校のない地方と高等な學校のある地方とは直接教育に關係のない人にまで文化の差を來すものでありますし、其の地方に有名なる學者の出た地方と實業家の出た地方とは矢張地方人の精神に影響しまして、其の趣味や流行にまで多大の差を生ずるものであります。　其他、其の地方に入り込む新聞雜誌の種類や、娯樂の種類等をも充分に考へて其の文化程度を察すべきであります。　卽ち新らしい文藝物の耽讀せらるゝ地方と、舊式の講談物の喜ばるゝ地方とは其の趣を異にし、謠曲の流行する地方と、浪花節の歡迎せらるゝ地方とは同列には見ることの出來ない如きは其の一例であります。

先づこれらの諸點を觀察して一地方の聽衆が共通せる心理狀態を捕へ、これによつて自己の所說に共鳴せしむる表現の方法を考へねばならぬのでありますが、其の表現の上で注意すべきことは地方語を知るといふことであります。

標準語と地方語

講演は其の原則として言語の純正を望みます。言語を純正にするに就てはいろ〳〵な注意がありますが、其の第一には地方語や地方訛を用るなかれといふことであります。我が國には未だ封建割據の遺風が存しまして、地方地方に國訛が殘つて、全く他方には通せない語や、又通じましても意味の大に異るものがありますから、講演者が之れを用ひました場合には聽衆は意味を取り違へたり、或は全く解らないで濟すことがないとは申されません。諺にも「長崎バッテン、大阪サカイに京オマス」なぞと申しましてバッテンとかサカイとかオマスとかいふのは其の地方の訛でありまして他國人には其の意味が充分に解りませんが、尙ほこれらは略ぼ考へ當てることが出來るといたしましても、青森地方で蛙をビキ、牛をベコ、蜻蛉をダンブリ小童をワラス、少女をメラスといひ、長崎地方でけれどもをバッテン、そんなに、こんなにをソンゲンコンゲンといひ、井上圓了氏が肥前佐賀の方言を集めて

ハイをナイ、兄をバーサンあぐらをばイタマグリとは佐賀の方言

と云はれし如き地方語に至つては到底他地方人の解し能はざる所でありますから、これらの言語を使用して一般の聽衆に徹底せしむることの出來るものではありません。橘南谿の「東遊記」に出羽の國を旅びして或る里より小佐川に行かうとした時、丁度、雨降りの夕方であつたから次ぎの宿までの道程を聞くと、里人がオニが出て人を食ふから見合せよといふから、何を旅人だと思つて馬鹿にすると思つたが、よく〳〵尋ねると此地方では狼のことをオニといふのだと解つたといふ話が載つて居りますが、これは地方語使用の弊でありますから、講演者は一地方に限られて他の地方に通用しない言語を避けて國内共通の標準語によらねばならぬ。こゝに標準語といふのは其の國、其の時代に遍く通ずる言語で、普通に文章なぞにも書かれて居る句法を申すのでありまして、其の條件としては、(一)現代的(二)普遍的

（三）國民的といふことを必要といたします。現代的といふのは昔使つて今は使はれない言語や、まだ誰れも使はぬ新らしい言語は標準語となすに足らぬと申すので、普遍的といふのは或る階級の人のみに用ひられて一般には用ひられない學術上の專門語や、ズット下つては仲間同志の符徴のやうな言語は標準語たるの資格のないことを示し、國民的といふのは其の言語でない卽ち外國語、又は一般國民の使用しない地方語を避けよとの意味であります。

かく現代的、普遍的、國民的の三つの條件を以て言語を選擇して行けば雜駁の弊を避けて純正ならしむることが出來るのでありますから、勢ひ地方語を避けるといふことは講演の要件となるのでありますが、これは講演者の心得として申すので、其の聽衆が地方語でなければ解し難き場合又は誤解を生ずる恐れある場合、例へば土佐地方の子供に對して母親のことを、カーサンというてもオフクロといふても解らないがオナンといへば親しく解せらるゝ如き、又は關西人に對してカッテコイ（買ひ來れ）といへば東京語のカリテコイ（借り來る）の義に解する恐れがあるからカオテコイといふ如き必要があるから講演者は其の對手とする聽衆の地方語を知るといふことは必要であります。こればかりでなく地方語を知つて居らないと思はぬ失態を來して講演の品位を失墜することがあります。例へば京都邊では衣服の事を子供達の普通語としてべべと申して居りますが、北越の或る地方では、これを女の陰部を指す言語となつて居ります、これを知らずに京都の或る布教師が子供に話をするときに衣服のつもりでべべといふ語を用ひて大に笑はれたといふこともありますから、使用せざるまでも地方語を知つて居るといふことは餘程必要なことであります。

時代精神と時代語

聽衆の心裏に深く根ざすものは、國民精神、民族精神幷に地方精神でありますが、其の心の表面を去來して絶えず新しき刺戟を與へて行くものは時代精神であります。前者は昔より今と時の流れに從つて次ぎへ次ぎへと傳へ來つたのでありまして、之れを縱の流れといふことが出來れば、後者は同一時代に於て人から人と傳へられる横の流れとも申すべきもので、前者が習慣となつて現はるゝと共に、後者は流行となつて現はれる性質のものであります。若し模倣の法則を以て云へば前者は古風模倣であり、後者は同時模倣とも申すべきもので、其の時々によつて變化して參るものであります。今、講演者の面前に集れる人々は悉く同時代の人であります。卽ち多少とも横への流れたる時代の潮流に浸されて居る人でありますこれらの人々を相手として講演をするには、是非知らなければならぬことは此時代精神と申すべきことであります。山河相隔つて他と交通しない地方にも、其の時々の思想の變化はあり世界との交際を斷つて孤立して居つた鎖國の時代にも矢張時代〴〵の精神は異つて居つたのでありますが、今日のやうに交通の便の開けて國と國との交際も頻繁となりました時代には思想の傳播は頗る迅速でありまして、時代の思潮は正に世界的の流れとなつて現代人の心理に觸れ來らんとして居るのでありますから、之れを閑却しては現代人を導くことは出來ないのであります。されば講演者は絶えず時代の智識を修養して時代の赴く所を察知し、之れを指導することを忘れてはならぬのは云ふまでもないことでありますが、思想表現の上に於きましても時代人の心理に應同するの言語を用ひて之れを導くことを考へねばなりません。まことにルボンが「群衆心理」の中に「政治家の職掌の第一義は群衆が舊來のまゝにては最早や忍ぶべからざるに至れる事柄に裝ふに評判よろしき言語又は少くとも惡感を挑發することなき言語を以てすることである」と申しました通り時代精神は常に言語によつて表象せられまして、これが流行語となりますと無限の力を持つに至るものであります。此點に關してルボンは時代の流行となる言語には一種の假相《イメージス》(Images)が付隨して終に其の言語自體の意味とは全く沒交渉となるに至るもので、不得要領なる言語が多大の勢力を有し、之れによつて世上萬般の事が解決せらるゝやうに思はしめ其の魔力は到底道理や議論では打破ることの出來ないほどに至るものであるとて、デモクラシー、社會主義、平等、自由等の語を擧げて居ります。デモクラシーが時代の流行となり、社會主義が時代の反目を受くる語となりましても、果して能くこれらは語の眞義を解して居るは幾人ありましたでせう。佛蘭西革命の恐怖時代は最も自由といふ語が行はれた時代でありますローランド夫人が處刑せられます時に「嗚呼自由よ、如何に多くの罪惡が汝の名によつて行はるゝぞ」と叫びました通り、全く反對のことも美しき此語の力に隠れて行はれるのであります。

これほどに時代の流行語は力を有して居るのでありますから、時代精神並にそれを表象して居る時代の流行語を解するといふことは講演者にとつて最も必要なことであります。

現代人心理

既に時代精神と申すことに說き及びました以上、私は少しく現代人心理といふことに就て申し添えて置く必要があると思ふのであります。人は人なりで、昔も今も變らない心理を持つて居るのでありますが、社會の狀態は少からず其の時代の人々に影響いたしまして、昔と今、近く德川時代と明治大正の時代とを較べましても、そこには少からぬ變化を見るのであります。御承知の通り德川時代は外國との交際を絕つて日本は日本の日本として東海の表に孤立いたして居りましたから外界の刺戟を受けることが少く、從つて何事も傳統的であり、舊慣墨守流であり、事々に先例を重んじ、相變らぬのを以て喜ぶべきことといたして居りましたから尙古の精神は盛んで新らしがるといふ風はなかつたので、ロッスが「社會心理」に於て風習模倣の行はるゝ要素として擧げました祖先崇拜、古典崇拜、地理的孤立、國語的孤立、家族主義、定住、一般に敎育の普及せず、社會の表面には老人が立つといふやうな諸條件が備つて居つて、一國の政治は大老、老中、若年寄、地方の諸侯は家老、權を握り、町村の事は年寄がするといふ風であり、學ぶ所は古典を離れなかつたのであります。それが明治維新となつては全く一變して漸次社會の表面には青年が立つやうになり、交通の方法は開けて一國の孤立を許さず、世界の思潮は續々入り來つて新らしい學問は盛んに行はれ、敎育は普及し、討究は自由となり、家族主義は勢ひを失つて個人主義が頭を擡げるといふやうにロッスが風習模倣に反對する要素として擧げたる諸條件が備はり來つて舊來の陋習を破るを以て第一着手として現れたる明治の維新は先づ文明開化を標榜し、「開けない」の一句を以て舊慣墨守者を罵倒し「舊弊」の一語を以て傳統を打破し、何事も新らしく〳〵と進み來つて「古い」といふ語は侮蔑するの意味を有し、新らしいといへば賞讚の意味を持つやうになつて、全く德川時代とは反對の傾向を有し、新らしがるといふことは確かに現代人心理の共通點となつて來たのであります。

佛蘭西の社會學者タルドの申しました通り人には古風を模倣する尙古の精神と新らしきを求むる愛新の氣風とがありますもので、ロンブロゾーの人には憎新の心（Misoneisme）といふものがあるといふのに對しまして愛新の心（Philoneisme）ありと申しまして此憎新の保守的なると愛新の進歩的なると、前者の反覆と後者の創始とが互に經緯して社會は進んで行くものであると申して居りますが時代々々によりまして憎新の氣風の盛んな時もあり、愛新の氣風の盛んな時も生じますので、前申しまする通り、現代は愛新の方が非常に勢ひを得て居るのであります。

これにはいろ〳〵な事情もござりませうが、其の主要なるものは科學の進歩と社會制度の變革とであります。長足なる科學の進歩は諸種の發明發見となつて斷えず新らしい刺戟を現代人に與へ、急激なる社會の變革は舊來の信仰を刻々に破壞して新らしきを求むるの心を切ならしめ、加ふるに交通の頻繁は斷えず新らしい事物を目にし、新らしい思想を耳にせしめて、いよ〳〵ます〳〵新らしきを求めて、こゝに强烈なる刺戟を受けんとする傾向を生じて參つたのであります。

此の如く斷えず新らしく〳〵と求めて參りますから時代の思潮といふものも亦從つて斷えず變化して參りますので、此點に關しましては、ルボンが現代人の意見の變化し易き理由として、三點を擧げて居ります。其の意味を取つて申しますと、

一　舊來の信條は力を失ひ、之れを基礎として臨機の意見を立つることが出來なくなつたから、何事も基礎なき一時的の意見が行はれ、從つて動搖常なき事。

二　群衆の勢力擴大するに從ひ、群衆心理の特性たる易變性は何の制限もなく行はるゝ事。

三　新聞雜誌の發達せるがため、非常に反對せる種々の意見が絕えず公にせられ、それら異れる各個の意見より生ずる暗示は忽ち反對の性質の暗示のために破壞せられ、從つて如何なる意見も一時的性質を帶ぶるに止る事。

等を擧げて居ります。現代人は大要此の如き心理狀態に居るものでありますから、之れを對手とするには、それ相應の覺悟がなければなりません。それらの事は

尙ほ後にお話いたしますが、こゝに一言いたさねばならぬことは新聞雜誌の讀者と演說講話の聽衆との區別であります。

新聞の讀者の演說の聽衆

新聞雜誌も演說講話も共に現代人を相手として宣傳をいたしますので、一は文筆を通じて目に訴へ、他は口舌によつて耳に訴へるのでありまして、前者は後者の如く相手を一堂に集めるのでありませぬから散在したる群衆とでも申すべきで、後者は必らず之れを一堂に集める必要があるのでありますから、密集したる群衆狀態に置くものでありますが、共に現代人の思潮を創造するに力あるものでありまして、終に民衆の共通的判斷たる輿論を作成するに至るものであります。併し共の置かれたる位地が違ふのでありますから前者を公衆（Public）とし後者を群衆（Crowd）として見るのを便利といたします。群衆と申しますのは身體と身體とが物質的に密集いたすのを條件といたしますので、演說の聽衆の如く一堂に集められたる人の集團でありまして、演說終れば分散して個々の人となる性質のものでありますが、公衆と申しますのは、もと〳〵身體的接觸を必要とはいたしませず個々の人として別々に居りまして唯だ心と心とが結び付いて居りますので、自分と同じ考へが自分の考へると同樣に多數の人によつて同時に考へられて居ると意識しまする場合に成立いたしますので米田庄太郎博士は的確なる公衆の意義として「特定の現實的問題に關して新聞、雜誌、書物等、殊に新聞を媒介として同樣なる思想、感情、慾望等が抱かれ且つ其の事が集團的に意識されて居る人間の一範圍である」（現代人心理と現代文明）と云はれて居ります。故に公衆には群衆の如く空間的の制限はなく且つ時間的にも群衆の如く一時的でなく稍々持續的の性質を持つて居ります。從つて群衆は考へる餘地がありませんが、公衆は稍々考へる餘裕を與へくれて居ると申すことが出來ます。併し米田氏も云はれて居りまする通り、此公衆の感情が昂奮して其の頂點に達しますと自から同じ意見のものが集るといふ群衆を生み出すものでありますから、新聞の讀者は演說の聽衆となり、演說の聽衆は新聞の讀者となり、此二者の中には共通の狀態も少なくないのであります。

輿論の歸嚮

大體に於て講話講演の聽衆は新聞雜誌の讀者であり、新聞雜誌の讀者は講話演説の聽衆となる傾向のあるもので、聽衆たる群衆は散じて讀者級に屬する公衆となり、其の公衆は一堂に集つては聽衆たる群衆となるの傾向があるものでありますから、公衆の意見（Public Opinion）たる輿論の歸嚮を察するのは聽衆心理の研究に於て閑却すべからざる重大事であります。今、自己の表現せんとする思想に對する公衆の意見を知るといふことを忘れては適當に表現することの出來るものではありません。勿論、此輿論と申しますものは社會心理の最も高き階級に屬する性的判斷になるものでありますから、人智未だ開けざる野蠻時代に於ては人はたゞ本能に驅られて理性の勢ひは微弱でありますから輿論といふものはござりませず、未開時代に至りましては輿論らしきものが少數者の中にありましても、未だ公衆の意見と申すほどには參りません。人智大に進み思考は自由となりて從つて言論も自由となつてこゝに輿論なるものを生じますので、言論の自由なき社會

課外講義

虎列刺病の話

警視廳技師　井口乘海

第一　原因

虎列刺病の原因は申すまでもなく「コレラ菌」であります、この細菌は元來我國に常存してゐるものではございませぬで、流行時季に海外から輸入さるゝのを常と致します。

扨て此の恐るべき病の豫防法を知るには、先づこの虎列刺の傳染徑路を知つて置く必要がありますから左に肝要な點のみを述べて見ませう。

(一) 虎列刺菌は何處に居るか　虎列刺菌は「患者及保菌者の腸の中に居る」ので

あります。「保菌者」とは虎列刺菌を自分の腸の中に持つてゐながら――自然虎列刺菌を糞便中に出しつゝあり――何等病症を起さずに平氣で暮してゐるもので、到る處虎列刺菌を撒いて歩く譯ですから、實に危險であります。

（二）**虎列刺菌の排泄せらるゝ道**　患者又は保菌者の腸の中にゐる虎列刺菌は何れの道から體外へ出るかと申しますと、（イ）患者又は保菌者の糞便と、（ロ）時には患者の吐物から排泄せらるゝのであります。

（三）**虎列刺菌が私共の體内へ入る道**　虎列刺病は御承知の通り消化器系傳染病でありますから、虎列刺菌が私共の體内へ入る道は唯一つあるのみで、それは「口腔」であります、空氣傳染などは決して致しませぬので、口の要心さへすれば傳染を防ぐことが出來る譯ですから、「ペスト」などとは比較的豫防し易い譯であります。

（四）**菌の媒介物**　虎列刺患者又は保菌者が、糞便又は吐物中へ混じて出した虎列刺菌が、どうして健康者の口へ入るかと申しますると、これには色々な媒介物がありますそれでこの媒介物を大別致しまするど、

（イ）**水**　水が虎刺列菌を媒介することは中々多いのであります、例へば患者の吐

いた物又は下したものを川中へ投ずることがよくある、さうすると川の水は汚染される、其汚された水を飲むで虎列剌病にかゝると云ふ有樣で、この傳染の仕方は頗る多く、大正五年度の流行にも澤山見受けたのであります。其他井戸端で患者の汚物を洗濯する、この際汚水が一滴でも井水中に入つたとすれば、それこそ大變、この井水を飲んだり使つたりしたものゝ中から、隨分澤山患者の出來る事がありますので、各自注意せねばなりません。

(ロ)飲食物　虎列剌菌で汚された海水中から採つた魚貝類や、保菌者の手で取扱はれた飲食物などから傳染することもよくあります。

(ハ)衣服、寢具、器具　虎列剌患者又は保菌者の使用した衣服其他のものを消毒せずに取扱つておいて、其手をなめたりしまするとそれから感染いたします。

(ニ)昆虫　就中蠅であります、蠅は患者又は保菌者の糞便や吐物の中に止つて、羽や足に幾十萬幾百萬の虎列剌菌を附着せしめ、其まゝで私共の食物の上にとまるのであります。

以上述べましたことによつて、虎列剌菌の所在、排泄路、侵入門、媒介物を大略御承知になつたことゝ思ひます。

第二　症　狀

（一）**潛伏期**　本病の潛伏期は「數時間乃至二三日」であります。卽ち虎列刺菌が體內へ入つてから早い人は五六時間、遲い人は三日まで位に發病するのでありま す。

（二）**主要症狀**　患者は始め全身何となく異狀を覺えまするか、或は突然腹部緊縮の感がありまして急に下痢を來します、これが二三回も續きますると、軈て嘔吐が參るといふ風にして始まるのが多いやうであります、今主なる症候を列記いたしまする と。

（イ）**下痢**　腹部雷鳴《はらがなつて》によりて下痢を來します、其便は多量で、水樣下痢であることが多く、遂には無色となり便臭を缺ぎ、米の煮汁の如き狀を呈します。さうして本病が急性腸加答兒や赤痢などゝ異なる所は、(1)腹痛のないことと、(2)裏急緩重（しぶる）を伴はない點が主なるものであります。

(ロ) 嘔吐　下痢に次で嘔吐が參ります、吐物は量の多いのが普通で、然も嘔吐時餘り苦痛を伴はない事が多いのであります。

以上の如き下痢嘔吐が二三回も續きますると、患者は急に脱力しまして、非常に衰弱いたしまするが、これも本病に特異な點であります。

(ハ) 水分缺乏の症候　前に申し述べました如く、本病患者は下痢嘔吐を度々やりますので、體内の水分は誠に少くなりまして、それが爲め、

(1) 皮膚は皺襞ばかりになり、且緑彈力を失ひまして、撮み擧げまするとその儘の形を保つてをります。

(2) 眼は大に陷み(眼窩陷沒)瞼は滿足に閉ぢませぬ。

(3) 非常に渇を訴へます。

(4) 脉搏は極めて細く小さく、手足、口唇等が紫藍色となり、且冷かになります。

(5) 尿は減量するか、無尿になります。

(ニ) 中毒症狀　聲はかれて到底大きい聲を出し得られませぬし、尚全身の筋肉が痙攣を起しまして、就中腓腸部(下腿の後面にある膨み)が最も強いやうでありま

す、夫が爲め患者の多數は「筋が吊る」「體中が痛い」と訴ふるのであります。

（ホ）熱　本病の大多數は熱が出ませぬ、腋窩で驗温しまするると平温であるか却て平温以下に降つてをります。前記の如き症候で、發病後早いのは十時間位で遂に死亡いたしまするが、幸に助かりまするのは前記の症候が漸次輕くなり、快方に向ふのでありますす、さうして其死亡の割合は「患者百人中六十八人位」（三分の二）であります。

右に述べましたのは虎列刺患者の症候でありますが、實地に就て患者を見まするると、いつも前記の各症狀を揃つてゐる譯でなく嘔吐のないものがあるかと思へば、聲のかれない患者があり、甚しきは殆んど下痢らしい下痢のない者さへもありま す。況して保菌者と申して前に述べました通り、腸の中に菌を有してゐながら何の等症候をも表はさない健康者もあることですから、多少でも症狀が似て居れば深い注意を加へ、早く醫師の診察を受ける事がよろしいので御座います。

第三　豫防法

(甲) 身體に關ずること

(一) 清潔にすること　すべての傳染病の豫防に、身體を清潔にするは勿論必要なることでありまして、矢張本病にも同樣でございますから(イ)度々入浴すること、(ロ)肌着を時々取換ふるの必要があります。就中「手を綺麗にすること」は本病豫防上最も肝要なことであります、卽ち前にも申し述べました通り、虎列刺菌は口から入るのでありますが、私共の身體で口と最も關係の深いのは手でありますから、其手指を清潔にすると云ふことは豫防上非常に大切なことであります。それですから私は各家庭に於て、

(1) 食事前必らず手を洗ふこと(成るべく石鹼を使用して)

(2) 間食する前にも必ず手を洗ふこと――殊に小兒に此習慣を養成したし――

の二個條を勵行して頂きたいと思つて居ります。其他「手を甜めること」は、知らず〳〵虎列刺菌を口に入れる機會を作るのですから、是非止めなければなりませぬ。

(二) 寢冷えをせないやうにすること　睡眠中腹部を冷やして腸を傷めるとい

ふことは誰もよく經驗するのでありますから、餘程注意せねばなりませぬ、卽ち就眠時には必ず腹卷をするやうにせねばなりませぬ。中にも小兒には特にこれを怠らないやう氣をつける必要がございます。

(三) 早く診察を受ること　身體殊に腹部に異狀を感じたる時は一刻も早く醫療を乞はねばなりませぬ、早く診察を受くることは、(イ)患者の全治を祈る上にもよろしく、(ロ)病毒を他に擴げない第一の要件であります。

(乙) 食事に關すること

(一) 生水、生食の注意　虎列刺の豫防としては生水を飲まぬこと、生食をせぬことは最も大切なる點で、これを忘れては他のことを如何に勵行しても駄目であると申したいのであります。それですから私は各家庭に於て、絕えず「一旦煮沸したお湯のさましたものを用意しておくやう」にお勸め致して居ります。それからまた魚類は勿論野菜物と雖も煮て食べれば安全でありますが、生の儘では危險であります。

(二) 暴飲暴食を愼むこと　平素と雖も暴飲暴食の宜しからざるは誰も承知の

ことでありますが、この虎列刺流行時には一層注意する必要がございます。元來虎列刺菌は少し位私共の胃の中へ這入つて參りましても、其胃が健全ならば虎列刺病に罹らないので濟むのであります。處が私共の胃や腸が暴飲暴食の爲めにこはされてあつたり、前に申した寢冷えの爲めに弱つてあるときに、不幸にして虎列刺菌が侵入して參りますと、遂に發病するのであります。此理由によりまして時節柄暴飲暴食は一層愼まねばなりませぬ。

(三) 果實　これは注意して食べる必要があります。先づ種類から申しますると、柹が最も胃腸をこはし易いやうで、次が無花果、水蜜桃の類であります、林檎、梨の如きは安全でありますから、これをよく洗つて皮をむき、過さないやうに注意すればよろしからうと思ひます。

(四) 食器の消毒　食器は直接口と關係のあるものでありますから、充分に注意しなければなりませぬ、これには、茶碗、お箸、杓子の如きものを釜の中へ投じて煮ればー等よろしいのでありますけれども、少々面倒で實行され難いかも知れませぬが、成るべく毎食前、煮沸したお湯を食器にかけてから、食膳に並べて頂きたいと思ひます。

（五）**蠅を防ぐこと**　蠅が患者の糞便、吐瀉物の上にとまり、無數の虎列剌菌を體に附着せしめて病毒を散蔓させることはなか〳〵多いのであります。それでなくとも、蠅が便所の中と食物の上を往來することを考へますと、私共は蠅を捕へ、或は防がざるを得ないのであります。それでありますから各家庭には一方蠅の發生を防ぐ爲めに、石油乳劑を便所、塵箱などに度々撒くと共に、尚蠅を捕ふる設備―蠅捕瓶、蠅たゝき、とりもち「ハイドリック」等―をなし、又蠅入らず、金網のやうなものを用ひて、食物に蠅のとまらぬやう注意せねばなりません。

○百倍石油乳劑の製法

（イ）原液の製法

處方
- 石鹼末　一合（四十五匁）
- 熱湯　一合
- 石油　一合（四十五匁）

先づ磨鉢の如きものに、石鹼末一合を入れ、熱湯一合を徐々に注ぎつゝ掻きまぜ、次に又石油一合を少しづゝ加へ乍ら、能くまぜて原液二合を得るのである。

(ロ) 撒布液の製法

右の原液二合に水九升八合を注げば百倍の撒布液を得られるから、これを柄杓かの如露の如きものに入れて撒くのである。

(丙) 家屋に關すること

(一) 清潔と換氣　家の内外を清潔にすべきは勿論、よく空氣の換るやうにせねばなりませぬ。元來虎列刺菌は「乾燥」に對しては極めて弱い菌でありますから、虎列刺豫防法としては物を乾かすといふことが必要であります。此の意味から申しましても、住宅の換氣を計りこれによりて乾燥するやうにせねばなりませぬ。

(二) 日光消毒　虎列刺菌は又日光に對して非常に弱い細菌でありますから、私共はこれを充分に利用せねばなりませぬ。衣服、寢具、器具、疊等時々日光に暴露して消毒する方がよろしいのであります。

(三) 便所　患者の吐物、糞便の入つてある場合は無論でありますが、虎列刺流行時には自分の家族中に保菌者があつて、平氣で虎列刺菌を便所へ排泄してゐるかも分りません、それが蠅の媒介によつて食物の上に來り、何時私共の口へ來るかも知れませぬから、便所は常に大なる注意を拂つておく必要があります。それで最も簡單なる方法で然かもこの危險を防ぐには、糞池内へ「石灰末」を投ずるのが一等宜しからうと存じます。それには便所内へ石灰末を持ち込んでおいて、誰でも便所へ這入つたものは、糞便の被ひ得る程度に撒くやうにするのであります。さうすれば例令蠅が便所へ參りましても、石灰の上にとまるといふことになりますから、玆に申したやうな危險はなくなるのであります、次に手水鉢でありますが、これは成るべく「ガラン式」（衞生手洗器）——下から押すと水が出る裝置をなせるもの——を用ふるならば安全でありますが、もし在來の手洗鉢を用ふるならば、其中へ消、毒、藥（百倍位の石炭酸水でも「クレゾール」水でもよろしい）を入るゝ方が結構だらうと存じます。

（丁）　豫防液注射

一、效果　虎列剌「ワクチン」の注射に就ては、近時大に其效果を認めらるゝやうになりました、歐洲大戰に際し各國の軍隊に於ても盛に施行したやうでありますが、效果は殊に顯著でありまして寧ろ驚く位でございます、今日私共は「虎列刺豫防法としては(ワクチン)注射に限る』とまで信ずるやうになつてをるのであります。

二、回數　注射は普通二回に行ふことになつてをります、即ち第一回注射をやつてから三四日目に第二回を行ふのであります。

三、反應　元來虎列刺「ワイチン」は左程大なる反應を起すものではありませぬ、極めて稀に熱を出す人もありますけれども、大抵は二三日位、注射した部位に輕い痛みを覺える以外に、あまり苦痛はないのであります、又第二回の注射は第一に比較して、いつでも反應は輕いものでありますから、第一回に少々痛みがあつても、決して第二回を恐るゝ必要はございませぬ。

四、禁忌症　肺結核、心臟病、腎臟病、重き脚氣病を有してゐる人、三十七度五分以上の熱ある人、姙婦、生後六ケ月以内の小兒などは注射を受けてはなりません。

五、注射後の心得　(1)注射をしても決して不養生をしてはなりませぬ。殊に注射をしても免疫力の完成するには、第二回注射後十日を要するのでありますから、注射後と雖も充分豫防法を守らねばなりませぬ。(2)注射をしたらば其日は飲酒を愼んだ方がよろしい、又入浴は差し支へありませんが、唯注射した所を摩擦する事だけは見合さねばなりません。

以上記述いたしましたことで、大體虎列刺豫防法を御了解なさつたことゝ信じますが、尚要點を摘錄致しますならば、

(1) 胃腸の健全を計ること、それには

(イ) 寢冷えをせぬやう腹卷すること

(ロ) 暴飮暴食を愼しむことゝし、尚

(2) 生水を飮まぬやうにし、且つ生食を絕對にしないこと、

(3) 蠅をとること

(4) 必らず豫防注射を受くることが必要であります、それから私共が虎列刺菌を攻擊する最良の武器としては、

(甲) 高熱、(乙) 日光に曝すこと、(丙) 乾燥せしむることの三つを忘れてはなりません。

附記

(虎列刺患者に疑はしき患者が生じた場合は如何にすべきか)と申しますると第一　早く醫師の來診を乞ふこと――成るべく家人を外出せしめない方がよろしいから、近隣の人でも賴むのが結構です(勿論患家へ入れないやうにして)

第二　患者には

(イ)潟を訴ふる時、溫い牛乳、熱い汐湯を澤山與ふること、

(ロ)手足の冷えぬやうに、湯婆、溫き蒟蒻、溫き[タヲル]などで溫めること、

(ハ)腓腸部に芥子(芥子を微溫湯で掻きまぜて泥狀となしたるもの)を貼布して、醫師の來るのを待つのです。

第三　其他の處置

(イ)病室には家人と雖も成るべく出入せしめぬこと

(ロ)吐瀉物に蠅がとまつたり、散亂することのないやう始末しおくこと

(ハ)便器糞池には石灰末又は木灰を投入せしむること

(ニ)家人に手を洗はしむること、

の點に注意して頂きたいと思ひます。

教化資料

○青年と宗教

日本の神社佛閣がいつも信者を以て滿たされて居ることは事實だが、此頃或る人が帝國大學の學生四千人程に就て信仰を調べたるに其結果は

神道　八、　　佛教　五〇
基督教　六〇、

で、神とか佛とかいふものはないと信じて居る無神論者は一五〇〇、神や佛は有るか無いか解らないといふ不可知論者は三〇〇〇の多きに達したといふことである。これでも今日の教育ある青年の宗教心を窺ふことが出來る。

○晩婚の風

近來女子が社會的に活動することとなつた爲めでや、生活の困難も關聯して晩婚の風が漸く生じ數年前は男子の婚姻年齡が廿歲より廿五歲迄であつたのが、此頃に二十五歲から三十歲となり、女子は十五歲より二十歲迄であつたのが二十歲より二十五歲迄を平均とするやうになつて五年宛遲れて來たやうである。

○露西亞の過激派

「惡黨、惡黨を追ふ荒寥たる平野、それが露西亞の姿である」と露西亞の詩人が謳うた如く過激派の暴虐なる手にかゝつた露西亞は實に悲慘なものである。過激派は露國民を三階級に分ち、一は農民、二は都市住民、此都市住民は全く過激派に虐げられて一片の麵麭、半片の肉を得んがために飢餓に瀕しつゝ順番の來るのを待つて居る、これらの國民の膏血をしぼつて贅澤な暮しをして居るのが、其の三たる過激派執政委員、幷に赤軍の人々で、都市の住民は彼等のために戰線に送られ、監獄に繫がれ、或は銃殺せられ、女は全く無保護の

狀態に置かれ、目前に其の子の飢え死を見るの有樣で、過激派のために其の財は奪はれ、其の身は凌辱せられ着るに衣なく、穿つに履なきの境遇にあつて賣笑の行爲は至る所に行はれて居る。共產の名に於て暴政を行ふ過激派の執政者は秩序といふことを無視した亂世を現出して居るのである。人類生活の圓滿は秩序によつて計られ、其の秩序は國家によつて維持せられるのである、國家が此狀況に置かれた國民ほど氣の毒なものはない。

○烟草の烟

一昨年卽ち一千九百十九年に英國人が烟にした烟草の價額は一億八千百十六萬九千ポンドだといふことである、一ポンドは日本の約十圓に當るから十八億千百六十九萬圓ほどを鼻からふき出したことになる。英國だけでこれだから世界中では大變なことになる。

○世界の米

我が日本は瑞穗の國といふて米を以て誇るが世界中で一番多いのは英領印度で一ヶ年約一億三千五百萬石、內二千萬石は英本國其他へ輸出するの資格があり、緬甸《びるま》のみでも三千萬石を產し、內一千三百萬石は他國へ出しても大丈夫である。其の次ぎが日本で臺灣や朝鮮をも合せて六千八百萬石だが、まだ他國へ出すの餘裕を持たないのみならず年々他國からの輸入を仰いで居る。

○死亡の病因別

先年我統計局の發表した統計によると、一年間に五萬人以上の死亡病因と其數は次ぎやうだ。

肺結核	八萬一千人
腦炎	七萬二千人
腦出血・腦卒中	六萬五千人
下痢及腸炎（二才未滿）	六萬四千人

問　（二才以上）　五萬四千人
先天性弱質　五萬四千人
肺　炎　五萬一千人

○神童の話

十で神童、二十歳　才子、三十過ぐれば唯の人と古人もいつて、幼少の時の神童は餘り當てにならぬが、然し神童といはれるからには、どこか凡庸ならぬ所があるに相違ない、そこで二三神童の逸事を紹介して見るならば、菅公や小式部内侍の有名なる逸話を外にして面白いものが隨分ある。

（一）京都の目賀田釆女の一子八郎三郎といふは七歳の時、洛東の河原の螢を見て忽ち口吟むらく

岩間飛ぶ螢は波のうつ火かな

之を聞傳へた都人が感に堪へて神童の名大に世に高まつた所より、終には上聞にまで達して其年の八月禁裏に召されて歌を咏ませられた、其時、櫻の花を書きたる扉を勾當の内侍より下され、これにて一首とありしに取敢へず

よも散らじ繪にかく山の櫻ばな
あふぎは風のやどりなりとも

此秀逸にはさしもの大人も舌を捲いて其英才を驚歎せぬものはなかつた。

（二）建仁寺の僧常菴諱は龍崇といふは餘程の秀才で、正宗統禪師の侍者であつたが、十歳の時或人が常菴に向つて、兒は未だ詩を作ることを解せぬかといつた所が聲に應じて

庭堅生八歳、口始解レ言レ詩、
今古同中異、何恨二年遲。

此には其人大に辟易して降參して仕舞つた。

（三）紫式部は希世の才媛であつただけ、幼時より逸才であつたと見へ、下の佳話を遺して居る。

昔し南殿の庭中に、夜の間に角力草が生へた、此草は曠野のものであるに、禁庭に生じたのは不吉であるとて、公卿それ〴〵に詠歌あるべしとの勅錠が下つた、其時誰一人未だよみ得ぬ中に、當

時六歳の紫式部は忽ち一首をよみ出でた其歌は

　けふばかり負けてもくれよすまふ草
　　とる手もしらぬ六子なりけり

といふのであつたが、其歌の德が鬼神をも感ぜしめたものか、角力草は一夜の中に消滅して仕舞つたといふ。

(四)宗祇法師が石山に詣でゝ螢を見

　うき草に火を埋みたる螢かな

とよんだのを傍に在りし童子がそれは死螢であるかといつた所より、驚きて

　池水に火をうつなみの螢かな

と言ひ直したとあるが此童子も尋常一樣の腕白者でなかつたに相違ない。

(五)伊豆の目代八牧の判官兼隆が源賴朝に討たれて後、一家の者共寄集まり、追善供養を營みて文誦を上げた、其文に「法華經開八卷心成佛身」とあつた故に、高座の法師讀みかねたのを、聽衆の中より五歳の小兒出て、其文よむべしとて高座の際に寄り

　法のはなつねにひらくる八まきには
　　心ほとけの身とぞなりぬる

スラ〳〵と一首の歌をよみ上げた故に一座面を見合せて恐れ入つたといふ。

○數字の歌句

昔より傳ふる數字の和歌に面白いのがある、信州碓氷峠にて作者不詳として

　八萬三千八、三六九三三四四
　一八二、四五十二四六、百四億四百

の數字が或木に張付けてあつたが、これぞ一首の和歌である、釋すれば

　やまみちは、さむくさみしゝ、ひとつやに
　　夜ことに白く、もゝ夜おくしも

又二三四を題にしての古歌がある。

俊成卿の和歌として

　忍びつゝ入めをつゝむ玉章の

よまれぬもじの二ッ三ッ四ッ

又、家隆卿の歌として

なつ山の青葉まじりの遅櫻
あらはれて見ゆ二ッ三ッ四ッ

定家卿の歌として

たなはしのみしかきほとぞしられけり
駒のあしなみ二ッ三ッ四ッ

以上は隨分人の知れる所であるが、淨土宗の逸足大我夢菴上人の如きは、屢々かゝる難題に接しても縦横の奇才は忽ち之が答を爲して人を驚かし頤を解かした。即ち上人が或年伊勢の大林寺にて説法せられた時、同國の俳人供、上人を花月亭に誘ひ席上にて、一より十まで順次に賦して七絶をつくり、三里の風煙山水と四隣の遊君飄客とを物せよと迫った時、上人は直に筆執りて、

一望二階三里淸、四隣五欲六塵營
七賢八達九天樂、十錢解レ奉歌舞聲

といひながらに書記し、其次に

一二《ハナニ》三四《ミヨ》五六《イツモ》七八《ナヤ》九十月《ココミツルツキ》

との俳句を連ねられたが、誰も之を讀み得ずとて遂に屈服した、そこで上人は哄笑して

小跨とり投げんとしてもヤッといへば
こける角力のはてらちもない

といった如きは亦傳ふべきものである。

○克己の俚諺道歌

無ければ無いで濟む

滿足する人は富めり

上見れば思ひ出もなき身なれどもわれより下の人も多きに

何事も限りある世と知りぬれば賤が伏屋もたのしかりける

事足れば足るにまかせて事足らず足らで事足る身こそ安けれ

足ることを知りて分限に安んぜば貧賤とても常に安樂

末つひに海となるべき谷水もしばし木の葉の下くゞるなり

何事も油斷をなさず自由せず、足らぬを足るとするが福人

年々に思ひやれども山水をくみて遊ばん夏なかりけり

水を飲んで樂む者あり錦を着て憂ふる者あり一に香の物に茶漬にて滿足す、二に破れたる衣も寒暑を防ぐに足れば滿足す、三に醜婦を妻として滿足す、四に貪らず妬まず凡ての事に於て滿足す（四休居士）

多食の五苦……一には大便の數多く、二には小便の數多く、三には睡眠を增し、四には身重くして修業を怠り、五には食消化せずして心持よろしからず。

馬鹿だ馬鹿だと小馬鹿にするな馬鹿が建てたる藏を見よ

恥惡衣惡食求居安則志士

○細川忠興の窮民救助

細川越中守忠興は幽齋の子でありまして、仁慈の心の厚い人でありました。忠興が豐前小倉の城守であつた時、一年大に旱して、領民は多く飢餓に迫つて居りました。忠興は之を見て大變に心を痛まして、尋常の事では及ぶまいとて父幽齋から傳へて來た天下有名の茶器寶物を殘らず近臣に渡して京都に上り之を典物とし或は賣り拂つて救助の費に充てました近臣は命を奉じて上京したけれども、天下の名器であるから、後難を恐れ之を手にするものはなかつたのであります。その時に所司代の板倉周防守が之を聞いて『其茶器寶物の由緒は、如何なるにもせよ當時天下歷々の細川家持主として賣拂ふ以上は別條なし』と知らしたから富豪は是より爭うて買ひ取つたといふことであります。そこで其金に依りて大阪で米穀を調はせ殘らず領内へ配與して大に窮乏を救ひました。（逸話

文庫）

○肝煎半左衛門と公務盡瘁

半左衛門は奥州黒川郡志戸田村外三村の肝煎であります。先祖から代々此役を勤めること二百六十餘年にして半左衛門に至つたのであります。半左衛門は公務を重んじ分けて村村の難儀を救ふことに心厚く村民は皆感服して爭論がありません。年久しくそのあたりの田畑熟せず人皆貧困に及んだ時に半左衛門も元より豊でないのを自分の身の損益に拘らず村内の事ばかりを心とし貧民を救ひ若し離散にも及ぶべきものがあれば兎角して取續がせ尚ほ至つて貧しき者には年の晦に米味噌を贈り、或は妻を娶るべき用途なき者へは金を貸與へて、其儀を結ばせ、馬飼料に乏しき者にも同じ様に取扱ひ其價を納むるに至りても、人々の難儀でないやうに年々の銀を定めました。斯樣な有樣であるから半左衛門の情で以て世に立ちて居るものが數多いのであります。若し公の用で村の者が來れば、食事の時でも、口に含めるを吐いて其用を辦じ、村中連名の文書抔に印判をさせる時も、我家に招いては、遠者の勞あらんことを思ひ、素より小肝煎と唱ふるものの定めがあるから、其家に近い者は其處へ招く爲めに、自からも其家に行きました斯く我勞を厭はないで計らつたから農事の妨げなしと云ふて皆喜び合つて居りました。

（孝義錄）

○吉田鰲嶼の吾妻橋架橋

幕臣に、吉田鰲嶼といふものがありました。名は桃樹、忠藏と云ふ。明和中、幕議橋を淺草川に架せやうとしたけれども、水底に石多く、爲めに莫大の費用を要するので果すことが出來ず、安永の初めに至りて桃樹は自ら工事を管して、能く游ぐものを水に入らせ營作させました。そこで橋は出來上りました。人々に橋錢二文錢を課して後その金で修造して材を用ゐることは頗る堅固のものとなりました。皆糶りて資給したのであるから官庫の金は一錢をも費さなかつたのであります。吾妻橋といふは即ち是れであります。天明六年關東に洪水があつた時川漲ぎりて橋が壞れやうとしました、桃樹は之を見て謂ふには『尙ほ救ふべし』と。そこで命じて其中間數丈を斷つて水勢を殺いだ爲め橋が全きことを得たのであります。(譚海)

○農夫源兵衞の濟急

常州行方郡潮來村に農夫源兵衞なるものがありました。此郷は船着で賑はしい所であるから、源兵衞は稼穡の餘暇に商業を營んで、夙夜黽勉して富實を致しました。源兵衞は又慈悲の念深く、里中病癈艱苦の者があれば常に訪れて物を與へます天明の初め歲を累ねて凶荒に民苦しみ、ことに六年の洪水がありて、此地は霞ヶ浦に瀕して居るから被害は實に甚だしく里民の餓死するものはその數を知りません。源兵衞は之を見るに忍びないで先づ私儲の米麥を町民に貸出して、尙必ず返すに及ばないといふて其窮を賑はしました。又『飢ゑて病に臥せる者に米を施したく思へども、白晝に面をさらして同じ農戶に救を乞ふは、本意にあらずとて、受けざる人も有るべし。又救ふ身に於ても、不本意なり』とて色々考慮し『救米を得んとする人は夜に入りて來るべし』と板に書いて門邊に建てました。之れを見るもの聞くもの喜び合ひ日暮を待つて、毎夜二百人三百人づゝ、絶間もなく來ました。その各々に皆白米一升宛を與へたのであります。後に遠國のものも聞きつたへて夜となく晝となく引續いて來て其數幾許とも知れない程でした、そこで前に竹棚を設けて、大きな釜で粥を炊いて旅人の飢を凌がせて居りました。行先知らぬ飢渴のものは、其邊りに隱れて居て、毎日旅人の態を装ふて來て幾度も乞ふものがありますが、源兵衞は知らない態して與へて居りました。

(濟急紀聞)

○高橋重太夫の里民救濟

安永の頃、高橋重太夫といふものがありました上野新町の人であります。家は大農であつて良田若干町を持つて居りました。重太夫は身宿老でありましたから常に其里の利病を見ることは自分の家に於ける樣であります。凡て東北の候國は貢獻が多く道路は絡繹として、日々に相尋いて居ります。そして皆此里を經て其用に供給する爲め時には急速に人夫を發して耕馬を走らせるともあります民はそこで生産を爲すとが出來ないで、窮乏に陷りて居りました。而して本宿が最も甚だしいのであります。重太夫は小民の困窮を見るに忍びないで意を決して此に良策を建てゝ宿中の經費を計りて財六百金と墾田二町を寄せて官に請ふて其用に充てました。是れは安永年間の事でありますが其後其金利で以て能く人馬を出入することが出來たといもます。又役夫をして其田を力作させたから粟も亦餘儲あることを得たのであります。(碑文)

○甘諸代官井戸平左衞門

有名なる甘諸代官井戸平左衞門正朋は、享保十六年石見邇摩郡大森の代官となつた時であります翌年饑甚だしく平左衞門は、密かに之を心配して官命の下るをも俟たないで食廩を開いて食を饑人に與へ又悉く其年の租税を免じて遣りました。爲めに管内の民は餓死を免れることが出來ました。屬僚の者が平左に謂ふには『公の租税を免じて、民の急を濟ふは善し。然れども幕府の允許を得ずして擅に之を爲すは法憲を犯せるものなり。累ひ公の身に逮ばんとす。今に及び宜しく謹愼以て命を俟つべし』と。平左は謂ふ『卿等余を思ふは誠に喜ぶべし。余不肖なりと雖も、之を知らざらんや。然れども民の急は、轍鮒の急よりも甚し。官命を俟たば窮民悉く餓死す可し、我罪を恐れて座ながら民の餓死するを見るは、仁者の爲さざる所なり。且我職たるや民を寧んずる爲めに設くるものにして、身を利せんが爲めに置きたるものにあらず。民の爲めに罪を得るは、我平生の志のみ』と。屬僚の者その言に服した。十七年五月、前年官許を歷ないで擅に救賑をしたといふことで代官を罷められ、備中笠岡の公廳で命を待つて居りました。平左謂ふに『我民の爲めに命を損するは固より其分のみ。而かも今徒に公命を待たば、生を貪り命を愛むに似たり。若かず自ら死して、以て我士たるの道を全うせんには』と。遂に廿七日、笠岡の廳で自殺致しました。

○肝煎善兵衛の水害救護

陸奥岩代大沼郡に、善兵衛といふ人がありました。二日町村の肝煎でありました。或歲大洪水があつて、下米塚出新田二村の境である堤防が壞れて、水鶴沼川と合し、水勢彌々盛んになつて出新田の民家と二日町村を浸して渺漫たること恰かも湖のやうになつて、道路は勿論斷絕して士民老弱男女が高地に上り辛じて水を避けて居ること三日遂に饑餓は其身に及んで來た。善兵衛は此に憤然として裸體となり、糧食を負ふて激流に飛び入り往く〱饑人に食はしめました。又小松村に行つて渡舟を借り、二舟を以て餘る所の人馬を載せ、之を本村に送りました。そして流れて來る材木は皆之を岸に上げ、人を雇つて之を守らせ、其の外堤防の壞れかゝつてるものは、之を繕つて安全にしました。出新田の流失する所三戶、厩二所、而して八馬は恙なきを得ました。是れ皆善兵衛の力であります。（孝義錄）

○奧州五左衛門井戶の由來

五左衛門は奧州白河金萬村の人であります。一村凡そ二百餘戶が皆淸水のないのを告げて居りました。時に五左衛門は深く之を心配して、壯時から發憤して神佛に誓ひを立てゝ、井を掘ること凡そ八十餘所に及びましたが尙淸水を得ることは出來ず最早筋力は疲れて了ひました。そこで老年になつて一の井戸を掘りて始めて淸水を得ることが出來ました。翌日五左衞門は遂に病を得て此世を去つて了つた。そこで之を五左衞門井戸と云ひます。闔村の者皆之に賴りて漸く生活することが出來て彼の德を讃嘆せぬものはなかつたといひます

（備忘錄、皇朝金鑑）

○細心の格言

一錢の金も骨折つて儲けよ、樂して儲けた金は落し易し。

二年先の見留を付くべし、マグレ當りにて儲けし金は他人の金を預つたと同じことなり。

其場限りの事而已に心を置く者は薄氷を踏むが如し。

何事と雖も其始めの內に終りの事を能く考ふべし

恐るべきは見極めたる積りにて極めなき事を行ふにあり

居レ安思レ危、則有レ備無レ患。

莫大之禍起ニ須臾之不レ忍、可レ不レ懼。

世の中は暫時の衣食始末してながき來世の始末なきなり。

譬へば百萬石の米と雖も粒の大なるにあらず、百萬町の田を耕すも其業は一鍬づゝの功にあり。千里の道も一歩づゝ歩みて至る。山を作るも一ト簣の土よりなる事を明かに辨へて、勵精小さなる事を勤めば大なる事必ずなる可し。

小さなる事を忽にする者、大なる事は必ず出來ぬものなり。

涓々たるを塞がずんば將に江河をなさんとす、熒々たるを救はずんば炎々たるを如何にせん。

人遠き慮なければ必ず近き憂あり。

金錢を輕々視するなかれ金錢は直に是れ品性なり

（バルー）

曹源一滴水、一生用不盡

地方資料

編者との協議の上、収録しないことになりました。
（不二出版）

雜　錄

□編輯上の要務　本講習錄編輯上に關する事項に就いての照會等は總て、左記本社編輯部宛にして頂き度い。

東京市神田區三崎町三丁目一番地新三崎橋通り

新修養社編輯部

電話九段一四三番

□質疑要項　講習上の質問は、用紙半紙又は罫紙、原稿用紙の何れかを用ゐ、質問の要點を成る可く簡潔にし、明瞭なる書體にて記るし、用紙の見易き個所に、質問者の住所氏名を必ず附記して、前項本社編輯部宛送附せらるゝこと。

□講習申込　は必ず奥附記載の發行所宛にし、編輯部と混同せざること。

□第一卷正誤　本講習錄第一卷「社會問題と思想問題」赤神文學士講述の講義中左の通り正誤す

『社會問題と思想問題』正誤

		誤	正
4頁	11行	理であるから隨つて	理である、隨つて
6頁	5行	複には	複體には
7頁	2行	人格で	人格體で
7頁	11行	三條の	三條件の
7頁	13行	人爲的	人意的
8頁	7行	人爲制度	人意制度
11頁	13行	組合的	組合せ的
14頁	3行	爲め優生	爲めの優生
14頁	8行	二百萬年の	二百萬年前の
14頁	10行	優生學的	優境學的

教化講習錄概要

□課目幷に講師□

課目	肩書	講師
歐洲近代文藝思潮	文學博士	金子馬治先生
大戰後の世界現勢	ドクトル、オフ フイロソフイー	長瀬鳳輔先生
社會問題と思想問題	文學士	赤神良讓先生
社會教育	文學士	乘杉嘉壽先生
思想の變遷と流行語の研究	文學博士	藤岡勝二先生
兒童心理の應用	東洋大學教授	高島平三郎先生
經濟學說と實際問題	慶應義塾教授	淸水靜文先生
實用論理	東洋大學學長	境野黃洋先生
佛教文化の特徵	文學博士	椎尾辨匡先生
我國の政治と佛教	文學博士	村上專精先生
現代思想と佛教	ドクトル、オフ フイロソフイー	渡邊海旭先生
思想の表現と聽衆の心理		加藤咄堂先生
社會事業概說	內務事務官	齋藤樹先生
自治民政と佛教		加藤咄堂先生
我國の文化と神道	帝室博物館祭祀神祇部主任	津田敬武先生
佛教各宗の安心		各宗諸大家

其他隨時課外講義として最近科學の進歩幷に敎化に適切なる講演を揭げ且つ每卷敎化資料を添ゆ

□會員特典

特典　會費三ヶ月分以上前納者に對しては質問券を送付し、講義科目に就き隨時質問の便を得せしむ。

□期間幷に紙數

每月一回（一日發行）、紙數二百頁內外、各科講義に長短ありと雖、全部十二冊を以て完結す

□本講習錄の五大特色

一、專門知識を通俗化し平易なる說述を以て民衆敎化に好資料を提供するは本講習錄の特色なり。
一、敎化傳道に從事する宗敎家諸君に斷えず新なる敎材話材を供給するは本講習錄の特色なり。
一、社會を敎化し民衆を指導する人々に常に思潮の推移を知らしむるは本講習錄の特色なり。
一、各方面に於ける現代大家の執筆を請ひ讀者をして親しく其敎を受くるの感あらしむるは本講習錄の特色なり。
一、質疑應答の欄を置き、讀者をして其難解の個所に對して隨意に質問せしむるも亦本講習錄の特色なり。

本講習錄購讀上の注意

△會費御送付の節は「新規」若くは「繼續」と御記入ありたし
△會員住所氏名は間違を生じ易きが故に最も明瞭に記載されたし

會費	
一ヶ月分	金壹圓
三ヶ月分	金貳圓九十錢
六ヶ月分	金五圓五拾錢
一ヶ年分	金拾圓五拾錢

△會費は前金のこと、送金は振替にて新修養社へ御拂込を乞ふ、集金郵便を差出す時は手數料金拾錢を加ふ
△中途加入者にも第一卷より送付す

大正十年六月廿八日印刷
大正十年七月一日發行

編輯兼發行人　東京府豐多摩郡代々幡村代々木百八番地　加藤熊一郎

印刷人　東京市神田區三崎町三丁目一番地　百目木智璉

印刷所　東京市神田區三崎町三丁目一番地　株式會社共榮舍

發行所　東京市麻布區飯倉町五丁目四拾四番地　新修養社
電話芝一一二七四番
振替東京八二二六四番

この部分は、原本の状態により収録できませんでした。
（不二出版）